DEUX INTELLECTUELS DANS LE SIÈCLE, SARTRE ET ARON

DU MÊME AUTEUR

Les Intellectuels en France, de l'affaire Dreyfus à nos jours, en collaboration avec Pascal Ory, Armand Colin, 1986 ; 2ᵉ éd., 1992.

Génération intellectuelle. Khâgneux et normaliens dans l'entre-deux-guerres, Fayard, 1988 (Couronné par l'Académie française); coll. « Quadrige », PUF, 1994.

Intellectuels et Passions françaises. Manifestes et pétitions au xxᵉ siècle, Fayard, 1990.

La Politique sociale du général de Gaulle (en codirection avec Marc Sadoun et Robert Vandenbussche), Centre d'histoire de la région du Nord, 1990.

La Guerre d'Algérie et les intellectuels français (en codirection avec Jean-Pierre Rioux), Bruxelles, Complexe, 1991.

Histoire des droites en France (sous la direction de), 3 vol., Gallimard, 1992.

La France de 1914 à nos jours (en collaboration avec Robert Vandenbussche et Jean Vavasseur-Desperriers), PUF, 1993.

École normale supérieure. Le livre du bicentenaire (sous la direction de), PUF, 1994.

Dictionnaire historique de la vie politique française au xxᵉ siècle (sous la direction de), PUF, 1995.

Cent Ans de socialisme septentrional (en codirection avec Bernard Ménager et Jean Vavasseur-Desperriers), Centre d'histoire de la région du Nord, 1995.

Les Affaires culturelles au temps de Jacques Duhamel (en codirection avec Augustin Girard et Jean-Pierre Rioux), Comité d'histoire du ministère de la Culture - La Documentation française, 1995.

COLLABORATION À

Histoire de la civilisation française, de Georges Duby et Robert Mandrou, t. II, nouvelle édition, Armand Colin, 1984; Le Livre de Poche-Références, 1993.

Les Lieux de mémoire, sous la direction de Pierre Nora, t. II, *La Nation,* vol. 3, Gallimard, 1986.

Pour une histoire politique, sous la direction de René Rémond, Le Seuil, 1988.

Notre siècle (1918-1995), de René Rémond, nouvelle éd., Fayard, 1995 ; Le Livre de Poche-Références, 1993.

Jean-François Sirinelli

DEUX INTELLECTUELS DANS LE SIÈCLE, SARTRE ET ARON

Fayard

© Librairie Arthème Fayard, 1995.

À Marie et Jean

Entre walhalla et hallali

Notre histoire commence, comme il se doit, par une photographie jaunie, vieille de soixante et onze ans. La promotion littéraire de 1924 de l'École normale supérieure pose pour la postérité. Au premier rang, côte à côte, deux jeunes gens qui ont choisi la section de philosophie : Jean-Paul Sartre et Raymond Aron. Le premier a introduit dans sa mise un soupçon de bohème étudiante avec, à la main, une pipe et un chapeau à larges bords. Le second, au contraire, porte pochette et guêtres. Deux styles déjà, et deux rapports différents avec l'institution dans laquelle ils viennent d'entrer. Et, en même temps, un premier risque de cliché, car les deux normaliens ne se laissent évidemment pas réduire à un tel contraste.

Plutôt que d'un cliché, on partira donc d'un serment, qui remonte à la même époque. Rue d'Ulm, Sartre et Aron avaient, sur le mode de la plaisanterie, conclu un pacte : celui des deux qui survivrait à l'autre rédigerait sa notice nécrologique pour l'*Annuaire* des anciens élèves de la rue d'Ulm. Mais les décennies ont passé, et, quand le premier partit, en avril 1980, le second écrivit, dans un article pourtant cordial et attristé :

« L'engagement ne tient plus[1]. » Il s'agissait moins, sous sa plume, de susceptibilité ou de blessure que du constat du fossé que l'Histoire avait creusé entre les deux hommes. Et force est de constater que, dans ses rapports avec l'histoire de son temps[2], la génération de Sartre et d'Aron eut la vie rude. Du reste, les deux textes de souvenirs les plus connus qui sont issus de cette génération constituent autant de présomptions de cette rugosité du contact avec l'Histoire. *Aden Arabie* de Paul Nizan et *Notre avant-guerre* de Robert Brasillach montrent que les khâgnes des années 1920, loin d'être un univers clos, un monde selon Vara, ont constitué le creuset d'itinéraires contrastés et bientôt tragiques : le communiste, Nizan, mourra d'une balle allemande au début de la Seconde Guerre mondiale, le maurrassien, Brasillach, progressivement séduit par les idéologies d'outre-Rhin, tombera sous des balles françaises à la fin du même conflit.

Certes, on fausserait la perspective en faisant des normaliens de cette génération des communistes ou des maurrassiens en puissance : le centre de gravité politique, on le verra, était ailleurs. Mais l'impression reste juste, en revanche, d'une histoire tragique d'une génération[3] qui avait pourtant eu l'immense chance, étant née avec le siècle, d'être épargnée, à quelques années près, par la Première Guerre mondiale. Son histoire est tout le contraire d'une bonace. La montée des périls au fil des années 1930 puis l'épreuve de la guerre et de l'Occupation introduisent une première série de brisants sur lesquels plusieurs camarades khâgneux ou normaliens de Sartre et

---

1. Raymond Aron, « Mon petit camarade », *L'Express*, 19 avril 1980, p. 138.

2. Que l'on appellera l'Histoire, avec une majuscule, dans les chapitres qui suivent. C'est, en effet, ce rapport avec l'Histoire qui fournit l'un des fils rouges de ce livre. Un tel choix, on le verra, n'est pas arbitraire et nous paraît essentiel pour expliquer le cheminement des deux « petits camarades » dans le siècle.

3. Je me permets de renvoyer, sur ce point, à *Génération intellectuelle. Khâgneux et normaliens de l'entre-deux-guerres*, Fayard, 1988, rééd., PUF, coll. « Quadrige », 1994. Sauf indication contraire, les ouvrages signalés dans ce livre sont édités à Paris.

Aron verront leurs destins se fracasser. Du coup, cette génération connaîtra une sorte de relève intragénérationnelle, un rameau de quadragénaires prenant le relais à la Libération et occupant bientôt le devant de la scène, Sartre devenant vite le symbole de ce rameau. Mais là encore, l'Histoire se remettra vite en marche, la rupture Est-Ouest puis les guerres de décolonisation introduisant une nouvelle ligne de clivage. Et c'est sur cette seconde série de récifs que se brisera l'amitié Sartre-Aron. Bien plus, les deux hommes deviendront alors l'un et l'autre les figures de proue intellectuelles des nouveaux camps en présence.

La génération intellectuelle de 1905, dont Jean-Paul Sartre et Raymond Aron deviendront progressivement les héros éponymes, connut donc plusieurs failles successives. Dans ce réseau de failles, bien peu de chance fut laissée, en définitive, à l'amitié. Comme le notera dès 1956, la cinquantaine venue, Raymond Aron, « que, dans notre génération, aucune amitié n'ait résisté aux divergences d'opinion politique, que les amis aient dû politiquement changer ensemble pour ne pas se quitter, est à la fois explicable et triste [4] ».

Ce détour par la notion de génération était nécessaire pour justifier le choix, ici, de Sartre et d'Aron. Car l'histoire intellectuelle est jalonnée de bien d'autres duels, notamment à l'époque de la guerre froide. Seulement, Sartre et Aron avaient exactement le même âge, ils furent amis et, de surcroît, ils étaient issus d'un même terreau intellectuel. Dès lors, l'histoire comparée de leurs traversées respectives du siècle n'est pas seulement la relation d'une amitié brisée – phénomène, au demeurant, courant dans le milieu intellectuel comme ailleurs – mais aussi la localisation des grandes houles qui ont agité ce milieu. Bien plus, quand viendra le temps de la guerre – une guerre de trente ans – entre les deux anciens amis, le rayonnement de l'un et de l'autre ne sera jamais de même ampleur au même moment. Et ce différentiel de rayonnement est bien, on le verra,

4. Raymond Aron, « Aventures et mésaventures de la dialectique », *Preuves*, janvier 1956, p. 15.

le reflet des grandes phases de domination idéologique successives dans la France du XXᵉ siècle.

On se gardera bien, pour autant, de ne faire des deux hommes que des indicateurs d'amplitude de houle ou d'intensité de rayonnement. Leur histoire existe aussi par elle-même, tant par leur personnalité propre que parce qu'ils sont bientôt devenus des figures tutélaires de leurs camps respectifs. Ce qui conduit, du reste, à signaler quatre précautions d'usage face à un sujet à si forte densité. La première étant de rappeler que l'histoire dont il va être question, pour chronologiquement proche qu'elle soit, appartient déjà à une autre époque, antérieure à l'avènement de la « vidéosphère » (Régis Debray). En ce temps-là, les intellectuels contribuaient, par leurs débats, à dégager les enjeux des grandes controverses nationales. Et l'effort d'imagination rétrospective s'impose d'autant plus qu'entretemps une partie du crédit moral et du pouvoir d'influence des intellectuels s'est disloquée avec l'effondrement des grandes idéologies globalisantes.

Ce qui n'a pas seulement bouleversé le décor de cette histoire. Pour Sartre et Aron s'est alors opérée une véritable inversion des rôles : tandis que Sartre, progressivement, entrait en coulisse, Aron se trouvait propulsé, en ses dernières années, sur le devant de la scène. Changement d'emploi, aussi : Sartre, longtemps promu au rôle d'oracle, apparaissait désormais, rétrospectivement, au dire de ses adversaires, comme une sorte de pythie incongrue, ayant toujours diagnostiqué et pronostiqué à contretemps. Ce tardif chassé-croisé avait donc débouché sur une véritable querelle d'images, mais dont les iconoclastes auraient changé d'identité et de génération. Là est bien la deuxième difficulté de l'étude, mais aussi l'une de ses raisons d'être. À bien y réfléchir, ce fut, en effet, un destin singulier que celui de Jean-Paul Sartre : après une trentaine d'années d'intense rayonnement – les « années Sartre », de la Libération au milieu des années 1970 –, c'est à une rapide mise en quarantaine posthume que l'on a pu, d'une certaine façon, assister. Mais, par-delà même ce type de meurtre rituel dont le

milieu intellectuel est coutumier, il y a bien, depuis une quinzaine d'années, une « question Sartre » : son passage du statut de
soleil éclairant le paysage idéologique à celui d'astre – momentanément ou définitivement – éteint est bien le signe le plus tangible d'un changement de la voûte du ciel intellectuel et d'un
déplacement de ses points de repère, en d'autres termes d'une
véritable révolution copernicienne au sein du milieu intellectuel. Autre signe, bien sûr, la gloire vespérale puis posthume de
Raymond Aron, qui connut donc lui aussi un destin singulier.
On le soulignait plus haut, les images respectives et successives
des deux hommes constituent autant de reflets des grands
débats qui ont ébranlé la communauté nationale et des idéologies dominantes qui ont fourni tour à tour des réponses à des
interrogations collectives.

Cela étant, s'en tenir à l'analyse de ces jeux de miroirs serait
une démarche singulièrement restrictive. Les deux hommes
existent en eux-mêmes, ils ont eu un parcours personnel et des
engagements politiques médités et assumés. Ce sont donc aussi
ces parcours politiques qu'il convient d'étudier, à travers le
siècle : en d'autres termes, leurs méditations respectives sur l'histoire de leur temps et les rapports qu'ils nouèrent directement
avec elle, par leurs engagements. Chez Aron, du reste, il y a bien,
formulé explicitement, ce sentiment que, dans sa vie, le contact
avec l'Histoire fut essentiel. On connaît cette phrase, souvent
mentionnée, de l'épilogue de ses *Mémoires* : « À supposer que
quelqu'un se donne la peine de me lire demain, il découvrira les
analyses, les aspirations et les doutes qui remplissaient la
conscience d'un homme imprégné par l'histoire [5]. » Bien plus,
une telle réverbération par l'Histoire s'est aussi opérée, dans
le cas d'Aron, sur son œuvre philosophique : une thèse récente
a bien démontré que « Raymond Aron a défini sa philosophie
critique de la connaissance historique en fonction des événements dont il a été le témoin à partir de 1930 » et que « ces

---

5. *Mémoires. Cinquante ans de réflexion politique*, Julliard, 1983, p. 736.

mêmes événements ont déterminé sa perception des rapports entre morale et politique [6] ». Le 15 janvier 1965, lors de la remise de son épée de membre de l'Académie des sciences morales et politiques, Raymond Aron évoquait, du reste, son séjour « sur les bords du Rhin » au début des années 1930 en ces termes : « Alors que je lisais passionnément Hegel, Marx et Max Weber, j'ai conçu le projet qui est resté le mien, penser l'Histoire en train de se faire [7]. »

Chez Sartre, les rapports avec l'Histoire sont, d'emblée, plus complexes à aborder, car s'inscrivant dans un contexte polémique. On doit à Jacques Audiberti cette jolie formule à son propos : un « veilleur de nuit sur tous les fronts de l'intelligence [8] ». La phrase, assurément, peut être détournée par les partisans aussi bien que par les adversaires du philosophe. Les uns insisteront sur la vigilance constante du « veilleur » et sur sa mobilisation sourcilleuse dans de multiples combats. Les autres souligneront qu'il y a péril en la demeure quand le gardien rêve éveillé, sans prendre garde à la réalité des choses ou comme détaché de cette réalité ; ou pis, lorsqu'il est somnambule. Aron aurait pensé l'Histoire, Sartre l'aurait rêvée. Sur ce registre, les reproches récents faits à Sartre sont d'autant plus lourds que l'homme, on l'a dit, incarna durant plusieurs décennies L'intellectuel français. De ce fait, quand Leonid Pliouchtch, par exemple, reproche aux clercs français leur « auto-hypnose » à propos de l'Union soviétique, il assortit sa dénonciation de ce commentaire : « Sartre symbolise à mes yeux cette perversion de l'esprit, le refus du réel et le refuge dans le rêve politique, l'assemblage de mots contre la réalité, les beaux discours : c'est du théâtre, car la réalité est masquée. » Inversement, ajoutait

---

6. Ariane Chebel d'Appollonia, *Morale et politique chez Raymond Aron*, thèse de doctorat en science politique, sous la direction d'Alfred Grosser, Institut d'études politiques de Paris, 1993, 2 vol., p. 16. Cf. aussi Stephen Launay, *La Pensée politique de Raymond Aron*, PUF, 1995, notamment les chapitres I et II.
7. Archives personnelles de Raymond Aron, citées par Nicolas Baverez, *Raymond Aron*, Flammarion, 1993, p. 338.
8. Annie Cohen-Solal, *Sartre*, Gallimard, 1985, p. 381.

Pliouchtch, « pour moi et pour beaucoup de dissidents, Camus a une pensée tragique mais courageuse. Camus c'est la vérité, Sartre c'est la falsification [9]. »

Le cas Sartre, quinze ans après sa mort, reste à forte densité affective, et les analyses parfois ballottent entre l'hagiographique et le polémique. De toute façon, en ce qui concerne les rapports avec l'Histoire, ce débat implicite n'a pas sa raison d'être pour les années de jeunesse : gardien lucide et attentif face à l'oppression ou somnambule irresponsable, la question ne se posera que pour la période où Sartre sera devenu un intellectuel engagé. Or cet engagement fut précédé de longues années de profond sommeil civique. Cette abstinence politique prolongée est d'ailleurs en elle-même objet d'histoire : le jeune Sartre, ou la non-tentation de l'Histoire.

Sartre, Aron, Camus, bien d'autres encore : ce livre évoque nombre de grands clercs, dont certains sont devenus de véritables institutions, avec révérence témoignée et encensoir balancé. Or le travail de l'historien, plus prosaïquement, est de tenter d'exhumer des bribes du passé et de leur donner sens, sans pour autant se tenir le chapeau à la main ou, inversement, endosser la robe du procureur. De même que Marc Bloch adjurait les spécialistes de la Révolution française par un vigoureux « robespierristes, antirobespierristes, nous vous crions grâce ; par pitié, dites-nous simplement : quel fut Robespierre ? », est-il possible de poser sereinement la même question – ici, pour leurs seuls engagements politiques – à propos de Jean-Paul Sartre et Raymond Aron sans désespérer les uns ou ravir les autres ? L'historien des clercs peut aspirer à faire son métier en conscience sans être immédiatement suspecté de vouloir bâtir un Panthéon ou, inversement, creuser une fosse commune. C'est là, en tout cas, le troisième souhait initial que l'on peut formuler.

---

9. Témoignage daté du 8 juillet 1993 et reproduit dans le mémoire de DEA de Sandrine Hubaut, *L'Impact de la dissidence soviétique sur la vie politique et intellectuelle française*, Institut d'études politiques de Paris, sous la direction de Serge Berstein et Jean-François Sirinelli, 1994, pp. 180-181.

D'autant que l'histoire des intellectuels est, par essence, à forte teneur idéologique. De surcroît, s'y lit en filigrane un récit des grandes passions françaises [10]. Aussi l'historien, s'il baisse sa garde dans l'exercice de son métier, risque-t-il de céder la place au moraliste.

Mettre en pratique une histoire sereine – ce qui ne signifie pas aseptisée – n'est toutefois pas chose aisée, et notamment lorsqu'il s'agit de travailler sur Jean-Paul Sartre et Raymond Aron en un temps où leur ombre portée reste forte et où l'un et l'autre continuent parfois à incarner, à titre posthume, deux versants opposés de l'histoire récente des intellectuels. Car la proximité chronologique de l'objet pose à l'historien le problème de la sympathie. Celle-ci, au sens étymologique du terme, est requise. Elle constitue d'ailleurs l'essence même du métier d'historien. Reste toutefois le sens commun. À fréquenter trop longtemps, au fil d'une recherche, les mêmes personnages, à les accueillir en la demeure des années durant par sources interposées, on attrape – car il s'agit bien d'une maladie pour l'historien – des sympathies et, plus grave encore quoique moins fréquent, des antipathies. Plutôt que de nier l'existence d'un tel risque, le métier d'historien consiste à l'assumer et à tenter de le neutraliser. L'historien n'est ni un Fouquier-Tinville tranchant sans appel, ni, *a fortiori*, un membre d'un quelconque peloton d'exécution de l'Histoire. Sa tâche peut s'apparenter par certains aspects à celle de juge d'instruction. Dépositaire, aux côtés d'autres catégories, de la mémoire d'une communauté nationale, il transmet à ses contemporains les pièces d'un dossier. Et c'est à ceux-ci, s'ils le souhaitent, de juger, à partir du dossier ainsi instruit.

Mais le jugement, forcément, est tributaire du climat idéologique et du contexte historique d'une époque. L'ostracisme dont souffrit longtemps Raymond Aron dans une large partie du milieu intellectuel est tout aussi excessif que la condamnation

---

10. Jean-François Sirinelli, *Intellectuels et passions françaises. Manifestes et pétitions au XXe siècle*, Fayard, 1990.

sans appel qui, souvent, frappe actuellement Sartre. Le remarquer n'est pas pour autant verser dans une sorte d'œcuménisme lénifiant. L'intellectuel à forte résonance, comme le furent Sartre et Aron, a forcément une influence et donc, quoi qu'il en ait, une responsabilité, dans la mesure où ses prises de position publiques influent sur les opinions, voire les actions, de ses concitoyens. Il ne s'agit donc pas, pour l'historien, de lui demander des comptes : cela n'est ni de sa compétence ni sa vocation. Mais au nom de quoi conférerait-il à l'intellectuel engagé une sorte de statut d'exterritorialité face à la recherche historique ? L'intellectuel engagé est un acteur de l'Histoire, il est ensuite passible non de tribunaux de l'Histoire, qui n'existent pas, mais de l'analyse raisonnée, quand elle est possible, des conséquences de ses écrits et de ses actes.

On l'aura compris, il n'est pas question d'écrire ici un livre de comptes, ceux que l'intellectuel serait censé rendre à ses concitoyens, mais un récit de voyages à travers le siècle. Car Sartre et Aron furent des clercs dans le siècle[11], dans le double sens du terme : l'un et l'autre firent le choix non pas de se retirer hors du monde, pour méditer et ciseler une œuvre, mais au contraire de s'immerger dans l'Histoire de leur temps, même si la décision en fut prise à des dates différentes ; et tous deux furent ainsi parties prenantes, par leurs prises de position et leurs débats, des grandes houles du XXᵉ siècle. Et l'analyse de ces traversées de siècle est doublement précieuse pour l'histoire des intellectuels. D'une part, cette histoire doit notamment s'intéresser aux processus d'adhésion : comment l'esprit vient-il aux clercs ? Plus que par des considérations trop générales et relevant du genre de l'essai, la réponse à cette question passe par une étude minutieuse de cas, qui devraient, du reste, être multipliés, et l'on conviendra que, dans cette optique, les cas Sartre et Aron sont loin d'être négligeables !

---

11. Michel Winock, « Les intellectuels dans le siècle », *Vingtième Siècle. Revue d'histoire*, n° 2, avril 1984, pp. 3-14 ; Jean-François Sirinelli, « Pas de clercs dans le siècle ? », *ibid.*, n° 13, janvier-mars 1987, pp. 127-134.

Il convient, il est vrai, d'assumer les conséquences du choix d'une telle approche. Certes, il ne s'agit pas de séparer, dans l'analyse, l'intellectuel engagé du penseur et de l'écrivain, mais force est, en même temps, de convenir que l'histoire intellectuelle en tant que telle n'a pas été privilégiée ici. Les systèmes de pensée respectifs des deux hommes n'ont été analysés que lorsqu'ils contribuaient à éclairer leurs engagements. Mais l'étude n'a jamais été menée pour elle-même. S'il existe tout un soubassement philosophique à l'action d'Aron, et surtout de Sartre, le propos est ici d'analyser une pensée mise en acte. Tant il est vrai que l'histoire des idées ne peut, sous peine de s'appauvrir, être dissociée d'un contexte historique. On ajoutera aussi que l'histoire intellectuelle des pensées et des œuvres respectives de Sartre et d'Aron est riche d'une production scientifique de haute volée et que les chapitres qui suivent n'auraient guère de neuf à apporter sur ce registre.

C'est le moment, du reste, d'invoquer une quatrième précaution liminaire. Il convient, en effet, de prévenir d'éventuels malentendus, en rappelant que Sartre aussi bien qu'Aron ont fait l'objet de très nombreuses brillantes et précieuses études[12]. Pour le premier, sa production littéraire aussi bien que philosophique constitue un pan entier – et à fort rayonnement en France aussi bien qu'à l'étranger – d'activités de recherche à l'université ou au CNRS[13]. Et le repérage ainsi que l'exégèse de ses textes et de ses manuscrits sont des modèles du genre. Le

---

12. C'est, du reste, la raison pour laquelle on ne trouvera pas à la fin du volume une bibliographie, qui, brève, n'aurait été que dérisoire et, étoffée, d'intimidation. Pour le lecteur curieux ou spécialiste, précisons que les sources brassées et les ouvrages utilisés seront mentionnés au fil des notes de l'appareil critique. Pour des raisons de commodité mais aussi, donc, dans un souci de conserver un échafaudage visible, cet appareil figurera en bas des pages et non en fin de chapitre ou de volume.

13. Parallèlement, de brillants essais n'ont jamais cessé de paraître sur Sartre : ainsi, entre autres, à treize ans de distance et avec des conclusions radicalement opposées, *Le Testament de Sartre* de Michel-Antoine Burnier (Orban, 1982) et *Pour Sartre* de Jean-Jacques Brochier (Lattès, 1995).

second a vu également – mais à moindre échelle – son œuvre disséquée[14]. Le registre de ce livre est tout autre, et l'auteur, tout en ayant bien conscience qu'on ne peut dissocier un écrivain de son œuvre, et sans opérer un découplage radical entre les deux, entend ici analyser en historien – car il est bien d'autres disciplines qui peuvent revendiquer en copropriété les vies parallèles de Sartre et Aron[15] – deux trajectoires politiques dans le siècle.

L'analyse de telles trajectoires est également précieuse pour l'histoire des intellectuels parce qu'elle permet, dans le cas de Sartre et Aron, une observation comparée de cheminements issus d'une matrice commune. Ainsi conçue, la notion d'*itinéraire* devient un outil fécond, permettant, par la mise au point de cartes des grands parcours d'engagement, de pratiquer une sorte de géodésie du clerc en politique. Car, au bout du compte, il y a bien deux pôles différents entre lesquels se trouve aimantée l'histoire des intellectuels : une sociologie à l'affût de tendances lourdes, et une démarche plus empirique, sorte de *micro-storia* – au sens où l'avait entendu, il y a quelques années, l'historiographie italienne dans un autre domaine, celui de l'histoire sociale. C'est sur ce second registre, on l'aura compris, qu'entend se placer ce livre. Cette approche a d'autant plus sa raison d'être, nous semble-t-il, que, comme l'a écrit Jean-Paul Sartre, « une vie historique est pleine de hasards, de rencontres. […] L'avenir est incertain, nous sommes notre propre risque, le

---

14. Et sa biographie mise au point. Outre le livre de Nicolas Baverez, déjà signalé, cf., par exemple, Robert Colquhoun, *Raymond Aron 1955-1983 : the sociologist in society*, London, Sage Publications, 1986, 2 vol.

15. Cf., à cet égard, sur un registre davantage philosophique, le très bel essai d'Étienne Barilier, *Les Petits Camarades. Essai sur Jean-Paul Sartre et Raymond Aron*, Julliard-L'Âge d'homme, 1987. Pour les raisons qui viennent d'être évoquées, nous n'analyserons pas, par exemple, *Critique de la raison dialectique* de Jean-Paul Sartre ni, surtout, *Histoire et dialectique de la violence* de Raymond Aron, ouvrage publié en 1973 et qui, d'une certaine façon, constituait la poursuite d'un « dialogue » – Aron utilise le terme dans le livre – avec l'œuvre de Sartre.

monde est notre péril[16]. » Le monde et... l'Histoire, qui, au bout
du compte, juge seule en appel. Et qui, pour l'instant, a fait
s'opérer de profonds retournements. À partir du début des
années 1980, notamment, on observe un retour des cendres de
Camus, au moment même où commençait pour Sartre une
manière de descente aux enfers. Et tandis que Raymond Aron
gagnait directement, après sa mort, le paradis des penseurs.
Tant il est vrai que, pour les deux anciens « petits camarades », ce
fut toujours mais à tour de rôle, au regard du milieu intellectuel,
l'hallali pour l'un et le walhalla pour l'autre.

---

16. Jean-Paul Sartre, *Saint-Genet, comédien et martyr*, Paris, Gallimard, 1952,
p. 347.

PREMIÈRE PARTIE

L'HISTOIRE AU FOND DU CRATÈRE

Coincées, dans un ressac de mémoire, entre un premier conflit mondial atroce et des années 1930 où déjà une seconde guerre pointait, les années 1920 apparaissent, avec le recul, comme une manière d'oasis. Et un tel souvenir n'est pas usurpé. Certes, le début de la décennie fut amer et difficile, avec des teintes froides, presque crépusculaires, à l'image des souffrances endurées et du chagrin des hommes. Mais, rapidement, la couleur du ciel va s'éclaircir et donner à ces années les teintes qui leur sont restées dans la mémoire collective. Un éclairage nouveau nimbe, en effet, la plus grande partie de la décennie des feux de l'espoir. Le climat des relations internationales, d'abord empoisonné par la question des réparations de guerre, est le meilleur indicateur de cette embellie. Dès 1925, la conférence de Locarno consacre et symbolise le rapprochement franco-allemand, et l'Allemagne, l'année suivante, entre à la Société des Nations, accueillie par le discours du ministre français des Affaires étrangères, Aristide Briand. Huit ans après la fin des hostilités, sa voix résonne depuis les palais helvétiques, pour proclamer : « Arrière les fusils, les mitrailleuses et les canons ! Place à la conciliation, à l'arbitrage et à la paix ! »

En ce milieu de décennie, Sartre et Aron ont vingt ans et la formule qui semble le mieux résumer l'aspiration des peuples européens est le souhait que la Grande Guerre ait été « la der des der » – « *The last war we fight* », disent, de leur côté, les Anglo-Saxons –, en d'autres termes que la sécurité collective et l'arbitrage viennent désormais arbitrer et apaiser les conflits inhérents aux sociétés humaines. Bien plus, la signature, en 1928, à Washington, du pacte Briand-Kellogg va même placer la guerre « hors la loi ». Assurément, l'historien, qui connaît la suite, a beau jeu de souligner que, onze ans plus tard, s'enclenchait la plus vaste tuerie de l'histoire de l'humanité ! Mais les peuples entrent toujours dans l'Histoire à reculons, le regard tourné vers le passé, et 1928 est à juger à l'aune des plaies de 1914-1918, qui peu à peu commencent à se refermer, et non en fonction des nouvelles blessures qui surgiront à partir de 1939. L'Histoire, dans les années 1920, semble au fond du cratère, sans nouveau danger d'épanchement de laves meurtrières.

Tel est donc le *moment* de l'éveil de Sartre et Aron. Mais le *lieu* est probablement aussi décisif. En effet, l'entrelacs de « réseaux » et d'éléments affectifs qui constitue et structure un milieu intellectuel a souvent des racines qui s'enfoncent jusqu'aux solidarités d'origine, d'âge ou d'études. Ce troisième paramètre, notamment, est essentiel, et il est nécessaire de pratiquer une archéologie des origines remontant jusqu'aux années étudiantes, à un âge où les influences s'exercent sur un terrain meuble. Cette remontée vers les sources de l'éveil intellectuel et politique permet parfois de repérer, sur une carte de l'esprit, les carrefours où se trouvèrent d'éventuels maîtres à penser et les coulisses où œuvrèrent d'éventuels éveilleurs. La khâgne, puisque c'est d'elle qu'il s'agit ici, est un observatoire précieux, qui permet aussi de localiser des microclimats qui ont pu jouer un rôle au moment de l'éveil. Derrière les photographies jaunies, il y a là un site d'importance, où notre histoire commence.

Prologue

Au commencement était la khâgne

Dans l'histoire intellectuelle française, une institution occupe une place particulière : la khâgne. Cette classe préparatoire au concours de l'École normale supérieure de la rue d'Ulm a tenu, en effet, au fil du XXᵉ siècle, une place particulière dans la formation de plusieurs générations successives de jeunes clercs[1].

DES BACHELIERS TELS QU'ILS DEVRAIENT ÊTRE

Certes, l'écluse de ce concours ne laisse alors passer chaque année qu'une trentaine d'heureux élus, mais trois centaines environ de candidats s'ébrouent dans les khâgnes, où se célèbre le culte des humanités. Ces autels ne paient guère de mine : quelques salles sombres, dans une douzaine d'établissements.

---

1. Sur les khâgnes de l'époque de Raymond Aron et Jean-Paul Sartre, je me permets de renvoyer à mon étude, *Génération intellectuelle. Khâgneux et normaliens dans l'entre-deux-guerres*, réf. cit.

Une khâgne au bois dormant, donc ? Rien ne serait plus trompeur qu'une telle expression, car cette classe constitue, sous la IIIᵉ République, la quintessence du système scolaire français, une sorte d'enseignement secondaire au carré : dans des disciplines qui apparaissent encore comme les plus nobles s'affrontent les meilleurs élèves littéraires des lycées de Paris et de province. Du coup, le concours de la rue d'Ulm est un concours redoutable qui vient puiser, dans le vivier des prix d'excellence et des lauréats du Concours général, trois dizaine d'élus chaque année : un rêve d'inspecteur général, en quelque sorte le bachelier tel qu'il devrait être.

À cette époque, la région parisienne ne compte que quatre khâgnes. Au sommet trône la khâgne de Louis-le-Grand, condensé, grâce à son internat, de brillants bacheliers venus de la France entière et pépinière fournissant chaque année plus de 40 % des places de la promotion littéraire de l'École normale supérieure. Un peu plus haut sur la montagne Sainte-Geneviève se tient la khâgne du philosophe Alain, qui enseignera au lycée Henri-IV jusqu'en 1933. À côté de ces deux khâgnes du quartier Latin, la petite khâgne du lycée Lakanal, à Sceaux, fait figure de khâgne des champs. Distillant quelques normaliens chaque année, elle a à peu près les mêmes effectifs que la khâgne de Condorcet, seule khâgne de la rive droite.

Mis à part cette dernière classe, les khâgnes parisiennes et provinciales constituent alors un milieu recrutant très largement au sein des classes moyennes. Ce milieu, en effet, peut se définir par trois traits essentiels : prépondérance des fils de fonctionnaires – une bonne moitié de l'ensemble –, en leur sein importance des enfants d'enseignants – plus du tiers du total –, et place non négligeable parmi eux des jeunes gens issus du milieu des maîtres d'école – un cinquième ou un sixième. De ce point de vue, assurément, Raymond Aron et Jean-Paul Sartre sont très largement atypiques par rapport à leurs camarades d'études. Le premier a évoqué dans ses *Mémoires* le train de vie de la famille – « une cuisinière, une femme de chambre » –, fondé sur le patrimoine du père et sur la dot de la mère,

Suzanne Lévy, fille d'un industriel du textile du Nord[2]. Grignotés peu à peu par ce train de vie et par l'éducation de trois enfants, les revenus de la famille, en partie placés en valeurs mobilières, fondirent au moment de la crise de 1929. Quant à Jean-Paul Sartre, sa mère était remariée à un polytechnicien. Son dossier d'inscription au concours de la rue d'Ulm suggère, on le verra plus loin, un milieu beaucoup plus aisé que celui de la plupart de ses camarades de promotion. De ce point de vue, assurément, Sartre et Aron sont proches l'un de l'autre.

Le rapport à ce milieu, en revanche, fut différent. Raymond Aron a raconté dans ses *Mémoires* une jeunesse heureuse dans la grande maison de Versailles. Le père, issu d'une famille juive alsacienne[3], avait choisi une profession intellectuelle : fils d'un patron d'entreprise textile de la région de Nancy, il enseignera le droit à l'École normale d'enseignement technique[4], malgré un échec à l'agrégation d'histoire du droit. « Foyer particulièrement chaleureux et vivant[5] », sa famille abrita trois fils, couvés par leur mère : Adrien, né en avril 1902, Robert, de vingt mois son cadet, et Raymond, le petit dernier, venu au monde en mars 1905. Une telle famille, d'une certaine façon, apparaît comme aux antipodes de celle décrite par Sartre dans *Les Mots*.

Cela étant, les milieux familiaux des deux jeunes gens ont en commun d'être, en termes de stratigraphie sociale, sur des échelons sensiblement plus élevés que ceux de leurs camarades. D'autant que le khâgneux type, boursier conquérant dépositaire des espérances familiales, était souvent de surcroît un provincial « monté » à Paris pour préparer le concours de la rue d'Ulm, et,

---

2. *Op. cit.*, p. 14.

3. Dans le dossier d'inscription au concours de l'École normale supérieure, le formulaire fourni par le lycée Condorcet comprend une rubrique intitulée « culte ». La réponse portée par le postulant fut « israélite » (Arch. nat. 61 AJ 251).

4. *Ibid.*

5. Marcel Ruff, « Souvenirs très anciens », *in* « Raymond Aron (1905-1983). Histoire et politique », *Commentaire*, nos 28-29, février 1985, p. 12.

de ce fait, un interne. Nombre de ces khâgneux prennent contact avec la capitale pour la première fois un dimanche de fin septembre. Certes, au cours des années de préparation du concours, ces provinciaux, selon leur tempérament, auront des rapports avec la capitale dont la nature pourra varier : les uns arpenteront ses rues et découvriront ses richesses culturelles, les autres lui resteront étrangers, confinés à l'internat et dans les salles d'études. Pour l'heure, au moment où ils débarquent du train, ils ne sont, pour la plupart, que les fleurons des lycées de province, gardant l'accent de leur terroir et n'ayant jamais vu Paris.

Là encore, le contraste est grand avec le khâgneux Raymond Aron, rentrant tous les soirs à Versailles, tout comme avec Jean-Paul Sartre, retrouvant en fin de journée son domicile parisien. À cet égard, du reste, Aron est probablement moins socialement déphasé à Condorcet, lycée sans internat et, de surcroît, alors très typé sociologiquement, que Sartre à Louis-le-Grand, grande fabrique de normaliens qui draine chaque année les lauréats du Concours général venus de la France entière. En revanche, l'un et l'autre ne détonnent guère par rapport à leurs camarades pour ce qui est de leurs profils scolaires respectifs. Dans un milieu trié sur le volet, les distinctions obtenues par l'un et par l'autre sont autant de titres de noblesse. À cet égard, le parcours de Raymond Aron dans l'enseignement secondaire fut un parcours sans faute, presque archétypique : premier de sa classe chaque année au lycée Hoche de Versailles, deuxième accessit au Concours général de philosophie et mention *très bien* au second baccalauréat[6]. La classe de philosophie, durant l'année scolaire 1921-1922, fut un moment essentiel de l'apprentissage intellectuel de Raymond Aron, sous la houlette du professeur Aillet.

---

6. On trouve l'indication de cette mention *très bien* au baccalauréat dans le dossier ENS de Raymond Aron, Arch. nat. 61 AJ 251. Quant au deuxième accessit de philosophie pour les lycées de Paris, cf. *Revue universitaire*, 1922, 2, p. 232.

Sartre a lui aussi été un élève brillant : prix d'excellence de la première AB du lycée Henri-IV, avec notamment les premiers prix de français et de version latine, il remporte en classe de philosophie, division B, le premier prix de dissertation philosophique, son ami Paul Nizan s'adjugeant le second prix[7]. Pour l'un comme pour l'autre, passés à Louis-le-Grand, l'acclimatation à l'atmosphère de serre intellectuelle de la rue Saint-Jacques s'opérera sans gros problèmes. Au printemps de 1924, le proviseur du lycée Louis-le-Grand, dans le dossier de candidature du khâgneux Jean-Paul Sartre à l'École normale supérieure, porte l'appréciation suivante : « Des qualités d'esprit assez distinguées. Aptitudes marquées. Peut réussir. Très bonne moralité[8]. » De fait, au mois de juillet suivant, Jean-Paul Sartre est reçu septième à la rue d'Ulm, dès sa première tentative.

Cela étant, Sartre et Nizan – reçu vingt-deuxième – auraient été, à coup sûr, des recrues de tout premier plan pour la khâgne de leur lycée d'origine. À tel point que sartrologues et spécialistes de Paul Nizan se sont interrogés sur les raisons d'une telle défection. Une tradition tenace y a longtemps vu, en raison des textes ultérieurs de Nizan sur les philosophes contemporains, une hostilité à Alain qui officie alors en khâgne à Henri-IV. Explication peu probable, en fait, Sartre n'ayant pas été – loin s'en faut, on le verra – un adversaire d'Alain et de ses disciples deux ans plus tard rue d'Ulm. Et la publication récente de son premier *Carnet de la drôle de guerre*[9] confirme une sympathie plutôt qu'une réticence envers Alain[10]. Une autre version voudrait que le départ d'Henri-IV des deux jeunes philosophes soit dû à un incident avec le proviseur de ce lycée, M. Daux, aux pieds duquel ils auraient vomi après avoir trop abondamment arrosé un succès scolaire. L'explication, en fait, laisse perplexe,

---

7. *Palmarès du lycée Henri-IV*, 1920-1921 et 1921-1922 (Arch. Henri-IV).
8. Arch. nat. 61 AJ 251.
9. *Op. cit.*, nouvelle édition, Gallimard, 1995, p. 84.
10. Quant à Paul Nizan, il se qualifiera, en 1926, de « disciple d'Alain » (lettre à Henriette Alphen – future Nizan –, avril 1926, cité par Pascal Ory, *Nizan. Destin d'un révolté*, Ramsay, 1980, p. 31).

l'incident avec le proviseur Daux étant largement apocryphe [11]. Au demeurant, Jean-Paul Sartre n'a pas gardé souvenir de raisons aussi impérieuses : « J'avais passé le second bachot à Henri-IV, il y avait là une très belle khâgne, avec Alain comme professeur de philo, et je ne sais pourquoi on m'a retiré d'Henri-IV ; on m'a collé à Louis-le-Grand qui avait une khâgne sérieuse, ennuyeuse, où je suis resté, et de là je suis rentré à l'École [12]. » Plus prosaïquement, il est vraisemblable – et le texte qui précède peut, du reste, s'interpréter ainsi – que les deux brillants lycéens, ou plus probablement leurs familles, ont choisi à l'automne de 1922 le lycée Louis-le-Grand pour des raisons d'efficacité : le concours qui venait de se dérouler au début de l'été avait vu entrer rue d'Ulm treize khâgneux de Louis-le-Grand, sur trente reçus, contre deux seulement venus d'Henri-IV. Et l'année précédente, l'écart avait été encore plus large : quatorze ludoviciens contre deux jeunes gens venus de la place du Panthéon. Du reste, en cette rentrée 1922, Sartre et Nizan ne sont pas les seuls à bouder le lycée Henri-IV : la khâgne de cet établissement voit à cette date ses effectifs se tasser de 34 % par rapport à la rentrée précédente, tandis que Louis-le-Grand connaît une hausse du nombre de ses khâgneux [13]. Au concours de 1923, l'écart entre les deux lycées du quartier Latin s'accuse encore : seize reçus à Louis-le-Grand contre... zéro à Henri-IV.

Le profil scolaire de Raymond Aron le prédisposait assurément à rejoindre la cohorte des forts en thème de Louis-le-Grand. Il serait, dans ce cas, devenu le condisciple de Jean-Paul

---

11. Il est rapporté par Pascal Ory (*op. cit.*, p. 31), qui se fonde sur le témoignage d'Henriette Nizan (entretien avec l'auteur, novembre 1981). Or, celle-ci n'entre dans la vie de Paul Nizan que quatre ans plus tard. A un autre chercheur, elle avait, du reste, donné une autre version, parlant d'une « altercation » avec le proviseur (Jacqueline Leiner, *Le Destin littéraire de Paul Nizan et ses étapes successives*, Paris, Klincksieck, 1970, p. 25).

12. Entretien entre Jean-Paul Sartre et Simone de Beauvoir, août-septembre 1974, publié en 1981 (S. de Beauvoir, *La Cérémonie des adieux*, suivi de *Entretiens avec Jean-Paul Sartre*, Gallimard, p. 375).

13. Archives des lycées Henri-IV et Louis-le-Grand.

Sartre deux ans avant la rue d'Ulm. Mais la proximité de la gare Saint-Lazare, pour le lycéen versaillais, le désir, peut-être aussi, de préparer le concours à échelle humaine et non dans les grandes fabriques à normaliens de la rue Saint-Jacques et de la place du Panthéon, autant de raisons qui le conduisent au lycée Condorcet, où il domina la khâgne [14] avec quelques autres futurs normaliens : Boorsch, Heurgon, Lacombe, Lagache – passé entre-temps à Louis-le-Grand – et Schwob.

C'est le 2 octobre 1922 qu'il fit sa rentrée au lycée Condorcet [15]. Les notes obtenues, notamment durant la deuxième année de khâgne, sont impressionnantes : 18, 20 (!) et 18 en philosophie comme notes trimestrielles, 17, 18 et 19 en français, 16, 17 et 18 en grec et en histoire. Les autres disciplines sont à l'avenant. Et les jugements portés par ses professeurs sur son dossier d'inscription au concours de la rue d'Ulm sont éloquents. Le philosophe André Cresson note : « Élève de premier ordre : intelligence vigoureuse. Connaissances étendues », tandis que l'historien Léon Cahen constate : « Excellent élève ; des connaissances, de la maturité, une personnalité en plein développement », et que le proviseur conclut : « Une valeur intellectuelle. Esprit net et ferme. A l'acquis et la maturité des meilleurs. Excellent à tous égards [16]. » Seule petite réserve, celle d'Hippolyte Parigot, le professeur de français, qui, au deuxième trimestre de l'année 1923-1924, avait assorti ses félicitations pour les excellentes notes obtenues d'un regret : « Pas assez littéraire [17]. »

---

14. Cf. le témoignage de Jean Maugüé, *Les Dents agacées*, Paris, Buchet-Chastel, 1982, pp. 40-41.
15. Archives du lycée Condorcet.
16. Arch. nat. 61 AJ 251.
17. Archives Condorcet.

Sartre : loin des bruits de la Cité

On se gardera bien d'extrapoler à partir d'un si maigre indice. Cela étant, par-delà la portée forcément limitée que l'on peut leur attribuer, une réalité se dégage jusque dans les résultats scolaires des deux khâgneux : l'un, Sartre, dès cette époque, manifeste de plus fermes penchants vers la littérature. Dans une petite revue tirant à quelques centaines d'exemplaires et qui n'aura que quatre numéros, *La Revue sans titre*, il publie une nouvelle, « L'ange du morbide », et, sous un pseudonyme, les deux premiers chapitres d'un roman, *Jésus la Chouette, professeur de province*[18]. Le premier texte relate l'aventure du « médiocre » Louis Gaillard, professeur de sixième au lycée de Mulhouse, avec une jeune phtisique. *Jésus la Chouette* met en scène un autre professeur de province, M. Laubré, dont le ridicule et le mauvais goût sont soulignés avec insistance. Ce texte a probablement été écrit durant l'été 1922, après le baccalauréat, et « mis au net [19] » durant l'année d'hypokhâgne. « L'ange du morbide » date de la même époque, mais, quoique légèrement postérieur, il fut publié le premier. Aux textes de *La Revue sans titre*, il convient d'ajouter un texte daté de 1924, *La Semence et le Scaphandre*, vestige d'un roman largement autobiographique et élément doublement précieux : d'une part, y est évoquée l'amitié, « plus orageuse qu'une passion », entre Sartre et Nizan, rebaptisés Tailleur et Lucelles ; d'autre part, l'épisode de *La Revue sans titre* y apparaît en filigrane.

Replacés à l'aune des autres articles de la revue, ceux de Sartre étaient les plus longs. On y distingue déjà des thèmes appelés à s'éployer dans l'œuvre à venir, et une volonté affirmée d'être à la fois écrivain et philosophe. Pour les thèmes, on s'en

---

18. Pour tous les textes de jeunesse, on se reportera au remarquable et patient travail de recherche, d'établissement et d'exégèse de ces textes mené par Michel Contat et Michel Rybalka, qui a débouché sur l'édition des *Écrits de jeunesse*, Gallimard, 1990.

19. *Écrits de jeunesse*, p. 53.

tiendra ici, par exemple, au personnage de Louis Gaillard, dans
« L'ange du morbide », « qui avait tourné tout l'élan de sa jeunesse vers le morbide, par snobisme et aussi parce que son esprit
n'était plus qu'une pauvre chose faussée, un rouage de montre
détérioré, qui tourne à l'envers ». En villégiature dans un village
du Haut-Rhin, il conçoit le projet de séduire une pensionnaire
du sanatorium voisin. Hélas, au moment où le Don Juan des poi-
trinaires va passer à l'acte, la jeune fille est saisie d'une specta-
culaire quinte de toux, qui entraîne la fuite du soupirant.
Épilogue : « Il se fit ausculter peu après par un spécialiste qui lui
démontra qu'il n'était pas atteint, rompit avec tous ses anciens
amis et se maria avec une Alsacienne rose, blonde, bête et saine.
Il n'écrivit jamais plus et fut décoré, à cinquante-cinq ans, de la
Légion d'honneur, brevet incontesté de "Bourgeoisie"… » Sans
conférer à ce texte de jeunesse une anachronique importance
rétrospective, force est de constater qu'il recèle un certain
nombre de thèmes qui réapparaîtront en maints endroits du
théâtre, des nouvelles et des romans de Jean-Paul Sartre. Plus
encore que le « salaud » sartrien, Louis Gaillard est l'esquisse des
intellectuels aigris ou nauséeux qui peupleront de vastes pans de
l'œuvre de l'ancien khâgneux de Louis-le-Grand. Dans cette
optique, Louis Gaillard est le frère aîné du Roquentin de *La
Nausée* ou du Mathieu Delarue des *Chemins de la liberté*.

Mais davantage que l'esquisse de ses futurs personnages, cette
production de jeunesse constitue l'ébauche de leur auteur
même et le reflet de son rapport précoce à l'écriture. Le jeune
philosophe en formation se double dès cette époque d'un
apprenti nouvelliste et d'un apprenti romancier, et déjà
s'amorce, donc, la dichotomie future de l'œuvre sartrienne, sur
laquelle il faudra revenir dès le chapitre suivant, car, quelques
années à peine plus tard, le jeune Sartre devenu normalien proclamait son intention d'être à la fois « Spinoza et Stendhal ».
L'écrivain Sartre sera un Janus littéraire, et les deux faces sont
déjà en gestation à cette date.

D'autres traits se dégagent progressivement durant ces années
ludoviciennes. Là encore, assurément, ces traits restent pour

l'heure assez flous et l'esquisse reste largement un brouillon. Il n'empêche, une observation s'impose d'emblée : si les activités extra-scolaires de Jean-Paul Sartre sont alors placées sous le signe de l'éveil à la création littéraire, le jeune philosophe reste en revanche totalement inattentif au débat de la Cité. Certes, on aurait tort, par une sorte de projection vers les khâgnes de l'époque de la guerre d'Algérie ou de l'effervescence post-soixante-huitarde, d'imaginer les classes préparatoires des années 1920 comme une sorte de caravansérail plein de tumulte et de bruit sur la piste qui mène à l'engagement politique. Pour la moitié environ des khâgneux de cette époque, elles consti-tuaient au contraire une sorte d'oasis où les tensions politiques ne parvenaient qu'assourdies[20]. C'est le cas de Jean-Paul Sartre ou d'un autre père fondateur des *Temps modernes*, Maurice Mer-leau-Ponty, qui n'arpentera en khâgne et rue d'Ulm ni, à la dif-férence d'Aron, les sentiers de l'engagement politique, ni, à la différence de Sartre, ceux de la création littéraire.

À Louis-le-Grand, un groupe appelé « Bloc des gauches », animé par Georges Lefranc et quelques-uns de ses camarades, réunissait alors nombre d'aspirants normaliens, et la classe comptait, de ce fait, un important noyau socialiste ou radical. Certes, Jean-Paul Sartre est demi-pensionnaire et cette situation ne le prédispose guère à s'agréger à ce groupe, composé essen-tiellement d'internes. Mais son ami Paul Nizan, interne et membre actif du « Bloc des gauches », aurait pu servir de liaison et faciliter un contact entre Sartre et ses camarades de gauche. D'autant qu'il l'emmenait, à l'occasion, à des réunions d'in-ternes, s'il faut en croire les souvenirs de Georges Lefranc : « À la fin d'un trimestre d'hypokhâgne, nous décidâmes d'organiser une petite réunion entre les huit de la table [c'est-à-dire du réfectoire], pour dépenser la cagnotte que nous avions consti-tuée en faisant payer par le bénéficiaire une petite somme chaque fois qu'une part de "rabiot" était attribuée à l'un de nous par tirage au sort. On prévit donc un "goûter" dans un petit

20. Jean-François Sirinelli, *Génération intellectuelle*, réf. cit., *passim.*

hôtel du côté de Saint-Germain-des-Prés. Michel Fourniol nous prévint qu'il ne viendrait pas, trop pris par le concours. Mais Nizan nous dit : "J'amènerai Sartre, si vous le voulez bien." Personne ne fit d'objection. Vin, pâtisserie, disques. À la fin de la séance Nizan proposa : "Eh bien, maintenant nous allons vous offrir le clou du spectacle." Il monta sur une table, Sartre se mettant sous la table. Nizan faisait les gestes qui correspondaient en principe aux chansons que Sartre débitait d'une voix nasillarde, comme si elles émanaient d'un vieux phonographe mal en point. Telles étaient les distractions de nos dix-neuf ans ! »

Mais ce lien établi par Nizan entre Sartre et les pensionnaires de l'hypokhâgne ne déboucha apparemment pas sur un début d'intérêt du futur chantre du « devoir d'engagement » pour le « Bloc des gauches » : « Sartre n'était pas interne, mais demi-pensionnaire, ajoutait encore Georges Lefranc. Il habitait chez sa mère, vers le square de Clignancourt. J'ai relativement peu connu [Sartre] dans ces années de Louis-le-Grand. Je puis cependant attester que, à une époque qui vit la montée du Cartel des gauches, puis sa victoire aux élections du 11 mai 1924, je n'ai jamais eu avec lui la moindre conversation d'ordre politique. Pour lui, à l'époque, à la différence de son ami Nizan, le monde politique semblait ne pas exister [21]. » Cette constatation n'est pas unique. D'autres camarades de khâgne de Jean-Paul Sartre nous ont confirmé son apparente absence d'intérêt pour les débats politiques.

La collaboration à *La Revue sans titre* pourrait-elle permettre de nuancer cette impression de désintérêt à peu près total pour la politique ? En fait, cette revue éphémère – deux mois à peine et quatre numéros, de janvier à mars 1923, et une tentative de reparution à l'automne suivant qui ne dépassa pas un numéro – ne fut pas une revue politique. Elle portait en sous-titre

---

21. Georges Lefranc, *Cahier de l'OURS*, n° 116, janvier 1981, pp. 29-30. Georges Lefranc ajoute en note : « Contribution à l'étude des mœurs de ce temps : personne ne proposa d'inviter des filles. » Jean-Paul Sartre habitait effectivement à cette date 2, square Clignancourt (dossier ENS, Arch. nat. 61 AJ 251).

« Organe de défense des jeunes écrivains et artistes » et procla-mait dans son manifeste fondateur : « Les intellectuels parvenus nous étouffent, les pouvoirs publics nous ignorent. Toutes les portes nous sont fermées, nous n'avons pas de relations et pas d'argent. » Et, sur la couverture du numéro 2, on trouvait la défi-nition suivante : « La République des Lettres ne doit pas être une République des camarades. *La Revue sans titre* est ouverte à tous. » Tout au plus peut-on déceler un certain penchant vers la gauche. Dans le numéro 4, par exemple, le directeur, Charles Fraval, signait un éditorial intitulé « Temps nouveaux », qui com-mençait par ces mots : « Il est heureux de constater les tendances vers la gauche de la jeunesse actuelle », et dans lequel étaient évoqués le « besoin d'un ordre social nouveau » face « à l'ordre injuste de la société », le « désir de renouveau qui hante l'esprit de notre génération », ainsi que « les pitoyables élections de 1919 » qui avaient vu la victoire du Bloc national. « L'Europe, écrivait Charles Fraval, voit se lever avec espoir notre jeune géné-ration sur les cendres non éteintes de celle que personnifie M. Barrès [22]. » Mais il faut surtout voir dans ces pages le signe d'une nouvelle génération montante qui se pose en s'opposant. C'est ainsi que le perçoit, par exemple, un jeune lecteur de seize ans, à l'époque élève en classe de philosophie au lycée Louis-le-Grand, qui envoie à la revue une lettre publiée dans le numéro 2 : « Sans partager vos opinions en fait de littérature – je suis moins avancé que vous ne l'êtes – je ne puis qu'applaudir à l'initiative que vous prenez. Défendre la nouvelle génération et tous ceux qui ont à souffrir, suivant votre expression, des magnats du roman, c'est là un vaste but. Mais vous devez l'atteindre, soutenu que vous l'êtes par tous les jeunes. » Le jeune signataire s'appelait Pierre Mendès France. Et ce n'est pas encore, à cette date, le dirigeant étudiant de la Ligue

---

22. Sur *La Revue sans titre*, le témoignage d'un camarade de khâgne de Jean-Paul Sartre, Jean Gaulmier, est précieux : « Quand Sartre avait dix-huit ans », *Le Figaro littéraire*, n° 637, 5 juillet 1958, p. 5 (et correspondance avec l'auteur, mai 1980 et décembre 1981).

d'action universitaire républicaine et socialiste (LAURS) qui parle. Cette ligue, dont Pierre Mendès France aura la carte d'adhérent n° 10, ne sera fondée que l'année suivante. Et l'expression « tous les jeunes » est ici significative.

Comme beaucoup de jeunes gens de gauche, Pierre Mendès France s'enthousiasmera, au printemps de 1924, pour la victoire du Cartel des gauches. Et dans la khâgne de Louis-le-Grand, les membres du « Bloc des gauches » vibrent bien sûr à l'unisson du Parti radical et de la SFIO, unis dans la victoire sinon dans la gestion gouvernementale qui va suivre. Là encore, tous les témoignages sont sur ce point concordants : l'élève Jean-Paul Sartre ne suit ni de près ni de loin les discussions politiques qui passionnent alors une partie des khâgneux. Tout le contraire de Raymond Aron, qui se sent alors pleinement « de gauche » : c'est en tout cas en ces termes qu'il définissait près de soixante ans plus tard ses sentiments de jeune khâgneux, qui lisait, précise-t-il, *Le Progrès civique* durant la campagne électorale de 1924[23]. Au terme de cette campagne, la victoire du Cartel des gauches le transporte « de joie[24] ». Avant même la khâgne, du reste, ce penchant existait : dans ses *Mémoires*, il date sa « conversion à la gauche » de l'année 1921-1922, lorsqu'il était en classe de philosophie.

Encore une différence, d'emblée, entre les deux jeunes gens. Force est de constater, en fait, que ceux-ci, issus de ce même noviciat laïque qu'était alors la khâgne, n'ont jamais été ni frères siamois ni même jumeaux. Les deux années khâgneuses laissent au contraire apparaître, avec le recul, bien des dissemblances initiales. Raymond Aron effectue à Condorcet une scolarité assidue, s'installant sans difficulté à la tête de la classe, préparant méthodiquement les épreuves du concours d'entrée et commençant à approfondir sa formation philosophique. À

---

23. Entretien avec l'auteur, 23 janvier 1981.
24. *Mémoires*, réf. cit., pp. 22-23. Déjà deux ans plus tôt, il avait utilisé le même mot à propos de la victoire du Cartel (déclaration de Raymond Aron à Anne Sinclair lors de l'émission : « On n'a pas tous les jours vingt ans », Antenne 2, 5 août 1981).

Louis-le-Grand, au contraire, Sartre, tout en se plaçant immédiatement dans la frange susceptible d'« intégrer » rue d'Ulm, arpente déjà les sentiers parallèles de la création littéraire. Sans conférer aujourd'hui une importance anachronique à ces velléités d'écriture, on peut tout au moins y discerner une annonce et un symbole. L'ambiance glauque de « L'ange du morbide » et les figures pitoyables des deux professeurs « héros » de ce texte et de *Jésus la Chouette* annoncent une galerie de portraits. Par ailleurs, dans un milieu intellectuel et un pays où le roman, la nouvelle et le théâtre seront, pour certains philosophes, un moyen de vulgariser leur œuvre théorique, ces deux facettes du khâgneux Sartre symbolisent la future dichotomie de l'œuvre sartrienne, dont le versant littéraire contribuera à faire connaître le pan philosophique. Dans les années 1930, au contraire, l'œuvre philosophique de Raymond Aron s'inscrira plus prosaïquement, au moins dans un premier temps, dans le cadre de la thèse de doctorat.

En même temps, et sans que cela soit contradictoire, Sartre et Aron ont en commun d'avoir été des khâgneux sociologiquement atypiques et intellectuellement dans la norme. Ce qui a fait d'eux, par la suite, des anciens khâgneux fort représentatifs. Cette sorte de dressage consenti, cette pratique conjuguée de la rhétorique et de la philosophie, cette démarche qui se veut, avant toute chose, démonstrative et ordonnée, autant de traits qui résument l'effet propre de la khâgne sur la littérature française : une prose abondante mais contrôlée qui porte avec discipline la pensée, une écriture qui, quel que soit son sujet, se laisse reconnaître à la limpidité de sa logique, à l'organisation de ses paragraphes, à la clarté de ses articulations. Sartre et Aron sont bien l'un et l'autre deux habitants d'un territoire important des lettres françaises, à peu près totalement colonisé par les khâgneux, dans un esprit qui rappelle celui des Encyclopédistes[25].

---

25. J'ai déjà eu l'occasion de développer cette analyse à la fin de ma contribution, « La khâgne », dans le t. II des *Lieux de mémoire*, vol. 3, sous la direction de Pierre Nora, Gallimard, 1986.

I

« Normale », ou le temps de l'innocence

Quatre ans de bonheur [1].

Au début de l'été de 1924, Sartre et Aron sont reçus à l'École normale supérieure, dès leur premier concours. Le lycée Louis-le-Grand enlève, cette année-là, 14 des 28 places, dont 8 des 10 premières. Sartre, on l'a vu, est septième. Condorcet doit se contenter de 2 places, et le premier des élèves de ce lycée, Raymond Aron, est quatorzième : le légendaire de la rue d'Ulm rapporte qu'un oral d'histoire ancienne sur Pergame lui fit perdre bien des places. Les deux jeunes gens, qui n'ont que dix-neuf ans, sont désormais élèves d'un établissement qui, avec Polytechnique, est alors la grande école la plus prestigieuse de la République.

Deux normaliens atypiques

Trois grands portraits de normaliens nous ont été laissés par la littérature. Dans les dix-sept fascicules de *Jean-Christophe* que Romain Rolland publie entre 1904 et 1912 dans *Les Cahiers de la*

---

1. Jean-Paul Sartre, « avant-propos » à *Aden Arabie*, Maspero, 1960, p. 26.

Quinzaine, le grand ami de Jean-Christophe, Olivier Jeannin, élève de la rue d'Ulm, est un personnage édifiant par sa grandeur d'âme et par son dévouement porté jusqu'au sacrifice. Sa mort exemplaire en témoigne : lors d'une manifestation de Premier-Mai, il se jettera dans la mêlée pour protéger un enfant et sera tué par le coup de sabre d'un cavalier. Au moment même où Sartre et Aron préparent le concours de l'École, à l'automne 1923, est publié le troisième tome des *Thibault* de Roger Martin du Gard, *La Belle Saison*, qui contribuera à diffuser un autre archétype normalien. Jacques Thibault y est reçu à ce concours et ses révoltes d'adolescent semblent apaisées. Mais ce n'est qu'apparence, et, à la rentrée de novembre, il n'entrera pas rue d'Ulm et choisira la fuite en avant : après une vie d'errance en Tunisie, en Italie et en Allemagne, il militera à Genève dans les milieux de l'Internationale socialiste. Les feux de la révolte étaient des feux mal éteints et l'École normale supérieure n'a pas fait oublier le pénitencier pour enfants de l'adolescence.

Enfin – mais à ce moment-là Sartre et Aron seront déjà sortis de Normale –, Jules Romains commencera à publier, à partir de 1932, *Les Hommes de bonne volonté*. Dès le premier tome apparaît Jean Jerphanion, fils d'instituteur, petit-fils de paysan, normalien de fraîche date à l'automne 1908. Il sortira de l'École agrégé de lettres puis embrassera, après la Première Guerre mondiale, une carrière politique : en 1924, au moment de la victoire du Cartel des gauches, il est élu, à trente-sept ans, député de la Haute-Loire, puis deviendra neuf ans plus tard ministre des Affaires étrangères. Après les charges contre la rue d'Ulm de Paul Bourget, dans *L'Étape* en 1902, et surtout de Maurice Barrès dans *Le Roman de l'énergie nationale* entre 1897 et 1902, ces œuvres offraient donc trois portraits de normaliens « positifs », mais sur des registres différents : Olivier Jeannin, la grande âme au destin d'étoile filante, Jacques Thibault, le révolté devenu révolutionnaire, et Jean Jerphanion, boursier conquérant devenu membre de la République des professeurs.

Assurément, ni Sartre ni Aron n'ont réellement de points communs avec ces archétypes littéraires. Certes, Sartre sacrifiera, comme l'attestent plusieurs photographies, au rite de la promenade sur les toits de Normale. Mais musarder ainsi est banal, et la pratique est à cette époque déjà bien enracinée : si c'est l'œuvre de Jules Romains qui l'a, par la suite, popularisé, ce rite est attesté dès la fin du XIXᵉ siècle – *L'Illustration* du 20 avril 1895, par exemple, avait publié une photographie de cinq normaliens sur les toits, dont Édouard Herriot. Ce type de photographie deviendra, si l'on peut dire, un cliché littéraire avec *Les Hommes de bonne volonté.*

Mais l'essentiel, pour nous, est ailleurs. Par-delà l'insertion ou non des deux jeunes normaliens dans le folklore de la rue d'Ulm, question somme toute mineure, se pose plus largement le problème de leur adéquation ou non au profil normalien type. Car il existe bien un tel profil, dont Jean Jerphanion est sociologiquement représentatif. En brossant son portrait, Jules Romains, qui appartenait à la promotion littéraire de 1906, s'est inspiré de l'École de son temps : au sein des promotions qui cohabitaient alors rue d'Ulm, 14,2 % des normaliens littéraires – un sur sept, exactement – étaient fils d'instituteurs. Le milieu des maîtres d'école constituait donc, avec celui des professeurs de l'enseignement secondaire (13,4 %), la principale terre nourricière en normaliens, avec près de 30 % de l'ensemble[2].

Vingt ans plus tard, dans les années 1920, les choses, sur ce plan, sont restées en l'état : 13 % de fils d'instituteurs, 14 % de fils de professeurs, 6 % de fils d'« autres universitaires » (inspecteurs primaires et directeurs d'école, essentiellement). 33 % des élèves, soit un tiers, sont donc issus des milieux de l'Instruction publique. Or ces milieux n'occupent alors, du primaire au supérieur, que 130 000 à 140 000 personnes, c'est-à-dire moins de 1 % de la population active française : les enfants qui en sont issus

---

2. Cf. Jean-François Sirinelli, « L'image du normalien dans *Les Hommes de bonne volonté* : mythe ou réalité ? », *Cahiers Jules Romains*, 8, Flammarion, 1990, pp. 93-104.

sont donc très fortement représentés rue d'Ulm. La vision d'un établissement essentiellement peuplé de fils d'instituteurs et de professeurs est assurément un mythe. Demeure toutefois une réalité indéniable : il s'agit bien là du groupe le plus nombreux et le plus homogène à l'École normale supérieure.

Plus largement, la même analyse[3] révèle que ce sont les fils de fonctionnaires – notamment les petits et moyens fonctionnaires – qui sont surreprésentés rue d'Ulm : en y incluant bien sûr les fils d'enseignants, on parvient à 49,5 % des cas étudiés. Un normalien sur deux est fils de fonctionnaire. Or, au recensement de mars 1926, la Statistique générale de la France dénombrait 1 059 000 actifs dans les « services publics », y compris l'armée, soit 4,9 % de la population active. Si l'on ajoute les jeunes normaliens issus d'autres franges des petites classes moyennes salariées – des employés, par exemple, dans d'autres activités que le service de l'État – ou venus du monde des travailleurs indépendants – petits commerçants notamment –, les classes moyennes constituent bien le terreau de la rue d'Ulm, véritable sas pour des jeunes étudiants doués en pleine ascension sociale.

Le fossé sociologique qui sépare de tels boursiers conquérants de Jean-Paul Sartre et Raymond Aron était déjà largement perceptible, on l'a vu, en khâgne. Dans ce condensé de khâgneux triés sur le volet par un concours redoutable qu'est une promotion normalienne, forte de moins d'une trentaine de membres, le contraste entre les deux jeunes gens et la plupart de leurs camarades prend plus d'ampleur encore. Il apparaît jusque dans la statistique administrative qui découle des archives. Le statut précis des élèves de l'École normale supérieure, en effet, est à cette époque celui de boursier de l'académie de Paris. Or, dans le dossier d'inscription au concours de la rue d'Ulm qu'ils

---

3. Pour des raisons de commodité – recoupement plus aisé avec d'autres sources –, ce sont des promotions légèrement décalées par rapport à celle de Sartre et Aron que nous avons étudiées (1927-1933) ; mais l'analyse des promotions autour de celle de 1924 confirme la permanence de ces observations chiffrées.

remplissent, ni Sartre ni Aron ne demandent de bourse[4]. Bien plus, ils ne furent que quatre dans ce cas dans la promotion littéraire de 1924 : Raymond Aron, Armand Bérard, fils du célèbre helléniste et sénateur du Jura Victor Bérard, et descendant d'Armand Colin, fondateur de la librairie du même nom, Charles Le Cœur, fils d'architecte, et Jean-Paul Sartre.

Parmi les vingt-quatre autres membres de cette promotion, aspirant à une bourse, Paul Nizan est celui dont les revenus annuels de la famille dominent très largement ceux des autres, avec 32 000 francs de traitement paternel auxquels s'ajoutent 5 000 francs de rentes[5]. Le père de Paul Nizan est à cette époque « ingénieur aux chemins de fer d'Alsace-Lorraine ». Le statut des quatre familles de normaliens que l'on vient d'évoquer lui était donc supérieur. Du reste, plus d'un demi-siècle après, Raymond Aron marquait indirectement la distance en faisant du jeune Nizan qu'il côtoyait alors un « fils de petit-bourgeois[6] ».

Et pourtant, ce statut de la famille Nizan était lui-même bien supérieur à celui de la plupart des familles des jeunes normaliens de la promotion de 1924 : les archives signalent 9 000 francs de revenus annuels pour un instituteur, 18 000 francs pour un avocat à la cour d'appel de Paris, et 25 000 francs pour un professeur de faculté de Lyon. Encore est-on, dans ces deux derniers cas, vers le haut de la stratigraphie sociale de cette promotion de 1924. Sur les échelons inférieurs se tient par exemple la famille de Georges Canguilhem. Les parents de ce dernier possèdent bien une propriété de plusieurs dizaines d'hectares dans le Sud-Ouest, mais les difficultés qu'entraîne pour cette famille modeste l'entretien d'un tel patrimoine contraignent le père, tailleur, à coudre douze heures par jour. Et les revenus annuels de la famille atteignent à peine 9 000 francs.

---

4. Arch. nat. 61 AJ 251.

5. *Ibid.* Les quatre familles qui ne demandent pas de bourse n'ont pas à indiquer leurs revenus.

6. Témoignage cité par Annie Cohen-Solal, *Paul Nizan, communiste impossible*, Grasset, 1980, p. 44.

DE BRILLANTS PHILOSOPHES

De tels clivages sociologiques ont-ils continué à courir au sein du petit groupe qui, dans la promotion de 1924, a fait le choix de la philosophie ? Rien ne permet de l'affirmer. En revanche, ce choix entraîne un deuxième trait de spécificité de Sartre et Aron : alors que nombre de ces normaliens de 1924 choisissent de se destiner à l'agrégation des lettres, cinq seulement d'entre eux se dirigent vers la philosophie : outre Sartre et Aron, ce sont Lagache, Nizan et Canguilhem qui font un tel choix. Comme rue d'Ulm cohabitent en général trois promotions successives en cours de scolarité, la section de philosophie est, au bout du compte, peu étoffée : une douzaine de membres. Plus que la proximité sociologique, c'est une telle affinité dans le choix de la discipline et, dès lors, une cohabitation au sein d'un groupe restreint qui contribuèrent probablement à lier les deux jeunes normaliens.

Trois des cinq philosophes de la promotion de 1924 se retrouvent, par exemple, à la mairie du Ve arrondissement le 24 décembre 1927 : Sartre et Aron sont, en effet, ce jour-là, les témoins du mariage de Paul et Henriette Nizan. Ces liens débou-chèrent-ils pour autant sur une véritable amitié ? On commet-trait probablement une erreur de perspective en répondant par l'affirmative. Les rapports entre les deux apprentis philosophes se sont plutôt nourris d'une sorte d'admiration réciproque et d'affinités électives entre deux jeunes intellectuels de haute volée. « Nous étions quelques-uns, à l'École normale, à soup-çonner son génie », écrira Raymond Aron, dans *Le Figaro littéraire* du 29 octobre 1964[7], avant de répondre, quelques années plus tard, à la question : « Vous avez été autrefois très liés ? » en obser-vant que Sartre « est l'homme d'un interlocuteur privilégié », qu'avant sa rencontre avec Simone de Beauvoir ce dernier se plut à « [l'] avoir comme interlocuteur » et que, de ce fait, on

---

7. Repris dans *D'une sainte famille à l'autre*, Paris, Gallimard, 1969, p. 65.

peut, pour les années ulmiennes, parler de liens étroits « au sens où deux normaliens peuvent avoir des relations intimes quand ils débattent de tout, des grands problèmes du monde[8] ». Certes, le propos était formulé après mai 1968 et après les blessures que les attaques de Sartre entraînèrent alors chez l'ancien « petit camarade », blessures encore sensibles quelques années plus tard dans les *Mémoires*. Mais il ne faut probablement pas mettre sur le compte d'une éventuelle restriction mentale les propos de 1976. Tout au contraire, ils semblent bien rendre compte de la nature des rapports noués après l'entrée rue d'Ulm entre les deux hommes, qui auparavant ne s'étaient jamais croisés. Comme l'a écrit Henri Lecarme, qui les côtoya à l'École à partir de 1926, l'expression « petits camarades », qui était de Sartre, était employée par lui « du ton dont une bonne mère de famille, bien élevée, disait à son petit garçon : "Va jouer avec les petits camarades[9]" ».

À la même époque, Sartre écrit, à la manière du *Potomak* de Cocteau, une sorte de mythologie inspirée par certains de ses camarades de l'École. Nizan est le Grand Duc, Maheu le Lama et Lecarme un Eugène. Quant à Aron, il est le Mortimer, une sorte de « grand bourgeois, très gentleman, touriste voyageur, riche et un peu conventionnel[10] ». Certes, de tels personnages mythiques sont, par essence, déconnectés de la réalité. Ils demeurent toutefois des indicateurs de tendance et confirment qu'aux yeux de Sartre, Aron n'a jamais été un frère jumeau. Bien des choses les séparent par-delà cette reconnaissance mutuelle de talents réciproques et ce sentiment en découlant d'appartenir à une élite au sein même de l'élite. Ni Castor ni Pollux, Sartre et Aron, à défaut d'être fils jumeaux de Zeus

---

8. *Le Nouvel Observateur*, n° 592, 15 mars 1976, p. 86.

9. Texte écrit par Henri Lecarme en 1983-1984. Ces souvenirs concernant Jean-Paul Sartre rue d'Ulm avaient été rédigés à l'intention de Michel Contat au moment où ce dernier préparait l'édition des *Écrits de jeunesse*. Je tiens à remercier Jacques Lecarme de m'avoir communiqué ce texte précieux et de m'avoir autorisé à le citer.

10. *Ibid.*

et de Léda, se perçoivent comme membres de cette sorte d'Olympe qu'est alors la rue d'Ulm.

Et, de fait, l'un et l'autre accumulent sans difficultés apparentes succès et parchemins universitaires. Ainsi, à l'image de ses études antérieures, Raymond Aron mène alors une scolarité ulmienne brillante et sans fausse note. Durant les deux premières années, il passe ses certificats de licence : il obtient la mention *bien* en psychologie (mars 1925), philosophie générale et logique (juillet 1925) et histoire de la philosophie (juillet 1925) ; seul le quatrième certificat n'est sanctionné que par une mention *assez bien* en mars 1926, celui de la morale et... sociologie [11]. Durant la même période, Sartre se consacre lui aussi à ses certificats de licence : psychologie en mars 1925 (mention *bien*), histoire de la philosophie en juillet de la même année *(assez bien)*, philosophie générale et logique en mars 1926 *(bien)*, morale et sociologie en juin *(assez bien)*.

Par-delà un parcours universitaire identique – et, somme toute, classique pour des normaliens –, les deux apprentis philosophes ont déjà alors, semble-t-il, un rapport différent avec la discipline qu'ils ont choisie. Raymond Aron, plus classique, passe sa troisième année d'École à lire Kant, auquel il consacre son mémoire de DES : ce travail, portant plus précisément sur « la notion d'intemporel dans la philosophie de Kant », est noté 17 sur 20 par Léon Brunschvicg. Déjà se signalent à la fois un encyclopédisme méthodique et une capacité au travail de longue haleine qui préfigurent le parcours doctoral au fil des années 1930. Sartre, au contraire, se montre plus éclectique. Il rédige, la même année qu'Aron, un mémoire de DES sur « Les images dans la vie psychologique, rôle et nature » qu'Henri Delacroix notera 17 sur 20. Il participe avec Nizan à la traduction de la *Psychopathologie générale* de Karl Jaspers et mène déjà apparemment une réflexion philosophique sur le problème de la liberté : sa réponse à l'« Enquête auprès des étudiants d'aujourd'hui » menée par *Les Nouvelles littéraires* contient déjà en

---

11. Arch. nat., 61 AJ 251.

germes certains des thèmes de *L'Être et le Néant*; ainsi qu'il le déclare dans le numéro du 2 février 1929, c'est une « idée saine aussi, ce déterminisme qui tente curieusement de faire la synthèse de l'existence et de l'être [12] ». Surtout, à nouveau perce, comme en khâgne, un éclectisme d'expression, qui le pousse aussi vers le roman. Michel Contat et Michel Rybalka ont exhumé le manuscrit d'*Empédocle*, rédigé vers 1928, qui constitue une ébauche du roman *Une défaite*, évoqué par Simone de Beauvoir dans ses *Mémoires d'une jeune fille rangée*, et qui fut refusé par Gallimard.

Sans trop solliciter les faits et sans donner une importance anachronique à ces textes de jeunesse – véritables copeaux d'une œuvre en gestation – et à leur éclectisme, force est de constater qu'ils annoncent la dichotomie future de l'œuvre sartrienne, le versant littéraire, on l'a déjà souligné, enrichissant et vulgarisant tout à la fois le pan philosophique. « Quand je vous ai connu, lui rappellera Simone de Beauvoir en 1974, vous m'avez dit que vous vouliez à la fois être Spinoza et Stendhal [13]. » En un siècle où Albert Camus laissera, par son œuvre théâtrale et ses romans beaucoup plus que par ses essais philosophiques, un sillon profond dans la vie culturelle alors que l'œuvre de son maître algérois, le professeur de philosophie Jean Grenier, restera, au-delà d'un petit cercle d'initiés, totalement inconnue, Jean-Paul Sartre parviendra, à sa manière, à être à la fois Camus et Grenier. Et l'on peut déjà distinguer alors, rétrospectivement, l'ébauche de cette sorte de Janus littéraire [14]. D'autre part, il y a probablement là l'une des clés essentielles du personnage Sartre, qu'il faudra garder en tête quand viendra, bien plus tard, le temps de l'engagement. Malgré la densité de cet engagement, et l'inflexion qu'il constitue dans la vie de Sartre, l'unité d'une vie demeure, dans cette aspiration revendiquée à être tout à la

---

12. Art. cit., p. 10.

13. Simone de Beauvoir, *La Cérémonie des adieux* suivi de *Entretiens avec Jean-Paul Sartre*, réf. cit., p. 166.

14. J'ai déjà proposé cette analyse dans *Génération intellectuelle*, réf. cit., p. 271.

fois Spinoza et Stendhal. Comme l'écrivait Sartre seize ans avant sa mort : « J'ai commencé ma vie comme je la finirai sans doute : au milieu des livres [15]. »

À bien y réfléchir, du reste, c'est aussi une clé de l'opposition Sartre-Aron que l'on repère ainsi dès les années étudiantes. À travers un rapport différent à l'imprimé, c'est un rapport différent au monde que nouent déjà les deux jeunes gens. La bibliothèque, pour Sartre, est un gisement magique : c'est l'enchantement dans tous les sens du mot. Car elle est « le monde pris dans un miroir [16] », mais un miroir qui peut être le prisme déformant de la création. Au contraire, quand Aron parle, lui aussi à propos de l'éveil culturel, d'enchantement, il s'agit de « l'univers enchanté de la spéculation [17] » rencontré durant l'année scolaire 1921-1922, en classe de philosophie. Dès le départ, le rapport au réel est différent : l'enchantement intellectuel, chez Aron, n'est pas l'altération éventuelle du monde, et sa sublimation, par la création, mais la réflexion sur lui. Coller au réel, donc, plutôt que de le transcender. Comme on l'a observé à juste titre [18], jamais Raymond Aron ne trouvera d'accomplissement dans l'imaginaire.

Pour l'heure, en ces années normaliennes, Sartre, malgré son éclectisme et son détachement apparent, est considéré comme l'un des espoirs de la section de philosophie de la rue d'Ulm. Une telle appréciation n'est pas seulement portée par ses camarades de promotion mais aussi par l'administration de l'École. Au moment où le jeune homme, à la surprise générale, est ajourné dès l'écrit de l'agrégation de philosophie, en 1928, le directeur adjoint de l'établissement déplore, dans une lettre où il dresse le bilan des résultats des normaliens aux agrégations, cet « accident », et ajoute : « Nous comptions beaucoup sur Sartre. »

---

15. *Les Mots*, réf. cit., p. 29.
16. *Ibid.*, p. 37.
17. *Mémoires*, réf. cit., p. 190.
18. Ariane Chebel d'Appollonia, *Morale et politique chez Raymond Aron*, réf. cit., p. 21.

Et le directeur d'écrire de son côté que « Sartre est un des élèves les plus distingués de la section de philosophie [19] ». La surprise est d'autant plus grande qu'à l'agrégation de philosophie de l'année précédente les normaliens, comme de coutume, s'étaient placés dans le peloton de tête : Paul Vignaux et Georges Canguilhem aux premier et deuxième rangs, Jean Cavaillès à la quatrième place. Seul l'étudiant Jean Lacroix avait réussi à se glisser au sein de ce peloton ulmien. Et en 1928, de nouveau, malgré la contre-performance de Sartre, les normaliens emportent notamment la première et la troisième place avec Raymond Aron et Daniel Lagache, l'étudiant de Sorbonne Emmanuel Mounier s'intercalant à la deuxième place [20].

On connaît la suite. En 1929, Jean-Paul Sartre est à son tour reçu premier. Rencontrant son camarade Daniel Lagache quelque temps après son échec de 1928, il lui avait déclaré, mi-figue mi-raisin : « Quand on joue à ses parents le tour d'être collé à l'agrégation, on n'a plus qu'une chose à faire : être reçu premier l'année suivante [21]. » Contrat rempli, donc, en 1929 : quatre normaliens se classent, cette année-là, dans les cinq premiers, avec à leur tête Jean-Paul Sartre ; l'intruse, dans ce peloton groupé d'élèves de la rue d'Ulm, était une étudiante nommée Simone de Beauvoir, classée deuxième [22]. Le rapport du jury, présidé par André Lalande, précisait que Simone de Beauvoir était quatrième à l'écrit et qu'elle terminait « avec une avance considérable sur les deux candidats qui la suivaient *ex aequo* (85,5 à 78) [23] ». À l'écrit, l'une des épreuves portait sur « les idées de contingence et de liberté ». Dans le rapport de concours, les

---

19. Archives de l'académie de Paris, Arch. nat. 61 AJ 2895, et lettre du directeur en date du 7 août 1928 (Arch. nat. 61 AJ 192).

20. *Revue universitaire*, 1928, 2, p. 460. Soixante-dix-huit candidats s'inscrivirent au concours cette année-là. Vingt-deux furent admissibles et huit furent reçus (*ibid.*, p. 291).

21. Témoignage de Daniel Lagache, *Arts*, 11-17 janvier 1961, p. 14.

22. *Revue universitaire*, 1929, 2, p. 362. Boivin et Hyppolite étaient troisièmes *ex aequo* et Nizan cinquième.

23. *Ibid.*

correcteurs Parodi et Wahl signalaient qu'«une jeune fille et un jeune homme étaient premiers *ex aequo*» avec 16 sur 20. Eu égard au classement final, il s'agissait à coup sûr de Jean-Paul Sartre et Simone de Beauvoir.

Inversement, le sujet d'écrit sur lequel Sartre avait chuté l'année précédente et sur lequel Aron avait dominé le concours – «une avance importante... une dizaine de points sur un total de 110» sur le suivant, Emmanuel Mounier, écrira-t-il dans ses *Mémoires* – avait pour thème... «Raison et Société[24]». Là encore, il s'agit de ne pas anticiper à partir d'indices aussi ténus. Observons pourtant que l'Histoire se montre ici malicieuse jusque dans des aspects aussi académiques que les épreuves écrites de l'agrégation : dès les années où l'un et l'autre s'ébrouent à l'occasion des figures imposées du parcours étudiant, Aron brille quand il faut méditer sur la Raison et la Société, qui suscitent au contraire une descente momentanée de Sartre dans les profondeurs du classement de l'écrit de l'agrégation, tandis que la Liberté, l'année suivante, le propulse à nouveau vers les cimes.

Une génération épargnée

Quinze ans plus tôt, à l'été 1914, la précédente génération normalienne avait passé l'agrégation dans un tout autre contexte historique. L'historien Maurice Baumont, par exemple, futur professeur à la Sorbonne, évoquera bien plus tard le déroulement de l'oral en ces termes : « C'est le samedi de la mobilisation que j'ai fait ma leçon pour l'agrégation d'histoire. [...] À quatorze heures, j'ai donc parlé pendant une heure des "hérésies albigeoises" devant le jury. Ce fut la dernière leçon du concours d'agrégation de 1914. À quinze heures apparaissaient les affiches blanches de la mobilisation. Dans la soirée du lendemain dimanche, je partais pour mon régiment ; j'ai trouvé

---

24. *Revue universitaire*, 1928, 2, pp. 291-299.

deux camarades également sous-lieutenants, un littéraire et un scientifique. En Lorraine nous avons eu le 7 août 1914 le baptême du feu. En décembre 1914, mes deux camarades avaient été tués, j'étais blessé et prisonnier [25]. »

En août 1914, ils étaient, comme Maurice Baumont, 211 normaliens en cours d'études rue d'Ulm. Quand le clairon sonne l'armistice le 11 novembre 1918, 107 d'entre eux ont été tués au cours des 51 mois de guerre. Et comment ne pas songer au témoignage d'un autre normalien sensiblement du même âge que Maurice Baumont, Georges Dumézil, qui, au soir de sa vie, déclarait : «Jusqu'à maintenant, près de soixante-dix ans plus tard, je conserve cette conviction : je me trouve ici par chance [26]. » Cette génération survivante était, de fait, devenue une génération croupion, et sur les photos des promotions normaliennes en scolarité rue d'Ulm à l'été 1914 plus de la moitié des visages sont à rayer en raison de la guerre.

Sur les photos bien connues de la promotion littéraire de 1924, rien de tel, bien sûr. Mais la question vient immédiatement à l'esprit : cette promotion, en un été 1928 qui aurait été placé sous le signe de la guerre, aurait-elle été décimée en de telles proportions ? Et qu'en serait-il advenu alors du trio Sartre-Aron-Nizan ? Mais l'été 1928 est celui du pacte Briand-Kellogg, qui met la guerre « hors la loi ». Et Sartre et Aron passèrent, cet été-là, une agrégation paisible : le seul coup de tonnerre, on l'a vu, fut l'annonce de l'échec du premier dès l'écrit du concours. Cela étant, cette génération épargnée était, d'une certaine façon, une génération en sursis. Car le pacte Briand-Kellogg n'empêcha pas le monde de s'embraser onze ans plus tard. Et le trio des jeunes normaliens de l'été 1928 connut, à trente-cinq ans, un printemps 1940 aussi douloureux que l'été 1914

---

25. Maurice Baumont, «Psychose de guerre en 1914? Un témoignage », dans *1914. Les psychoses de guerre ?*, CRDP de Rouen, Publications de l'université de Rouen, 1985, pp. 203-204 (actes d'un colloque tenu en septembre 1979).

26. «Ma guerre de 1914 », *L'Histoire*, n° 94, p. 98.

de Maurice Baumont et de ses «deux camarades»: Nizan mort au combat en mai, Sartre prisonnier en juin, Aron passé à la même date à Londres. L'Histoire les avait donc entre-temps rattrapés presque au mitan de leur âge, et la véritable confrontation avec elle se fit tardivement, la trentaine largement entamée.

Leurs vingt ans avaient pourtant été placés sous le signe d'un clair avenir. Il faut donner ici la parole à un membre moins connu de la promotion de 1924, Jean Baillou. Longtemps après sa scolarité rue d'Ulm, évoquant ces années dans une conférence, celui-ci a insisté sur ce qui revient aussi dans d'autres récits normaliens: « La promotion qui était la mienne à l'École normale et celles qui l'ont suivie étaient des promotions heureuses. Nous étions les fils de la victoire; nous savions que, là-bas, au bord des lacs, les chefs d'État réglaient les difficultés du monde. Une bonne partie de Normale était giralducienne [27]. » De fait, bien des fées semblaient s'être penchées sur le berceau de la génération de Sartre et Aron: à quelques années près, elle fut épargnée par le grand massacre de 1914-1918, et son éveil à la politique se déroula à l'ombre de la conférence de Locarno (1925), en une époque, donc, où l'Europe semblait en avoir fini avec ses démons mortifères. Et la comparaison avec la génération normalienne précédente, décimée par la guerre, reste aussi parlante si l'on compare non plus l'agrégation de 1914 et celle de 1928, mais le concours de la rue d'Ulm de Sartre et Aron en 1924 et celui qui eut lieu dix ans plus tôt. Alors qu'en 1924 les deux jeunes khâgneux peuvent savourer leur succès dans une Europe qui va s'acheminer vers une amélioration des rapports franco-allemands, le concours de 1914 s'était déroulé à l'ombre de la guerre. À la différence de l'agrégation, l'oral du concours de l'ENS avait pu se tenir avant la déclaration de guerre: la promotion avait été reçue à la fin du

---

27. Conférence faite par Jean Baillou au Congrès de l'Association internationale des études françaises, s.d., in *Hommage à Jean Baillou (1905-1990)*, brochure hors commerce, 1993, 119 p., p. 22.

mois de juillet 1914, et elle fut mobilisée quelques jours plus tard. Certes, faute d'une formation militaire préalable, cette promotion ne fut envoyée au combat qu'au bout de quelques mois et elle ne participa donc pas aux combats meurtriers de l'été et de l'automne 1914. Reste qu'un membre sur trois, ou presque (29,72 %), de cette promotion – scientifiques inclus – tomba au combat[28]. De ce fait, beaucoup de ses membres, tués à la guerre, ne sont entrés rue d'Ulm qu'à une seule occasion : pour y passer les épreuves orales.

Et les survivants n'y entreront réellement que bien plus tard. Ainsi Marcel Déat, né en 1894, reçu à Normale dans la promotion de 1914, appelé sous les drapeaux peu après, monté au front en janvier 1915, lieutenant en janvier 1917, capitaine en avril 1918, ne fera sa rentrée rue d'Ulm que 55 mois après l'été 1914 : c'est, en effet, un chevalier de la Légion d'honneur à titre militaire, titulaire de cinq citations, qui reprend ses études rue d'Ulm en mars 1919 seulement, après sa démobilisation. C'est le même homme, devenu entre-temps agrégé de philosophie, qui déclare trois ans plus tard à la *Revue française* (26 mars 1922), qui enquête sur le thème « Où va la nouvelle génération ? » : « Je ferai une distinction entre ceux qui firent la guerre et ceux qui, ne l'ayant point faite, émergent aujourd'hui. Je crains même qu'il n'y ait une coupure irréparable entre ces deux générations. »

De fait, les membres de la génération apparue dans la première décennie du siècle – appelons-la la génération de 1905, Sartre et Aron s'insérant exactement en son centre – ont en commun d'avoir été épargnés démographiquement par la guerre. Parfois, il s'en est fallu de peu que les plus âgés de cette génération, nés avec le siècle, ne se retrouvent dans le brasier de la guerre. Comme l'écrira en 1933 l'écrivain Jean Prévost, né en 1901 : « Il y a eu un moment où l'on a senti la coupure : c'est la fin de la guerre. Les Français, à ce moment, se sentaient divisés en trois groupes : ceux qui étaient trop âgés

---

28. Rapport de Gustave Lanson, 27 janvier 1922, Arch. nat. AJ16 2895.

ou trop chétifs pour avoir fait la guerre, ceux qui avaient fait la guerre, et enfin nous, tous ceux qui étaient arrivés à la conscience d'eux-mêmes au moment où des affiches commençaient à les prier de se préparer à mourir. [...] Il y a un abîme, deux époques séparées par un seul jour, une heure, entre le plus jeune mobilisé de la classe 18, dernière classe combattante, et le plus ancien de la classe 19, qui commence les générations jeunes[29]. » Jean Prévost, on le sait, sera le héros d'une autre guerre : il tombera au Vercors durant l'été 1944. Son destin illustre tragiquement celui de plusieurs membres de cette génération de 1905 : ils appartiennent à une classe d'âge qui, à quelques années près, fut épargnée par la Première Guerre mondiale, mais que l'Histoire rattrapa déjà installée dans la vie, et la quarantaine proche.

Cela étant, le rapport à la Première Guerre mondiale fut beaucoup plus complexe que cette situation de non-contact direct. En fait, cette génération était alors assez âgée pour ressentir l'ombre portée de la guerre à travers les angoisses d'une mère et l'absence d'un père ou d'un frère aîné. Comme l'a écrit Bertrand de Jouvenel au soir de sa vie dans *Un voyageur dans le siècle* : « La vague à laquelle j'appartenais était délimitée de la façon la plus claire : ceux qui avaient été tout juste trop jeunes pour faire la guerre, mais d'âge à en suivre les péripéties, à en comprendre les horreurs, à en subir les pertes dans leurs familles. » Et il précise : « Né en 1903, je regardais "ma génération" comme se situant d'Alfred Fabre-Luce (né en 1899) à Pierre Mendès France (né en 1907)[30]. »

Et la reconstruction de tels sentiments n'est pas rétrospective. Dans *Les Nouvelles littéraires* du 24 novembre 1928, Maurice Savin, jeune agrégatif de philosophie né en 1905, et étudiant comme Sartre à la Cité universitaire, écrivait que sa génération cheminerait désormais hantée par quelques images « vivantes à jamais » : « Le départ d'un frère au front sur le quai d'une petite

---

29. *Notre Temps*, 7ᵉ année, 3ᵉ série, nᵒˢ 201-202, 2-9 juillet 1933.
30. Bertrand de Jouvenel, *Un voyageur dans le siècle*, Laffont, 1979, p. 76.

gare de province, une mère en pleurs quand le facteur n'était pas passé depuis huit jours[31]. »

Il faut bien mesurer que cette génération de 1905 n'est pas une reconstitution *a posteriori* de l'historien. Il existe assurément une gerbe de classes d'âge, apparue dans la première décennie du siècle et sise entre la génération du feu, qui eut vingt ans dans les tranchées, et la génération née vers 1915, qui aura vingt ans au moment de la guerre d'Espagne ou de l'Anschluss et qui, parvenue à l'âge d'homme sans avoir baigné dans les espoirs et les illusions de la décennie précédente, sera presque par essence moins sensible à l'attrait du pacifisme. Au contraire, pour les raisons mêmes qui viennent d'être évoquées, cette génération de 1905 fut particulièrement sensible au pacifisme. Raymond Aron, notamment, baigna dans une telle sensibilité.

« J'ÉTAIS PACIFISTE PASSIONNÉMENT » (R. ARON)

Au début du printemps 1925, l'Action française entretient une agitation violente au quartier Latin, contestant la nomination à la faculté de droit de Paris du professeur Georges Scelle, nomination qu'elle estime liée à une grande proximité avec le Cartel des gauches alors au pouvoir. Les bagarres se font fréquentes, mais à la faculté de droit seul un petit noyau regroupé autour de Pierre Mendès France et appartenant à la Ligue d'action universitaire républicaine et socialiste (LAURS), née quelques mois plus tôt, parvient à se faire un peu entendre dans un établissement qui penche alors très largement à droite. Le fondateur de la LAURS, l'étudiant en sciences Paul Ostaya, a

---

31. *Les Nouvelles littéraires*, 24 novembre 1928, n° 319, p. 8. Après son échec à l'agrégation, Sartre est logé durant l'année universitaire 1928-1929 à la Cité universitaire (Arch. nat. 61 AJ 251).

évoqué, trois ans après, ces événements : « Les camelots s'étant emparés de l'école de droit, groupés derrière notre secrétaire général coiffé d'un magnifique bonnet phrygien nous avons manifesté pendant plusieurs heures à travers tout le quartier, attaqués à chaque coin de rue par les camelots exaspérés[32]. » Quelques jours plus tard, l'Association générale des étudiants, organisation largement contrôlée par les royalistes, appelle à une grève générale. Si les étudiants de droit se portent en pointe de cette nouvelle initiative, *L'Œuvre* du 2 avril 1925 annonce qu'« à l'École normale supérieure, 102 élèves, dont les signatures ont été recueillies en quelques heures, invitent les étudiants et les étudiantes à signifier leur liberté en assistant comme d'habitude aux cours ». Comme en d'autres affaires qui, avant 1914, avaient défrayé la chronique du quartier Latin – à commencer par les retombées étudiantes de l'affaire Dreyfus –, l'École normale supérieure s'oppose à la faculté de droit, et rue d'Ulm et place du Panthéon dessinent, au moins symboliquement, les deux camps opposés.

Au cours de ces journées de grève, les normaliens iront de cours en cours pour faire nombre, et ils organiseront des défilés de soutien à Georges Scelle. *L'Œuvre* du 4 avril a bien décrit ces journées durant lesquelles la rue d'Ulm se retrouve en quelque sorte l'épicentre de la résistance à l'Action française : « Un autre groupe de jeunes réactionnaires s'était dirigé vers l'École normale supérieure, pour s'essayer au débauchage. Ils voulurent bien d'ailleurs se convaincre assez tôt de la vanité de leur démarche. Par contre, un groupe de cent cinquante adversaires de la grève est venu rue d'Ulm proclamer sa sympathie. À cinq heures, un monôme d'étudiants antifascistes, parmi lesquels bon nombre de normaliens, se forma sur le boulevard Saint-Michel. En peu de temps, il réunit un millier de manifestants qui allèrent sous les fenêtres du ministère de l'Instruction publique et du ministère du Travail acclamer

---

32. *L'Université républicaine*, n^lle série, n° 7, 15 avril 1928, p. 2.

MM. François-Albert et Georges Scelle[33]. Le cortège revint ensuite par le boulevard Saint-Germain et se disloqua devant Saint-Germain-des-Prés. »

Rue d'Ulm, les normaliens socialistes et sympathisants jouèrent en ces journées un rôle d'impulsion, à l'initiative notamment de leur leader, Georges Lefranc[34]. Et Raymond Aron, proche, on le verra, de cette mouvance, se souvenait, cinquante-six ans plus tard, d'avoir alors « manifesté[35] » en faveur de Georges Scelle. De même Sartre, par solidarité, semble avoir participé, sinon aux manifestations, du moins à la tentative de levée du boycott des cours. Il racontera, en tout cas, en 1968, dans un article intitulé... « Les Bastilles de Raymond Aron » : « Je suis allé à la Sorbonne une seule fois en un an, quand les étudiants de droite ont décidé de boycotter le cours d'un professeur dont ils n'aimaient pas les idées. Ce jour-là, tous les normaliens, qui n'y mettaient jamais les pieds, se sont répandus dans la Sorbonne[36]. »

L'épisode est intéressant pour notre propos, dans la mesure où il s'agit du premier cas avéré où les deux « petits camarades » se retrouvent dans une action commune relevant du domaine du débat civique. Lui donner, pour autant, une profonde signification risquerait de fausser la perspective pour deux raisons au moins. D'une part, le trajet n'est pas rectiligne, entre ces pas apparemment synchrones sur les pavés du quartier Latin du milieu des années 1920 et la réunion crépusculaire de Sartre et Aron sur le perron de l'Élysée en juin 1979 – c'est précisément l'objet de ce livre que d'étudier la ligne brisée de leurs respectives traversées du XXe siècle. D'autre part, la synchronie de ces premiers pas civiques n'est qu'apparente. À cette date, les deux

33. Georges Scelle était à l'époque chef de cabinet du ministre du Travail du Cartel des gauches, Justin Godard. François-Albert était ministre de l'Instruction publique.

34. Correspondance avec l'auteur, juillet 1980.

35. Entretien avec l'auteur, 23 janvier 1981.

36. *Le Nouvel Observateur*, 19 juin 1968, repris dans *Situations* VIII, Gallimard, 1972, pp. 175-192, citation p. 185.

normaliens gravitent dans des univers déjà très différents, même si l'un et l'autre sont alors à contre-emploi par rapport aux engagements de leur maturité : Aron est pacifiste et socialisant, Sartre est non seulement apolitique mais totalement en marge des grandes interrogations civiques de son temps.

Plus d'un demi-siècle après ses années normaliennes, Raymond Aron déclarera à ses interlocuteurs du *Spectateur engagé* qu'il était en ses années étudiantes « vaguement socialiste » et « pacifiste passionnément[37] ». Les socialistes et socialisants constituent à cette époque la tendance politique la plus représentée rue d'Ulm. Ces jeunes normaliens militent alors à la cinquième section parisienne de la SFIO et constituent, dans les murs mêmes de l'École, un groupe important et actif. Animée par un noyau dirigeant composé notamment de Georges Lefranc – incontestablement la figure de proue du socialisme normalien à cette époque –, Jean Le Bail, Pierre Boivin et Maurice Deixonne, cette mouvance normalienne recrute non seulement rue d'Ulm mais aussi dans les écoles de Saint-Cloud, Sèvres et Fontenay ainsi que dans les khâgnes parisiennes, par le biais d'un Groupe d'études socialistes des ENS. Ce Groupe a été fondé à l'automne 1924 par quelques jeunes de Louis-le-Grand, dont certains viennent d'être reçus à l'École de la rue d'Ulm dans la promotion de Sartre et Aron. C'est le même Georges Lefranc, « hypocacique » – second – de cette promotion, qui en devient l'âme. Même après la réussite de ses autres fondateurs au concours, le Groupe était resté ouvert aux élèves des khâgnes. Lors des réunions qui se tiennent le jeudi après-midi, en effet, des khâgneux, un peu plus jeunes que les fondateurs, viennent participer aux débats. C'est le cas, notamment, de plusieurs élèves de la khâgne de Condorcet, comme, en 1925-1926, Albert Lautman, qui sera reçu au concours de 1926, et son camarade Claude Lévi-Strauss. Celui-ci, le 22 avril 1926, évoque « l'organisation du Parti ouvrier belge[38] ».

---

37. *Op. cit.*, pp. 25.26.
38. Circulaires du Groupe d'études socialistes des ENS datées d'avril et

Claude Lévi-Strauss n'a passé qu'une année en classe préparatoire à Condorcet[39]. Sur les conseils de son professeur de philosophie André Cresson, il s'inscrit en faculté de droit, tout en
continuant parallèlement une licence de philosophie[40]. Si son
inclination pour le socialisme est antérieure à son année khâ-
gneuse, c'est bien durant celle-ci et au contact du Groupe
d'études socialistes et de Georges Lefranc que ses convictions se
fortifient. Bien que non normalien, il sera, du reste, le succes-
seur de Georges Lefranc à la tête du Groupe à la rentrée universitaire de 1927 quand ce dernier devra se consacrer à la
préparation de l'agrégation. Et l'année suivante, en avril, il
deviendra secrétaire général de la Fédération nationale des étudiants socialistes[41]. Car c'est bien de la mouvance des normaliens socialistes qu'était venue, quelques années après le congrès
de Tours, la reconstruction de cette Fédération nationale des
étudiants socialistes. Et cette mouvance eut, du reste, une postérité au début des années 1930 : plusieurs de ses membres
contribuèrent à fonder et à animer la tendance Révolution
constructive de la SFIO[42].

Sous une forme ou sous une autre, Raymond Aron appartint-
il rue d'Ulm, entre 1924 et 1928, à cette mouvance socialiste ? En
septembre 1952, dans l'« Hommage à Alain » de *La Nouvelle Revue
française*, il écrivait : « À l'époque, comme la plupart des normaliens non catholiques, j'inclinais vers la gauche, je me déclarais
socialiste. » Et dans ses *Mémoires*, en 1983, il utilise une expression

---

septembre 1926 (Archives Georges Lefranc ; un exemplaire de ces deux bul-
letins a été déposé à la Bibliothèque nationale, 8° R. 83425).

39. Arch. lycée Condorcet.

40. Claude Lévi-Strauss, *Tristes Tropiques*, Plon, 1955, p. 45.

41. De ce passage à la tête de la FNES datent les premiers textes imprimés
de Claude Lévi-Strauss, à savoir les articles qu'il donne à *L'Étudiant socialiste* :
outre « Après le congrès » (3ᵉ année, n° 8, mai 1928), il faut signaler sa polémique avec Henri Barbusse sur la notion de « littérature prolétarienne » –
qu'il conteste – (nᵒˢ 10-11, juillet-août 1928, et 4ᵉ année, n° 1, octobre 1928)
ainsi que sa réflexion sur « le socialisme et la colonisation » (5ᵉ année, n° 1,
octobre 1929).

42. Cf. Jean-François Sirinelli, *Génération intellectuelle*, réf. cit., pp. 393-396.

assez proche de celle, déjà citée, du *Spectateur engagé* deux ans plus tôt, parlant de « socialisme mal défini » et écrivant dans un autre passage avoir été, « en 1925 ou en 1926 », adhérent à la cinquième section parisienne de la SFIO pour contribuer à « la cause de l'amélioration des classes malheureuses[43] ». La question, donc, est double : y a-t-il eu inclination de Raymond Aron vers le socialisme à cette époque ? Et, si tel fut bien le cas, cette inclination entraîna-t-elle une adhésion en bonne et due forme à la SFIO ?

Sur le premier point, un texte est éclairant, et d'autant plus précieux qu'il s'agit apparemment du premier texte imprimé de Raymond Aron[44]. Ce texte a été publié en décembre 1926 dans la *Revue de Genève*, qui avait organisé à cette époque une enquête sur la jeunesse européenne universitaire[45]. Des questions sur l'art et la culture avaient été adressées – sans qu'il soit possible d'en préciser le canal – à des étudiants allemands, anglais, italiens et français. Leurs réponses furent publiées entre septembre et décembre 1926. Dans le numéro de décembre parurent les textes de trois jeunes normaliens : Raymond Aron,

---

43. *Op. cit.*, pp. 81 et 48.

44. Sur ce sujet, il me faut amender ici une analyse faite il y a plus de dix ans. J'avais alors exhumé un court texte de 1928 de Raymond Aron dans les *Libres Propos* (« À propos de la trahison des clercs », nouvelle série, 2ᵉ année, n° 4, 20 avril 1928, pp. 176-178) et formulé l'hypothèse qu'il s'agissait vraisemblablement du premier texte aronien imprimé (*Le Monde*, 17 janvier 1982, pp. XII-XIII). Hypothèse avalisée, semble-t-il, par Raymond Aron lui-même : fait docteur *honoris causa* de l'Institut Weizmann de Jérusalem, il y prononce un discours sur « les intellectuels et la politique » et revient longuement sur ce texte, « le premier que je publiai... que m'a rappelé un jeune historien dont la thèse porte sur les normaliens de ma génération » (*Commentaire*, n° 22, été 1983, pp. 259-262, citation p. 260. Dans les *Mémoires, op. cit*, p. 47, l'expression est moins affirmative). Depuis, les recenseurs de l'œuvre aronienne ont le plus souvent signalé cet article des *Libres Propos* comme étant le premier texte imprimé de Raymond Aron. Le nouveau texte que j'évoque ici permet donc de remonter de près d'un an et demi en arrière pour y localiser la première trace aronienne imprimée.

45. C'est M. Alain Manier qui m'a mis sur la piste de cette enquête et de ce texte. Qu'il soit ici remercié de cette indication très précieuse.

Georges Canguilhem et Daniel Lagache[46]. Il est possible de dater plus précisément ce texte. Raymond Aron signe « élève à l'École normale supérieure, licencié de philosophie ». Or c'est en mars 1926, on l'a vu, qu'il a obtenu son quatrième et dernier certificat de licence, en morale et sociologie. Compte tenu des délais d'impression, ce texte a donc été rédigé entre avril et la fin de l'été 1926. Comme l'un des deux autres normaliens, Georges Canguilhem, signe « Languedocien. Élève à l'École normale supérieure pour préparer l'agrégation de philosophie. Le reste du temps, à la campagne, à labourer » *(sic)*, et qu'il a soutenu son diplôme d'études supérieures à la fin de l'année universitaire 1926, s'engageant donc ensuite dans la préparation de l'agrégation de philosophie, ces textes ont été probablement rédigés à l'été 1926.

Raymond Aron y évoque le « parti vers lequel iraient ses sympathies, le Parti socialiste ». L'inclination est ainsi explicitement proclamée. Et une autre phrase est tout aussi explicite : contre la guerre, « mal absolu » – nous y reviendrons –, le principal « moyen de lutte » est l'« entente internationale de la classe ouvrière » : « À dire vrai, ajoute Raymond Aron, c'est en ces rudes compagnons que je mets avant tout ma confiance. » En même temps, le conditionnel semble écarter, au moins pour cette date, une adhésion directe et formalisée par une carte de membre. D'autant que le contexte de la phrase est en même temps critique, aux antipodes d'un ton militant : le Parti socialiste « trop souvent s'attarde au culte stérile des formules magistrales, comme si ces concepts – lutte de classes, dictature du prolétariat, capitalisme – qui furent à un moment de l'histoire des visions géniales, mais partielles, des réalités complexes et changeantes, correspondaient à une vérité éternelle [...] Et surtout pas de catéchisme socialiste. »

Certes, on l'a vu, ses souvenirs font de Raymond Aron, plus de cinquante ans plus tard, un membre de la 5e section parisienne

---

46. *Op. cit.*, pp. 789-804. Le texte de Raymond Aron occupe les pages 789 à 794.

de la SFIO « en 1925 ou en 1926 ». Force est pourtant de constater qu'à l'été 1926 on semble loin d'une telle adhésion. Ce qui semblerait donner raison à son camarade de promotion Georges Lefranc, qui conteste rétrospectivement cette adhésion. « Georges Lefranc m'assure que je n'ai jamais été inscrit à la SFIO, seulement aux Etudiants socialistes », note-t-il dans ses *Mémoires*. Georges Lefranc, en effet, se souvient d'avoir vendu à son camarade en 1926 une carte des Étudiants socialistes, et le souvenir erroné de Raymond Aron, selon lui, proviendrait du fait que ces étudiants tenaient leurs réunions dans la même brasserie des Gobelins que la cinquième section de la SFIO [47]. L'essentiel, on le voit, est moins dans ce problème d'exacte localisation de l'adhésion d'Aron – FNES ou SFIO – que dans ce constat confirmé aussi bien par l'intéressé que par ses camarades de la rue d'Ulm : l'apprentissage politique de Raymond Aron s'est fait à l'époque sous le signe d'un socialisme certes « vague » ou « mal défini », mais débouchant sur une adhésion à la SFIO ou bien, hypothèse plus probable, sur une agrégation à la mouvance socialiste par le biais des Étudiants socialistes.

D'autres indices existent, du reste, d'une telle inclination. Dans le même texte de décembre 1926, par exemple, Raymond Aron évoque Francis Delaisi : « Les problèmes économiques, politiques ou sociaux, comme l'a montré M. Delaisi par exemple, ne se posent plus dans le cadre national ; en vain on leur cherche des solutions fragmentaires qui, à l'intérieur des nations, restent contradictoires, grosses de difficultés nouvelles. » Or, le 4 février 1926, Francis Delaisi est venu parler devant le Groupe d'études socialistes des Écoles normales supérieures des... « contradictions du monde moderne ». Il y a donc présomption d'une présence, ce jour-là, de Raymond Aron aux travaux de ce Groupe.

---

47. Entretien avec l'auteur, novembre 1980 et février 1981, et correspondance, août 1981. Cette version est confirmée par le normalien Pierre Chambon qui, trésorier du groupe parisien des Étudiants socialistes en 1927-1928, se souvient d'avoir aperçu le nom de son camarade d'École sur les listes de cette organisation (entretien avec l'auteur, octobre 1980).

Celui-ci, on l'a vu, constitue une structure de sociabilité où bien des sensibilités socialistes s'affinèrent, telle celle de Claude Lévi-Strauss à la même date. Ce dernier était du reste intervenu au moment de la conférence de février 1926, se demandant « si la rupture totale que Francis Delaisi souhaite voir entre le domaine économique et le domaine politique ne serait pas un mal et s'il est d'une méthode scientifique de vouloir aller à l'encontre d'un fait aussi puissant [48] ».

Il est intéressant et significatif que les deux jeunes philosophes, l'un et l'autre pacifistes et socialisants à l'époque, aient été frappés par un exposé de Francis Delaisi : tout autant que l'économiste – l'année précédente, il était venu parler aux jeunes khâgneux et normaliens des « problèmes du pétrole » –, c'est le briandiste fervent et l'européen convaincu qui s'expriment devant cet auditoire (le pacifisme de Francis Delaisi le conduira d'ailleurs, quinze ans plus tard, vers le « collaborationnisme »). Indirectement, on le voit, c'est à la fois l'adhésion à une probable sensibilité et l'agrégation à une mouvance que révèle l'allusion du jeune Aron aux thèses de Francis Delaisi. Dans ses *Mémoires*, il a, du reste, là encore indirectement, confirmé ses rapports avec le Groupe d'études socialistes. Évoquant « les hommes politiques » et les « écrivains » qui « venaient à l'École faire des conférences », il évoque Léon Blum. Or, de nouveau, cette conférence est chronologiquement localisable. C'est le dimanche 6 décembre 1925 que Léon Blum vint parler devant les jeunes normaliens. Et son exposé eut lieu à l'initiative et devant le… Groupe d'études socialistes des ENS [49].

Par-delà ces problèmes de datation fine et de localisation précise de l'engagement, une réalité est indéniable : l'itinéraire du futur « spectateur engagé » part de la gauche du paysage politique et, carte de la SFIO en poche ou pas, son éducation

---

48. Bulletin de liaison du Groupe d'études socialistes des ENS, avril 1926, réf. cit.
49. Raymond Aron, *op. cit.*, pp. 46-47. Sur cette conférence, cf. *Génération intellectuelle*, réf. cit., p. 371.

politique s'est ébauchée sous le signe du socialisme. Dans le même temps, le futur théoricien de *Paix et guerre entre les nations* a d'abord été un pacifiste convaincu et son éveil à la politique s'est fait aussi à l'ombre du *Mars ou la guerre jugée* d'Alain. Ce pacifisme initial de Raymond Aron ne fait aucun doute. Lui-même, du reste, évoquant ses années normaliennes dans *Le Spectateur engagé*, déclarera, on l'a vu : « J'étais pacifiste passionnément. » Certes, deux ans plus tard, dans ses *Mémoires*, revenant sur cette influence, il précisera n'avoir jamais été réellement convaincu par le philosophe du lycée Henri-IV [50]. Mais il y a probablement là reconstruction, au moins partielle, de sa part. Car si une telle influence alinienne est difficile à évaluer avec précision, dans sa chronologie comme dans son amplitude, elle a bien été déterminante dans un premier temps. Elle a contribué à façonner le Raymond Aron proto-aronien, celui-là même qui dut opérer ensuite un profond retour sur lui-même au début des années 1930, précisément pour se débarrasser d'une telle influence, jugée par lui désormais pernicieuse.

Plusieurs analyses aroniennes permettront ensuite de jalonner cet adieu à Alain. En février 1933, c'est dans la revue même des disciples du philosophe, les *Libres Propos*, qu'il livrera ses « Réflexions sur le "pacifisme intégral" », avec ce diagnostic : la « vérité » d'Alain « flotte entre ciel et terre ». Et huit ans plus tard, au cœur du second conflit mondial, ce diagnostic deviendra un réquisitoire sans appel : Raymond Aron devenu londonien écrira dans *La France libre* qu'Alain « a formé des générations de jeunes Français dans une hostilité stérile à l'État, dans une ignorance presque volontaire des dangers qui menaçaient la nation » ; car, en allant « dans le sens de la facilité et en pensant systématiquement contre le mouvement historique », il a fécondé « une sorte d'aveuglement volontaire [51] ». Certes,

---

50. *Op. cit.*, notamment pp. 41-45, 50, 58, 67 et 149.
51. « Prestige et illusion du citoyen contre les pouvoirs », *La France libre*, septembre 1941, repris dans *L'Homme contre les tyrans*, Paris, Gallimard, 1946, pp. 98-112.

après la guerre, le ton se fera plus serein et Raymond Aron posera cette question de fond qui, depuis l'Occupation, taraudera nombre d'anciens disciples du philosophe : « Pourquoi ce contraste entre la profondeur et l'importance des idées directrices et le caractère simpliste des suggestions pratiques ? » Pourquoi aussi, entre 1933 et 1939, s'être ingénié à « éviter la guerre de 1914 » ? Ces questions, posées dans deux articles intitulés respectivement « Remarques sur la pensée politique d'Alain » et « Alain et la politique [52] », prennent plus de relief encore quand on sait qu'Aron fut, en ses années normaliennes et même au-delà, proche de la « pensée politique » d'Émile Chartier, dit Alain.

Dans ce qui est probablement son troisième texte imprimé [53], début 1929, Raymond Aron a été très explicite à ce propos. La teneur aussi bien que le ton de son bref article intitulé « L'influence d'Alain » ne trompent pas : « À l'École normale, s'agite furieusement – corps et âme – un groupe de jeunes hommes, robustes et sains, heureux d'appliquer, sur les champs des sports et dans les Universités populaires, dans le travail du labour et par des pétitions politiques, les conseils du Maître. On les appelle "les disciples d'Alain", l'administration et certains élèves avec terreur, d'autres avec amitié, parfois même avec respect. […] Pour mon compte, je dois beaucoup à l'amitié de quelques-uns de ses élèves, en même temps qu'à ses livres. Ou plutôt c'étaient la vie et l'homme devinés à travers l'admiration de disciples qui ajoutaient à la puissance des écrits. Ainsi on le respecte, admire, aime, avant même de le connaître [54]. »

---

52. Raymond Aron, « Remarques sur la pensée politique d'Alain », *Revue de métaphysique et de morale*, 57, 1952, p. 199 ; « Alain et la politique », *La Nouvelle Revue française*, numéro d'« Hommage à Alain », septembre 1952, p. 164.

53. Nous avons déjà évoqué les deux premiers textes de Raymond Aron. Ce troisième texte n'était pas plus connu que le premier (la *Bibliographie* de Raymond Aron publiée en 1986 aux éditions Julliard par la Société des amis de Raymond Aron ne mentionne aucun de ces deux textes). J'ai, pour ma part, signalé l'existence de ce texte en 1988 dans *Génération intellectuelle*.

54. Raymond Aron, « L'influence d'Alain », *La Psychologie et la vie. Revue de psychologie appliquée*, 3e année, n° 1, janvier 1929, pp. 10-11.

Texte de jeunesse, assurément, et porté par un enthousiasme encore juvénile. Animé aussi, on le constate, par une sorte de ferveur, qui détonne avec le style de la future œuvre aronienne[55]. Et indice, de ce fait, d'une très forte attraction exercée par la mouvance chartiériste. Pour autant, Raymond Aron a-t-il rencontré régulièrement, durant ses années normaliennes, Alain ? Ancien khâgneux de Condorcet, il n'a pas été formé par le professeur de la place du Panthéon. Mais, une fois entré rue d'Ulm, il a, semble-t-il, noué des liens avec lui. Déjà, au cœur du second conflit mondial, dans son article de *La France libre* pourtant hostile au philosophe, il évoquera des rencontres avec lui à l'époque de la rue d'Ulm[56]. Bien plus tard, dans *Le Spectateur engagé*, en 1981, il écrit : « De temps en temps, j'allais le chercher à Henri-IV et je l'accompagnais jusque chez lui, rue de Rennes[57]. » Mais, deux ans plus tard, dans les *Mémoires*[58], le « de temps en temps » n'est plus qu'un « plusieurs fois ». Le nombre de ces rencontres, en fait, importe peu. Car – et, sur ce point, les témoignages convergent – les relations entre le maître et les « disciples », la plupart du temps, restaient indirectes, par l'intermédiaire d'une mouvance chartiériste.

Quel fut plus particulièrement, dans le cas d'Aron, le « disciple » qui fut ainsi l'agent d'une mise en relation avec cette mouvance ? Il s'agit « peut-être » de Georges Canguilhem, camarade de promotion de Raymond Aron. Ce dernier note dans ses *Mémoires* : « Sans doute des élèves d'Alain me servirent-ils d'intermédiaire », avant d'ajouter, quatre pages plus loin, « peut-être Georges Canguilhem fut-il l'intercesseur entre Alain et

---

55. Ferveur, il est vrai, qui reste au-dessous de celle des disciples eux-mêmes : ainsi celle de Maurice Savin, futur grand professeur de khâgne, qui, à la même date, parle d'« Alain le juste » et décrit ainsi le maître : « Alain est debout comme un jardinier dans un jardin qui surabonde ; levant les mains vers les fruits quotidiens de la joie, il professe le bonheur… » (*Les Nouvelles littéraires*, 24 novembre 1928, n° 319, p. 8).

56. « Prestige et illusions du Citoyen contre les pouvoirs », réf. cit.

57. *Op. cit.*, p. 25.

58. *Op. cit.*, p. 41.

moi [59]. » Toujours est-il que Raymond Aron, on l'a vu, après avoir brossé un portrait chaleureux des « disciples d'Alain », observait dans le texte de janvier 1929 : « Pour mon compte, je dois beaucoup à l'amitié de quelques-uns de ses élèves, en même temps qu'à ses livres. » Le jeune philosophe fut incontestablement touché, au moins par rebond, par l'influence d'Alain. L'écrivain Julien Gracq, qui fut, entre 1928 et 1930, l'élève d'Alain en khâgne au lycée Henri-IV, classe dans laquelle ce dernier enseignait la philosophie depuis 1909, employa, bien plus tard, pour évoquer le souvenir de son ancien professeur, les mots « admirable éveilleur [60] ». De fait, le terme « éveilleur » paraît bien convenir pour caractériser des hommes qui, sans être forcément très connus du grand public ou sans avoir toujours acquis de leur vivant une réputation en rapport avec leur influence en profondeur, ont été, dans différents secteurs de la vie intellectuelle française, un levain pour les générations suivantes. Quelques professeurs entrent dans cette rubrique : peuvent en effet être considérés comme « éveilleurs » ceux dont l'influence a dépassé la simple transmission d'une matière enseignée pour déboucher plus largement sur une influence intellectuelle, avec parfois des incidences politiques, s'exerçant sur des jeunes gens appelés à devenir à leur tour des intellectuels [61].

Alain entre dans cette catégorie des « éveilleurs », son influence ayant largement dépassé le registre philosophique et même le champ culturel et ayant revêtu pour certains de ses élèves, on va le voir, un incontestable aspect politique [62]. Cela

---

59. *Op. cit.*, pp. 41 et 45.

60. Julien Gracq, *En lisant, en écrivant*, Paris, José Corti éditeur, 1980, p. 187.

61. J'ai proposé une telle définition du mot « éveilleur » dans « Biographie et histoire des intellectuels : le cas des « éveilleurs » et l'exemple d'André Bellessort », *Sources. Travaux historiques*, 3-4, 1985, pp. 61-73, et dans « Aux lisières de l'enseignement supérieur : les professeurs de khâgne vers 1925 », *in* Christophe Charle et Régine Ferré, *Le Personnel de l'enseignement supérieur en France aux XIXᵉ et XXᵉ siècles*, Paris, Editions du CNRS, 1985, pp. 111-129.

62. L'analyse qui suit a été plus longuement menée et étayée dans le chapitre XIII de *Génération intellectuelle*, réf. cit. ; plus brièvement, j'ai également déjà eu l'occasion d'évoquer le milieu chartiériste dans « Alain et les siens.

étant, si certains des « éveilleurs » se sont tenus résolument en coulisses, tels, à l'École normale supérieure, le bibliothécaire Lucien Herr, ou, aux éditions Gallimard, Bernard Groethuysen, Alain, malgré le faible tirage, à l'époque, de ses ouvrages et de la revue *Libres propos*[63], et malgré la base statistiquement étroite de son auditoire, appartient à une catégorie d'« éveilleurs » ayant disposé de leur vivant même d'une audience non négligeable car sous-tendue par une mouvance de disciples profondément et durablement marqués. Toutes proportions gardées, son rôle n'est pas sans rappeler celui qu'auront plus tard un Louis Althusser ou un Jacques Lacan avant leur renommée médiatique : initialement, dans leur cas également, l'influence s'exerça sur un cercle restreint mais relativement homogène – et, dans le cas d'Althusser, renouvelé par le flux des promotions normaliennes de jeunes intellectuels qui servirent ensuite de relais à la pensée du maître. On saisit mieux ainsi le statut d'Alain sur la scène intellectuelle : ni homme des coulisses ni homme du devant de cette scène intellectuelle, il pourrait être défini comme un homme de l'agora, participant au débat de la Cité et y laissant directement ou indirectement sa trace, ni homme de l'ombre ni personnalité de l'avant-scène mais inspirateur d'un groupe attentif et ardemment prosélyte.

Ce groupe de disciples était, du reste, cimenté par l'admiration éprouvée pour celui que certains d'entre eux appelaient le plus sérieusement du monde « l'Homme ». Mais force est aussi de constater que beaucoup de ceux qui devinrent ses disciples n'ont jamais eu, hors de la classe, de conversation privée avec « l'Homme ». Simplement, leur admiration pour ce dernier en

---

Sociabilité du milieu intellectuel et responsabilité du clerc », *Revue française de science politique*, avril 1988, pp. 272-283.

63. *Mars ou la guerre jugée*, par exemple, publié à 3 300 exemplaires en 1921, s'était vendu à seulement 1 769 exemplaires à la fin de l'année 1926, et il faudra attendre 1936 pour qu'intervienne une première réimpression avec un tirage de 2 200 exemplaires (source : éditions Gallimard). Quant aux *Libres Propos*, leur diffusion varia entre 500 et 1200, dans la période la plus favorable (cf. *Génération intellectuelle*, réf. cit., p. 432).

fit des lecteurs des *Libres Propos* et les introduisit dans le monde des « disciples », qu'orchestraient Michel et Jeanne Alexandre. Ce monde était en fait un véritable microcosme, avec ses activités et ses combats menés en commun : les jeunes chartiéristes ont créé à cette époque une sorte d'université populaire, le Groupe d'éducation sociale ; ils font, par ailleurs, de l'entrisme à la Ligue des droits de l'homme et militent aussi à la Volonté de paix ; surtout, et il faudra y revenir, ils se mobilisent à l'occasion de différentes « affaires », qui sont toujours colorées de pacifisme, voire d'antimilitarisme. On peut donc parler à leur sujet d'une sociabilité spécifique qui s'ordonne autour d'une revue, les *Libres Propos,* qui est cimentée par l'admiration portée à Alain, qui est imprégnée par une commune sensibilité, le pacifisme, et qui apparaît notamment dans des combats menés de concert.

Et il apparaît bien que Raymond Aron s'est agrégé à cette époque à cette mouvance, a baigné dans cette sensibilité et a participé, au moins indirectement, à certains de ces combats. Une telle proximité est confirmée par plusieurs indices concordants. Ainsi, en mars 1927, est votée une loi militaire dont le rapporteur avait été le socialiste Joseph Paul-Boncour ; son article IV prévoyait notamment, « dans l'ordre intellectuel, une orientation des ressources du pays dans le sens de la défense nationale ». Immédiatement, les normaliens pacifistes montent en ligne. Cinquante-quatre d'entre eux signent une pétition considérant que cette loi abroge « pour la première fois en temps de guerre toute indépendance intellectuelle et toute liberté d'opinion [64] ». Au nombre des signataires figurent Sartre et Aron.

Sur le plan symbolique, on observera qu'il s'agit là du premier texte collectif signé conjointement par les deux philosophes, le dernier étant un appel au boycott des jeux Olympiques de

---

64. *Europe,* 15 avril 1927, et *Libres Propos,* 20 avril 1927. La première liste de signataires sera complétée en mai et en juin par de nouveaux noms d'étudiants et de khâgneux, notamment Claude Lévi-Strauss.

Moscou en janvier 1980, quelques semaines après l'intervention soviétique en Afghanistan et trois mois avant la mort de Jean-Paul Sartre. Entre-temps, il est vrai, les occasions de faire signature commune se seront, nous le verrons, peu à peu raréfiées. Mais plus que cet aspect somme toute anecdotique, la présence de la signature d'Aron montre que sa sensibilité pacifiste l'emporte alors sur son statut de sympathisant socialiste. Les députés socialistes avaient, en effet, voté le projet de loi. Et le vice-amiral Louis Jaurès, député socialiste de la Seine, avait rappelé les paroles que son frère avait prononcées en s'adressant aux jeunes lycéens d'Albi : « Doublez vos âmes pour trouver assez de vaillance contre les ennemis du dehors et assez de tendresse pour les frères de l'intérieur. La terre de France doit être à la fois un camp retranché et un jardin. » Même la Ligue des droits de l'Homme, lors de son congrès de juillet 1927, avait approuvé à une très large majorité – par 1 356 mandats contre 240 –, Victor Basch déclarant : « La loi a pris en compte toutes les garanties démocratiques. » Seule la minorité ultrapacifiste de la Ligue avait adopté une attitude hostile. De leur côté, les *Libres Propos* avaient, dès le 20 mars, attaqué cette loi, « la plus militariste que le pays ait connue », et, le 15 avril, dans *Europe*, Alain l'avait qualifiée d'« idée folle ». Un mois plus tard, dans la même revue, Romain Rolland y voyait « ce qu'aucune dictature impériale ou fasciste n'a osé encore accomplir en Europe : l'asservissement d'un peuple entier, du berceau à la tombe ». Et de prêter ainsi serment : « À cette loi de tyrannie je jure, par avance, de n'obéir jamais. » Le principal argument des pétitionnaires contre le dispositif prévu par la loi était sans appel : « Nous estimons qu'il constitue l'atteinte la plus grave qui ait jamais été portée à la liberté de conscience, qu'il serait d'ailleurs en désaccord avec l'idée d'une nation armée qui suppose le libre assentiment des citoyens. »

Sartre et Aron signèrent également, l'un et l'autre, quelques mois plus tard, dans les *Libres Propos* du 20 février 1928, un nouveau texte de soixante-seize normaliens qui entendaient protester « contre la radiation de l'ordre de la Légion d'honneur dont est menacé M. Demartial pour ses écrits ». Cette pétition restera vaine, puisque l'écrivain Georges Demartial, accusé d'avoir mis en doute la version française des causes du déclenchement du premier conflit mondial, sera suspendu pour cinq ans de l'ordre de la Légion d'honneur[65]. Mais elle avait cristallisé toute une mouvance pacifiste, et, en son sein, les élèves d'Alain y avaient tenu une place déterminante[66]. Les *Libres Propos*, surnommant amicalement Demartial «l'Hérétique», avaient évoqué à son propos l'affaire Dreyfus et une «jeunesse nouvelle» qui entend signifier, par sa participation à la pétition, que, «sur les origines de la guerre non plus, elle n'admettra pas les "faux patriotiques" et que là aussi la vérité passera avant tout».

S'il fallait un troisième indice de l'appartenance de Raymond Aron à cette «jeunesse nouvelle» pétrie de chartiérisme, on le trouverait dans les retombées de l'affaire de la préparation militaire supérieure (PMS). Reçu à l'agrégation en juillet, il n'est plus à l'École à l'automne 1928, au moment où *Le Populaire* du 26 novembre publie une pétition de quatre-vingt-trois élèves de la rue d'Ulm protestant contre le caractère obligatoire de la PMS. Ce texte, rédigé par un disciple d'Alain, suscita une vaste polémique dans la presse et des articles souvent hostiles aux normaliens. S'il n'a donc pas signé ce texte, Raymond Aron participera en revanche, en tant qu'ancien élève, à une campagne contre Émile Picard, président de l'Association des anciens élèves de l'ENS. Ce dernier avait déclaré, quelques semaines après les incidents de la PMS, lors de la réunion générale de l'Association, «avoir lu avec tristesse une lettre récente, incorrecte dans la forme comme dans le fond», qui «témoignait d'une méconnaissance singulière du rôle de l'officier, alors que tant des nôtres ont donné leur vie sous cet uniforme, en défendant la

---

65. Sartre et Aron signeront, de ce fait, quelques mois plus tard, une pétition adressée au ministre de l'Instruction publique demandant «une mise au point vraiment scientifique, par l'Université française, des questions soulevées par la Grande Guerre» (*Libres Propos*, 20 juillet 1928).
66. Cf. *Génération intellectuelle*, réf. cit., pp. 447-452.

patrie ». Les *Libres Propos* du 20 juillet suivant avaient réagi par une pétition de douze anciens élèves de l'École normale supérieure protestant contre de telles déclarations. Parmi ces signataires, on trouvait Romain Rolland et... Alain. Et aussi quelques jeunes agrégés qui, au début puis au milieu des années 1920, avaient été des antennes chartiéristes à l'École et qui continuaient à cette date à jouer un rôle aux *Libres Propos* : Jean Laubier et Georges Canguilhem. Au sein de ces douze à forte densité chartiériste figurait aussi Raymond Aron.

Il y a bien là, au bout du compte, un faisceau de présomptions d'une proximité entre Aron et les chartiéristes beaucoup plus grande que ne se la rappellera l'intéressé bien plus tard. S'il fallait un indice supplémentaire, on le trouverait peut-être dans l'échec du jeune normalien au brevet de la PMS. Cet échec est avéré [67]. Or il ne fut pas entraîné par une déficience physique : à l'époque, en effet, Raymond Aron était un excellent joueur de tennis, comme il l'a rappelé aussi bien dans *Le Spectateur engagé* que dans ses *Mémoires*. Il apparaît plutôt que son échec, qui intervient en 1927, est à replacer dans le contexte du mouvement de contestation de la PMS qui s'amorce cette année-là et qui culminera à l'automne 1928 avec la pétition des quatre-vingt-trois normaliens. Alors qu'en 1926 quatre normaliens seulement n'avaient pas obtenu le brevet de la PMS, en 1927 sept élèves, dont Raymond Aron, sont refusés, tandis que quatre autres ne se présentent même pas aux épreuves [68]. Il est difficile, faute d'éléments plus précis, d'étayer la thèse d'un échec prémédité par Raymond Aron, mais la présomption reste forte à nos yeux. D'autant que Raymond Aron, dans ses *Mémoires*, reconnaît une influence d'Alain en la matière : « Peut-être aurais-je été reçu à l'examen de la fin de préparation militaire si je n'avais pas été, sur ce sujet, partagé », le « sujet » étant le refus d'Alain « des galons d'officier ». Huit pages plus loin, il précise d'ailleurs : « Influencé sans être convaincu par Alain, je ne

---

67. Arch. nat. 61 AJ 251.
68. Arch. nat. 61 AJ 198.

m'étais résolu ni à réussir ni à échouer à cet examen. Mes erreurs dans la lecture des cartes d'état-major, ma maladresse au commandement d'un peloton firent le reste [69]. »

Ce pacifisme est, somme toute, banal. Il s'inscrit dans une tendance lourde – les économistes parleraient de *trend* – du pacifisme français. Cette prégnance du sentiment pacifiste dans la France de l'après-Première Guerre mondiale est avérée. Les travaux d'Antoine Prost, par exemple, ont montré la précocité et l'ampleur de l'acculturation de ce sentiment dans le milieu ancien combattant [70], c'est-à-dire, en fait, dans une large partie de la population adulte, mâle, active et électrice. D'autres recherches en ont confirmé l'ampleur dans de nombreux secteurs de l'opinion. À ce pacifisme affectif, et qui fait masse, vient s'ajouter un pacifisme des intellectuels, sécrété par une double mauvaise conscience vis-à-vis de la guerre elle-même et vis-à-vis des « pouvoirs ». D'une part, en effet, la participation de beaucoup d'intellectuels à l'effort de guerre apparaîtra a près coup à certains d'entre eux, notamment parmi les plus jeunes, comme une complicité avec le grand massacre des peuples européens et nourrira chez eux un pacifisme à fleur de peau. D'où, au demeurant, chez certains de ces jeunes clercs, une incapacité à penser la guerre, quand viendra le temps des périls. D'autre part, cette mauvaise conscience qui taraudera désormais nombre de ces jeunes clercs leur inoculera quelquefois une méfiance instinctive contre les « pouvoirs » : d'où l'écho, chez certains d'entre eux, des philippiques d'Alain. Et la difficulté à penser le totalitarisme, quand viendra le temps des dictatures.

Raymond Aron, on le voit, a connu un pacifisme qui puisait à ces deux sources grosses de situations douloureuses, quand les fidélités qu'elles impliquaient deviendront contradictoires. On mesure mieux ainsi, sans anticiper sur la suite, la difficulté

---

69. *Op. cit.*, pp. 42 et 50.
70. Antoine Prost, *Les Anciens Combattants et la société française*, Paris, Presses de la Fondation nationale des sciences politiques, 1977, 3 vol.

du retour sur soi, mais aussi, précisément, ce qu'il aura, dans les années 1930, de précoce et de relativement isolé. Car, par-delà sa banalité, le pacifisme aronien va très vite se structurer intellectuellement et acquérir par là même, sinon une originalité, en tout cas une autonomie par rapport à l'influence d'Alain. De cette influence, en effet, découlaient chez Aron à la fois un rejet affectif – qui explique le ton de ses premiers textes – mais aussi, bientôt, une analyse réfléchie de la situation diplomatique : l'objectif prioritaire, pensera-t-il au début de son séjour outre-Rhin, est le rapprochement franco-allemand, et tout doit être fait pour en faciliter la mise en œuvre. Là est la grande différence d'attitude avec la plupart des « disciples » d'Alain : pour le jeune normalien, et avant même son retour sur lui-même durant le séjour en Allemagne, l'influence de ce dernier n'est pas celle d'une pythie plus ou moins lointaine dont on guette les oracles à travers les livraisons des *Libres Propos*, mais, au contraire, elle est le fruit d'un choix apparemment médité. Car, dès cette époque, les enthousiasmes de jeunesse sont bridés chez Aron par une analyse raisonnée des implications des options choisies. On trouve, par exemple, cette ambivalence dans le deuxième texte imprimé qu'a publié le jeune normalien. Dans les *Libres Propos* du 20 avril 1928, en effet, paraît sous sa plume une courte note sur Julien Benda qui a publié peu de temps auparavant *La Trahison des clercs*. Le ton en est dur mais l'argumentation déjà solidement étayée.

Ce ton s'explique probablement par l'irritation du jeune auteur devant les attaques de Julien Benda contre les pacifistes français. *La Trahison des clercs* s'en prenait au « pacifisme à prétention scientiste » et aux « autres pacifismes malfaisants » : ce sentiment n'aurait été inspiré « depuis dix ans [que] par le seul sentiment et rien ne montre mieux à quel degré de faiblesse est descendue de nos jours, chez des "princes de l'esprit", la tenue intellectuelle[71] ». À cela, le jeune agrégatif de philosophie

---

71. Julien Benda, *La Trahison des clercs*, Paris, Grasset, 1927, pp. 225, 226 et 230.

rétorque : « Appliquons le critère que nous indique le livre : "On peut dire à l'avance que le clerc loué par les séculiers est traître à sa fonction." La Légion d'honneur a tranché. » Ces lignes sont les dernières de l'article et l'estocade est rude. Cinquante-cinq ans plus tard, Raymond Aron écrira du reste dans ses *Mémoires* : « Je ne relis pas sans honte la flèche que je lui lançai à la fin de l'article, une allusion à sa promotion récente dans la Légion d'honneur. Honte est trop dire : plutôt je rirais de moi [72]. » Alain lui-même avait écrit dans les *Libres Propos*, deux mois plus tôt : « Celui qui s'engage dans la Légion d'honneur ne sait pas ce qu'il fait ; quand il croit recevoir une récompense, en réalité il engage son esprit dans l'état militaire et pour toute sa vie [73]. » Autant que l'exemple du maître, le contexte du moment peut expliquer cette fixation sur la Légion d'honneur : Julien Benda venait, à cette date, d'en être décoré, au moment même où, nous l'avons vu, Georges Demartial, que soutiennent les élèves d'Alain, vient, lui, d'être suspendu de l'ordre pour ses interprétations jugées hérétiques des causes du déclenchement de la Première Guerre mondiale.

Si un autre passage détonne aussi par rapport au style des écrits ultérieurs de Raymond Aron (« Nous espérions un homme. Nous n'avions plus qu'un homme de lettres »), l'intérêt de ce texte est également ailleurs, dans l'argumentation déployée. Nous sommes loin, en effet, des « canulars » antimilitaristes des revues. À l'heure où Sartre se complaît, on le verra, à irriter des sous-officiers par son inaptitude au pas cadencé, Aron semble déjà s'interroger sur les rapports entre intellectuels et engagement politique. Le commentaire de *La Trahison des clercs* s'y prêtait, il est vrai. Julien Benda y soutenait notamment que l'intellectuel doit défendre des valeurs immanentes – ainsi la Justice et la Vérité au moment de l'affaire Dreyfus – mais qu'il trahit sa fonction lorsqu'il épouse les polémiques du débat quotidien : « La pensée du clerc, selon M. Benda, doit être

---

72. *Op. cit.*, p. 47.
73. *Libres Propos*, 20 février 1928, pp. 92-96.

essentiellement contemplative… D'où [enfin] un certain mépris pour le clerc qui prétend penser notre monde, et y insérer des relations intelligibles, autrement dit faire descendre le ciel sur la terre… Ne saurait-on concevoir, sans trahir, un esprit attaché au vrai et porté à la générosité, tout engagé déjà dans l'action [74] ? »

Dès cette époque, donc, la question des rapports entre vérité et générosité est posée par Raymond Aron, et se fixe au centre de sa réflexion civique. En outre, on sent déjà une tension, dont l'intéressé semble conscient, entre les exigences de la raison et les enthousiasmes du cœur, l'analyse et l'action, le spectacle et l'engagement, avec en toile de fond cet objectif assigné à l'intellectuel : « Penser notre monde, et y insérer des relations intelligibles. » Mais Aron, à cette date, résout-il la question dans les mêmes termes que vingt-sept ans plus tard quand, dans *L'Opium des intellectuels*, il s'opposera aux intellectuels grisés et abusés, selon lui, par le marxisme ? Il serait, en effet, excessif d'anticiper et de faire dire à ce texte plus qu'il ne dit. Car le fait demeure que le style de cet article détonne, relu à l'aune de ce qui suivit, c'est-à-dire une pensée souvent incisive mais très rarement agressive. Elle relève, en 1928, de la prose de dénonciation et non d'énonciation. Somme toute, à cette date, Raymond Aron est triplement à contre-emploi par rapport à « Aron » : le jeune socialiste n'est pas l'ébauche du futur penseur libéral, le pacifiste n'est pas le prototype de l'analyste des *Guerres en chaînes*, le bretteur un peu court dans l'argumentation et un peu raide dans la formulation n'est pas le brouillon du publiciste aux amples démonstrations.

---

74. Raymond Aron, « À propos de *La Trahison des clercs* », *Libres Propos*, n^lle série, 2e année, n° 4, 20 avril 1928, pp. 176-178.

Sartre ou le temps du détachement

À contre-emploi également se trouve alors Jean-Paul Sartre. Le futur chantre de l'engagement est, en effet, en position non pas de désengagement – ce qui supposerait de sa part une attitude réfléchie de rupture ou de repli –, mais de total détachement par rapport à la sphère du débat civique. Celle-ci lui est totalement étrangère, et, quand il l'effleure, c'est comme par inadvertance et jamais en tant que telle. De fait, il n'est alors relié par aucune de ses fibres au débat de la Cité et ne prête aucune attention à l'Histoire en train de se faire.

Cela étant, tenter de faire revivre le Sartre normalien n'est point chose aisée, car l'historien doit battre en brèche bien des clichés et, plus largement, percer une certaine opacité. Les clichés découlent de la célèbre description brossée par Simone de Beauvoir, dans ses *Mémoires*, du « clan », de la « bande » constituée par Sartre et ses amis, volontairement marginale et passablement turbulente [75]. Les variations sur ce thème ont constitué progressivement une véritable imagerie d'Epinal, avec, comme héros central, un potache surdoué qui jette des bombes à eau sur d'autres normaliens supposés faire la cour aux filles de mandarins. Mais ces passages convenus ne sont que le reflet de la maigreur apparente des sources sur la période de la rue d'Ulm. *Les Mots* évoquaient la prime jeunesse jusqu'au seuil de l'adolescence, ce que Sartre appelle son « commencement [76] ». Quant aux *Mémoires d'une jeune fille rangée* de Simone de Beauvoir, ils ne saisissent le jeune philosophe qu'à partir de l'âge de vingt-quatre ans, à la fin du printemps de 1929. Il est pourtant possible, par recoupements, de brosser un portrait en pied du normalien Sartre. Les traits, en fait, restent les mêmes qu'en khâgne : un apolitisme quasi total, qui confine, sur ce plan, à la

---

75. Simone de Beauvoir, *Mémoires d'une jeune fille rangée*, Gallimard, 1958, p. 310.

76. Jean-Paul Sartre, *Les Mots*, Gallimard, 1964, p. 207.

somnolence ; et, parallèlement, la tentation précoce de l'écriture, avec deux versants, philosophique et littéraire.

Ces premiers pas culturels sont désormais mieux établis, grâce notamment aux travaux de Michel Contat et Michel Rybalka, et l'on y reviendra plus loin. Beaucoup plus opaque restait, en revanche, la connaissance du regard porté par le jeune normalien sur la vie politique, pourtant très dense, qui rythme les années 1920. « Le socialisme, qui avait séduit beaucoup de mes camarades rue d'Ulm, ça ne me touchait pas », déclarera-t-il bien plus tard[77]. Non seulement le socialisme, mais toute forme d'engagement politique. Le point est bien connu. Dès 1958, dans *Mémoires d'une jeune fille rangée* et surtout en 1960, dans *La Force de l'âge*, Simone de Beauvoir avait brossé le portrait d'un Sartre indifférent à la politique aussi bien à la fin des années 1920 qu'au fil de la décennie suivante. Mais, on l'a dit, comme elle n'avait connu le jeune normalien que durant l'année universitaire 1928-1929, ce témoignage n'en était pas un pour les années ulmiennes. En revanche, Sartre lui-même a évoqué plusieurs fois la question, sans jamais tenter de fausser rétrospectivement la perspective. Durant la « drôle de guerre », en garnison dans le Bas-Rhin, il parle, dans les carnets qu'il rédige alors, de son « indifférence politique » durant ce qui est devenu un entre-deux-guerres. Certes, un tel aveu est niché au détour d'une ligne, sans guère plus de commentaire[78]. Mais la concision même de la formule n'en est que plus explicite. Vingt ans plus tard, en 1960, Jean-Paul Sartre reviendra sur ce manque d'intérêt pour la politique, en contraste avec l'engagement de

---

77. Entretien entre Jean-Paul Sartre et Simone de Beauvoir, août-septembre 1974, publié en 1981 (*La Cérémonie des adieux* suivi de *Entretiens avec Jean-Paul Sartre*, réf. cit., p. 476).

78. Jean-Paul Sartre, *Les Carnets de la drôle de guerre. Novembre 1939-mars 1940*, Gallimard, 1983, Carnet XI, février 1940, p. 216. Mais la publication, début 1995, du premier carnet, celui de septembre-octobre 1939, fournit, nous le verrons au chapitre III, de beaucoup plus amples commentaires de la part de Sartre. Cela étant, la teneur de ce carnet confirme pleinement l'analyse ci-dessus, rédigée avant sa publication et donc sa consultation.

Paul Nizan. Dans son célèbre avant-propos à *Aden Arabie,* évoquant les années 1920, il précisait : « Je détestais qu'il fît de la
politique parce que je n'avais pas le besoin d'en faire [79]. » Et quatorze ans plus tard, on l'a vu, il confirmait son apolitisme dans
ses entretiens avec Simone de Beauvoir, publiés de façon posthume en 1981.

Cet apolitisme n'est pas une reconstruction *a posteriori.* Il est
confirmé par plusieurs sources de l'époque. D'une part, par
celles qui émanent de l'intéressé lui-même : les lettres à
« Simone Jollivet ». Sur la trentaine de pages de cette correspondance avec une jeune Toulousaine avec laquelle il avait alors une
liaison, n'apparaît aucune allusion politique chez un Sartre
pourtant prolixe et précis sur sa vie à l'École [80]. D'autre part,
comme en khâgne, les témoignages de ses anciens camarades de
la rue d'Ulm conduisent à la même conclusion [81]. Cela étant,
cette position nettement en retrait par rapport aux engagements politiques de certains de ses camarades n'empêche pas
Jean-Paul Sartre de participer à plusieurs incidents antimilitaristes qui ont lieu à l'École normale supérieure durant sa scolarité. On l'a vu, il sera, comme Raymond Aron, l'un des
cinquante-quatre normaliens signataires d'une pétition publiée
en 1927 contre la nouvelle loi militaire présentée à la Chambre
par le socialiste Paul-Boncour. Surtout, la même année, il est
l'un des protagonistes de l'affaire de la Revue. Pour rendre
compte de son attitude dans cette affaire, il faut auparavant rappeler une autre composante du personnage Sartre à la rue
d'Ulm, son goût pour le canular, c'est-à-dire, dans le langage
normalien, la blague ou la mystification. Dans *Empédocle,* roman
rédigé probablement en 1927 et dont Michel Contat et Michel
Rybalka ont exhumé le manuscrit, Frédéric, le héros, est élève

---

79. *Op. cit.,* Maspero, 1960, p. 24.

80. Cf. *Lettres au Castor et à quelques autres,* t. I, *1926-1939,* Gallimard, 1983,
pp. 9-39.

81. Cf. *Génération intellectuelle,* réf. cit., où sont évoqués certains de ces
témoignages, au demeurant concordants (*passim*).

de l'école « la plus grande parmi celles qui enseignent les lettres aux jeunes gens » et il apparaît comme un « féroce » organisateur de canulars [82].

Cette notation d'*Empédocle* est probablement, sur ce point au moins, autobiographique. Rue d'Ulm, Sartre appartient, sinon à un « clan », évoqué par Simone de Beauvoir, en tout cas à une « sorte de bande libertaire [83] ». Les membres en étaient Sartre, Nizan, Maheu, futur directeur général de l'Unesco, et Pierre Guille. Là encore, le témoignage de Simone de Beauvoir n'est pas directement recevable, car elle ne connaîtra réellement Sartre et ses amis – à l'exception de René Maheu, déjà fréquenté à la Bibliothèque nationale – qu'au printemps de 1929. Mais le jeune philosophe lui-même conviendra par la suite : « Oui, à l'École normale, on était devenus ceux qui exerçaient la violence [84] » (1972). « Envoyer des bombes à eau sur des gars qui rentraient le soir en smoking, c'était, me semblait-il, normal [85] » (1974). Conséquence logique : le jeune philosophe s'est, de son propre aveu, « fait casser la figure de temps en temps à l'École normale [86] ». Et, un demi-siècle après, un normalien de la promotion de 1927 évoquait encore « son indicible répugnance [87] » à l'égard de son camarade de la rue d'Ulm [88].

Le jeune homme entend choquer aussi en affichant mauvais goût et provocation jusque dans son environnement quotidien. Henriette Nizan a, par exemple, rapporté, longtemps après, l'anecdote suivante : « À l'époque, il était amoureux d'une jeune

---

82. *Écrits de jeunesse,* réf. cit., pp. 207 et 215.

83. Témoignage d'Étienne Borne à l'auteur, février 1976.

84. Cf. *Sartre : un film réalisé par A. Astruc et M. Contat, texte intégral,* Gallimard, 1977, p. 33 (le film a été tourné en 1972).

85. Simone de Beauvoir, *La Cérémonie des adieux,* réf. cit., p. 194.

86. *Ibid.*

87. Correspondance avec l'auteur, février 1976.

88. Aron, pour sa part, ne s'est pas agrégé à ce secteur de la mouvance sartrienne (voir, par exemple, le témoignage inédit du normalien Henri Lecarme, déjà signalé, et également cité dans *Écrits de jeunesse,* réf. cit., p. 411, note 1).

fille qui habitait en province, Lyon ou Saint-Étienne, je crois. Du moins, le disait-on. Il allait la voir de temps en temps. Comme presque tous les normaliens, il avait mis dans sa thurne un détail piquant. Un sous-vêtement intime, voile de coton rose, légèrement ocré, et don, sans doute, de cette amie, qui servait d'abat-jour à sa lampe [89]. » Mais ce sont surtout ses « canulars » qui placèrent à plusieurs reprises le jeune philosophe en flèche. L'un des plus réussis fut la lettre que Jean-Paul Sartre, très probablement [90], réussit à faire publier le 27 novembre dans le très conservateur *Écho de Paris*, en pleine agitation normalienne contre la préparation militaire supérieure :

> Monsieur le rédacteur en chef,
>
> Vous avez dû recevoir aujourd'hui une pétition adressée au ministre de l'Instruction publique par 83 élèves de l'École normale supérieure. Il est bon que vous sachiez, et puissiez faire savoir, qu'il reste à l'École bon nombre de jeunes gens qui se désolidarisent entièrement de cette manifestation au moins déplacée. Nous savons que pas mal de nos « camarades » affectent de se rallier aux idées humanitaires et pacifistes de l'heure. Tant que cela se borne à des manifestations sans importance comme le chant de *L'Internationale* à l'intérieur de l'École, nous ne voyons rien à redire ; mais lorsque, publiquement et soi-disant au nom de l'École normale, ils prétendent s'attaquer aux institutions et même aux lois de notre pays, nous jugeons qu'il est indispensable de prévenir le public qu'ils ne sont pas les seuls à l'École. Trop longtemps ils ont pu faire croire qu'ils avaient autorité pour représenter au-dehors l'opinion normalienne.
>
> Les soussignés, sans prétendre, eux, être une majorité, tiennent à faire savoir qu'il y a encore des normaliens prêts à obéir aux lois de leur pays et qui, comprenant les nécessités d'un ordre minimum, s'étonnent au contraire que, dans un de nos plus grands établissements nationaux, on ait laissé se perdre la plus élémentaire

---

89. *Arts*, n° 804, 11-17 janvier 1961, « Rien ne laissait prévoir que Sartre deviendrait "Sartre" », p. 14.

90. Sur l'identification du canular, cf. le témoignage de Georges Canguilhem, *ibid*.

discipline et regrettent que des traditions aussi naturelles que le port de l'uniforme, ou la préparation militaire, soient ou abandonnées ou en danger de l'être.

Boorsch, Boivin, Nizan, Hutter, Gallois, Bourgeois, Laurent, Martin, Roubault, P. de Gandillac, Merleaux-Ponty *(sic)*, Robert, Roubaud, Hourcade, Lapalus, Bady, Ribaillier, Lafon, Hipolitte *(sic)*, Bruhat, Duprat.

Le choix des noms de la contre-pétition dut mettre la rue d'Ulm en joie : se côtoyaient notamment parmi les signataires aussi bien les élèves communistes que ceux proches de l'Action française !

Et ce texte prend un sel supplémentaire si l'on considère d'une part que, parmi les signataires, Jean-Paul Sartre avait notamment glissé les noms des jeunes philosophes de l'École, dont Maurice Patronnier de Gandillac, Maurice Merleau-Ponty et… Paul Nizan, et si l'on rappelle d'autre part que *L'Écho de Paris* était alors en pointe dans la condamnation du pacifisme normalien. Dans ce même numéro du 27 novembre, le quotidien observait : « Que l'établissement de la rue d'Ulm, où se forment les futurs professeurs de notre haut enseignement, ne soit pas à l'abri de la mystique socialiste, voire même communiste, nous le savions, mais nous imaginions qu'elle y faisait peu de ravages… La gangrène va du primaire au supérieur. » Et le texte de Jean-Paul Sartre combla d'aise les rédacteurs de *L'Écho de Paris* qui le présentèrent ainsi : « En réponse à cette pétition [contre la préparation militaire à l'ENS], aussi ridicule qu'odieuse, vingt normaliens nous adressent la pétition suivante. » Dès le lendemain, ces mêmes rédacteurs durent reconnaître avoir été « mystifiés » et, un peu piteusement, publier en première page un article intitulé « Un faux. Une rectification ».

L'épisode montre bien, en tout cas, que Jean-Paul Sartre, certes apolitique, était profondément imprégné de l'antimilitarisme ambiant. Son goût du canular aidant, il sera partie prenante dans le « scandale » de la Revue de 1927. Chaque année, en effet, au début du printemps, les élèves de la rue d'Ulm montaient un spectacle, à mi-chemin du « canular » et de la satire, qui était l'occasion de brocarder en douceur les enseignants et l'administration de l'École devant un parterre d'anciens élèves. Jean-Paul Sartre y prit, plusieurs années de suite, une part importante : « Sartre collaborait activement à la mise sur pied de la Revue. Je me souviens de longues pérégrinations dans le Marais, où nous recherchions des costumes originaux chez les fripiers. Sartre et Nizan écrivaient le texte de la Revue, un texte plein de contrepèteries, de jeux de mots et couplets amusants. Sartre avait une prodigieuse facilité pour ce genre d'exercice. Il collaborait aussi à la partie musicale. Très doué pour la musique légère, il savait remarquablement utiliser ou adapter des airs connus [91]. »

En 1925, fut ainsi représenté *Le Désastre de Langson,* où le directeur en exercice de l'École, Gustave Lanson, se lançait à la conquête d'un Brésil opprimé par un tyran, Timeo Danaos, et son épouse, Doña Ferentes. Daniel Lagache incarnait cette dernière, Aimé Perpillou jouait le rôle de Timeo Danaos, et Gustave Lanson fut représenté par Jean-Paul Sartre [92]. Les ministres normaliens du Cartel des gauches rirent, notera le *Bulletin* de la Société des amis de l'ENS, « de bon cœur ».

L'année suivante fut représenté *À l'ombre des vieilles billes en fleurs.* À nouveau, Jean-Paul Sartre joua le rôle de Gustave Lanson, à la grande satisfaction de *L'Œuvre* du 21 mars 1926 qui observa : « À citer notamment l'élève Sartre, qui a brillamment tenu le rôle de M. Lanson, et l'élève Canguilhem dans le rôle du commandant Peirotes, commandant militaire de l'École. » Et le lendemain, le même journal publia, en page 2, la photographie d'une scène de la Revue : « Monsieur Lanson accorde une interview ».

C'est en 1927 qu'un incident eut lieu, qu'atteste un commentaire du *Bulletin* de la Société des amis de l'ENS du mois de juin suivant : « Fin mars, les élèves donnèrent leur Revue

---

91. Témoignage de Daniel Lagache, *Arts*, réf. cit.
92. Archives personnelles de Georges Canguilhem, qui joua un rôle déterminant dans la rédaction de ce divertissement.

annuelle, les archicubes s'accordèrent à la trouver un peu grosse et grasse ; l'esprit normalien serait-il en défaillance ? »

En fait, ce sont plus particulièrement deux chansons de la Revue, dont les couplets étaient dirigés contre l'armée, qui firent scandale. La première, *Sur l'utilisation des intellectuels en temps de guerre*, attaquait explicitement la nouvelle loi militaire votée quelques semaines plus tôt, le 7 mars, et dont Paul-Boncour avait été le rapporteur. Cette loi, on l'a vu, prévoyait notamment, dans son article IV, « dans l'ordre intellectuel, une orientation des ressources du pays dans le sens des intérêts de la défense nationale ». L'allusion était explicite :

I

Quand l'heure sonnera de défendre la France,
Quand vieillards et marmots partiront tour à tour,
Faudra que vous marchiez pour nous sans rouspétance
Ou vous aurez le cul botté par Paul-Boncour !

Refrain

II

Lévy-Bruhl prouvera, en mesurant des crânes,
Que les Poméraniens sont des rétrogradés,
Que les fils de la Louve ont des mâchoires d'ânes,
Et qu'ils ont à Moscou les neurones atrophiés.

Refrain

III

Bédier, pour démontrer que notre France seule
A cultivé l'esprit, publiera les portraits
De Taine et de Lanson, dont les radieuses gueules
Font éclater aux yeux le pur génie français !

Refrain

Mais c'est surtout une seconde chanson qui choqua. Intitulée *Complainte du capitaine Cambusat*, elle brocardait explicitement les deux instructeurs militaires de la rue d'Ulm, le capitaine

Cambusat et le lieutenant-colonel Bizard[93]. Un normalien, déguisé en officier instructeur, chantera, entre autres couplets antimilitaristes, sur l'air de *La Marseillaise* :

> Je suis entré dans la carrière
> Quand le métier avait du bon !
> On pouvait espérer la guerre
> Et gagner pas mal de galons *(bis)* !
> Lorsque la gloire vous enivre
> Qui ose compter les cercueils ?
> Un bon officier s'en bat l'œil,
> L'essentiel, pour lui, c'est de survivre [94].

Ces deux chansons entraînèrent protestations et incidents lors de la représentation, et la presse s'empara de l'affaire. *La Victoire* du 9 avril 1927, dans un bref article intitulé « Un scandale à l'École normale », demanda la démission de Gustave Lanson. Ce dernier convoqua tour à tour les différents protagonistes de la Revue dans son bureau pour mener une enquête au terme de laquelle plusieurs élèves, dont Georges Canguilhem, reçurent un « blâme sévère » du directeur.

Jean-Paul Sartre ne figura pas parmi les élèves ainsi pointés du doigt. Il avait pourtant joué un rôle de premier plan dans l'affaire. Il semble bien, en effet, que la paternité de la première chanson revienne à Georges Canguilhem – sans qu'il puisse y avoir pour autant certitude [95] – et que la *Complainte du capitaine Cambusat* fût une composition collective de Le Bail, Broussaudier, Péron, Canguilhem et Sartre, qui de surcroît tenait la plume [96]. Et si ce dernier passa entre les mailles de l'enquête directoriale, il existe une pétition écrite de sa main et signée par

---

93. Sur la source de ces textes, qui ne figurent pas dans les archives de l'École normale supérieure, cf. *Génération intellectuelle*, note 26, p. 326.

94. Pour l'ensemble des couplets de la *Complainte du capitaine Cambusat*, cf. *Génération intellectuelle*, réf. cit., pp. 327-328.

95. *Ibid.*, p. 330.

96. *Ibid.*, note 31, p. 330.

lui-même, Paul Nizan, Georges Lefranc, Maurice Larroutis et Jean Baillou, qui reproche à Gustave Lanson ses « accusations de déloyauté et de lâcheté » à l'encontre des normaliens sanction-nés[97]. Finalement, cette pétition ne fut pas envoyée, afin de ne pas aggraver leur cas.

L'hostilité sartrienne à l'autorité et aux uniformes ne se cantonna pas aux « canulars » et aux provocations, mais trouva d'autres formes d'expression. Ainsi, cette hostilité de principe, jointe à une certaine gaucherie naturelle, entraînait, dans la caserne du boulevard de Port-Royal où les normaliens effectuaient leurs séances obligatoires de préparation militaire, de savoureuses scènes dont il était, avec Nizan, le héros : « Très vite les officiers qui nous encadraient et nous faisaient manœuvrer durent se rendre à l'évidence : Sartre et Nizan étaient, dans le peloton, incapables de marcher au pas, et, sans le vouloir, en s'appliquant, ils y mettaient le désordre. [...] Un jour, on invente de les isoler et de les faire défiler ensemble sous les regards narquois de leurs camarades (cet âge est sans pitié) et sous le regard perplexe des officiers qui, au fond d'eux-mêmes, avaient sans doute envie de rire devant cette incapacité congéni-tale. Le remède était pire que le mal[98]. »

D'escarmouches avec l'autorité militaire en pétitions paci-fistes et en « revues » antimilitaristes, peut-on parler, pour autant, dans le cas de Jean-Paul Sartre, d'un engagement poli-tique ? Au bout du compte, le jeune Sartre « politique » est bien davantage dans cette inaptitude au pas cadencé que dans un engagement typé et aisément répertorié. Et même quand vien-dra, bien plus tard, le temps de l'engagement, cette facette du clerc Sartre subsistera. Plus encore qu'une facette, du reste, il y a probablement là une clé du personnage. Pour l'heure, en ces années 1920, son pacifisme, semble-t-il, est plutôt à rattacher à un comportement général que l'on pourrait qualifier d'anar-chiste si un tel terme n'induisait pas, précisément, une

---

97. Archives Georges Lefranc.
98. Témoignage de Georges Lefranc, *Banlieue Sud*, n° 18, 9 mai 1980.

conscience politique. Ces penchants libertaires s'exprimaient par des attaques contre des institutions, et notamment l'armée, contre laquelle il se retrouvait *de facto* associé aux élèves d'Alain, et par une certaine violence verbale, dans ses rapports, avec beaucoup de ses camarades, violence qu'il confessera à plusieurs reprises. Son apolitisme est donc d'essence différente de celui de Maurice Merleau-Ponty. Celui-ci, en effet, en khâgne comme rue d'Ulm, était, de son propre aveu, « hors de toute lutte, notamment de la politique [99] ». Simone de Beauvoir a bien décrit dans ses *Mémoires d'une jeune fille rangée*, sous le pseudonyme de Jean Pradelle, le jeune « tala » – catholique dans l'argot normalien – issu d'un milieu modeste, orphelin de père et faisant retraite à Solesmes [100]. Entre un Sartre porté aux canulars féroces et le jeune « tala » tourné vers la méditation religieuse, il existe toute une gamme d'attitudes ayant en commun l'absence d'intérêt pour le débat civique. D'ailleurs, les deux jeunes gens avaient alors, d'après les souvenirs de Sartre, de « très mauvais rapports ». Choqué par les « chansons obscènes » de Sartre et de ses amis, Merleau-Ponty « avait voulu s'interposer », s'exposant à l'ire des chanteurs. Sartre, magnanime, était intervenu : « Allez, ne lui cassez pas la gueule, foutez-lui la paix et laissez-le partir [101]. »

Entre trois des futurs fondateurs des *Temps modernes,* les relations, rue d'Ulm, furent donc complexes. Bonnes entre Sartre et Aron, mauvaises entre Sartre et Merleau-Ponty, elles furent inexistantes entre ce dernier et Aron, qui devait se rappeler,

---

99. Maurice Merleau-Ponty, *Signes*, Gallimard, 1960, p. 34.

100. *Op. cit.*, pp. 244, 264 et 273. La mère, devenue à la veille de la Première Guerre mondiale la veuve d'un officier d'artillerie coloniale, est infirmière et déclare à cette époque 9 900 francs par an, le revenu familial le plus bas de la promotion ulmienne de 1926 à l'exception d'un fils de paysan, dont le père déclare 3 500 francs par an (Arch. nat. 61 AJ 253).

101. Simone de Beauvoir, *Entretiens avec Jean-Paul Sartre,* réf. cit., p. 329. De fait, Maurice Merleau-Ponty avait été notamment effarouché par certaines chansons lors des « bizutages » (témoignage de l'un de ses camarades de promotion, Pierre Chambon, entretien avec l'auteur, décembre 1980).

cinquante ans plus tard : « À l'École normale, je connaissais très peu Merleau-Ponty [102]. » Surtout, deux de ces trois jeunes clercs étaient alors apolitiques.

Des intellectuels en herbe

L'apolitisme de Sartre et le socialisme d'Aron sont, en fait, à l'image de ceux de nombre de leurs camarades de la rue d'Ulm. L'univers khâgneux et normalien, passablement clos, à cette époque, constitue en effet un milieu de serre fermé aux brises des modes intellectuelles et aux bourrasques des avant-gardes politiques. Cette serre permet la croissance de ces intellectuels en herbe, en d'autres termes un éveil intellectuel et souvent politique endogène, les influences s'exerçant en vase clos. Deux tendances se dégagent : d'une part, une moitié environ d'« apolitiques », ce qui est peu au regard d'autres communautés de jeunes gens des années 1920, y compris en milieu étudiant [103]. C'est, bien sûr, l'atmosphère de serre qui explique la faiblesse relative du taux de ces « apolitiques », dont fait partie Sartre. Elle explique aussi la grande homogénéité politique de ceux des khâgneux et normaliens qui ont à cette époque une sensibilité politique : ce milieu, d'autre part, penche, en effet, du même côté gauche, au moment où le quartier Latin est davantage divisé. Elle entraîne aussi un certain conformisme, aussi bien sur le plan politique – en fait, peu d'extrêmes à cette époque en khâgne, qui ne fut guère alors terre nourricière en communistes ou en maurrassiens – que culturel – peu d'impact du surréalisme, par exemple. Lieu de mémoire des mots et des tournures, la khâgne est aussi un conservatoire des valeurs politiques d'identité : d'une certaine façon, le khâgneux des années 1920 – et, après lui, le normalien – est en

---

102. Raymond Aron, *Le Nouvel Observateur*, n° 592, 15 mars 1976, p. 86.
103. Sur les sources qui permettent d'établir ce taux, cf. *Génération intellectuelle*, réf. cit., pp. 264-265. Et sur le Quartier latin des années 1920, *ibid*, chapitre VIII.

phase, culturellement et politiquement, avec ses professeurs, qui eurent vingt ans au moment de l'affaire Dreyfus. Conformisme plus que révolte, donc, et continuité plus que rupture.

Est-ce à dire que, par-delà le fil des générations, l'éveil politique des khâgneux et normaliens se fasse par simple « clonage » ? Assurément pas, car il y a bien, à y regarder de plus près, gauchissement : les parents et les professeurs étaient souvent radicaux ; le phénomène de génération allié au « sinistrisme » de la vie politique française aidant, les enfants seront socialistes, mais leur socialisme est un *socialisme de continuité*. Continuité ne signifie pas immobilisme, et le milieu de serre n'a jamais été un simple conservatoire des traditions politiques. Il y a, au contraire, passage de ces jeunes gens – pour ceux, tout au moins, qui sont politisés – d'un cran à gauche à chaque génération. Certes, la victoire du Cartel des gauches en 1924 marque le triomphe politique, au moins apparent, du radicalisme. Mais ce glissement générationnel d'un cran fait que chez les plus jeunes le slogan serait : « Plutôt Blum qu'Herriot. » C'est le cas de Raymond Aron, se réjouissant de la victoire cartelliste, mais depuis des positions socialistes.

S'il ne faut pas, de ce fait, se méprendre sur l'expression « socialisme de continuité », toujours est-il que les opinions socialistes ou socialisantes de nombre de khâgneux et normaliens de ce milieu des années 1920 sont de générosité plus que de révolte, et la description que fera – rétrospectivement, il est vrai – Raymond Aron, dans ses *Mémoires* ou dans d'autres textes, de ses engagements politiques de cette époque semble bien correspondre à une telle inclination. C'est beaucoup plus, en fait, l'engagement pacifiste qui revêtait chez lui une forme à la fois plus intériorisée et davantage en rupture. Ses trois premiers textes sont, à cet égard, révélateurs : le premier, dans la *Revue de Genève*, évoque sa sympathie pour le socialisme en termes mesurés ; le deuxième, à propos de la Légion d'honneur, détonne par rapport au futur style aronien, mais se situe – ceci expliquant cela – dans la stricte orthodoxie chartiériste, sur le mépris ouvertement affiché envers les « pouvoirs » ; le troisième, sans avoir l'agressivité du précédent, témoigne lui aussi d'un ton inhabituel chez Raymond Aron, quasi fervent : le sujet, il est vrai, en était... les élèves d'Alain.

On comprend mieux, ainsi replacée en perspective, cette observation apparemment paradoxale : Raymond Aron mettra beaucoup plus longtemps à abandonner son imprégnation socialiste, mais cet abandon sera progressif et apparemment sans douleur ; en revanche, l'adieu au pacifisme sera beaucoup plus rapide, mais se déprendre de l'influence chartiériste demandera un retour sur soi au forceps. Dans le premier cas, l'imprégnation, pour être sincère, n'en était pas moins transmise par l'air du temps ; c'était une pellicule qui ne touchait pas, semble-t-il, à l'être profond. Dans le second cas, comme chez beaucoup de disciples d'Alain, le pacifisme aura constitué une véritable carapace, dont il fut bien plus difficile de s'extraire.

Une entrée dans l'Histoire à reculons

L'historien, qui connaît la suite, ne doit pas s'autoriser des facilités rétrospectives, en soulignant qu'à peine une décennie plus tard allait s'enclencher la plus grande tuerie de l'histoire de l'humanité ! Car les intellectuels, comme les peuples, entrent toujours dans l'Histoire à reculons.

Il serait dès lors injuste d'évoquer l'insouciance de Sartre et le pacifisme d'Aron en fonction de ce qui allait progressivement s'enclencher au fil des années 1930. Pour l'heure, en cette fin des années 1920, avant le krach de Wall Street et la dégradation qui s'ensuivit sur un rythme différent selon les États, la gravité n'est pas de mise : l'optimisme prime, puisque s'est opéré après 1918, en moins d'une décennie, un retour à la normale. Le volcan de la guerre paraît éteint et les laves du précédent conflit y semblent définitivement refroidies.

Mais là est précisément le drame de la génération de Sartre et Aron : son apprentissage politique s'est opéré dans un paysage apparemment apaisé. Or l'Histoire, au fond du cratère, ne faisait qu'une sieste réparatrice. Son réveil sera rapide, et d'autant plus brutal.

DEUXIÈME PARTIE

UNE GÉNÉRATION DANS L'ORAGE

Pour surmonter l'Histoire, il convient d'abord de la reconnaître.

Raymond ARON, « Remarques sur la pensée politique d'Alain », *Revue de métaphysique et de morale*, t. 57, 1952, p. 199.

Il est environ huit heures. Je suis à La Coupole et je viens de manger une belle côte de bœuf aux haricots verts et une tarte en lisant un roman policier.

Jean-Paul SARTRE, *Lettres au Castor*, t. I, réf. cit., p. 177 (été 1938).

L'année même où Sartre et Aron naissaient, Alain écrivait, non sans malice : « Il y a deux sortes d'hommes, les intelligents et les historiens [1]. » Car, ajoutait-il, l'historien « prévoit après coup, ce qui ne sert à rien, et est trop facile. » Doit-on dès lors assimiler le devenir d'une collectivité humaine au seul mouvement brownien ? Tel n'était sans doute pas le sens de la vision alinienne de l'Histoire. Et on ne saurait, bien sûr, ramener le pacifisme des jeunes intellectuels à l'époque à l'influence et donc à la responsabilité d'Alain. Cela étant, les jeunes clercs aliniens constituent une sorte de concentré d'une génération qui fit l'apprentissage du politique sous le signe du pacifisme. Celui-ci se révélera parfois un viatique peu adapté à des périodes de fortes houles, quand le temps de la bourrasque historique sera revenu.

Et pour affronter la tempête, certains de ces jeunes gens n'auront dans leur giberne, tel Alain, qu'une imperméabilité proclamée à la réflexion sur l'Histoire. Tant que celle-ci poursuivait son sommeil, au moins apparent, une telle imperméabilité ne tirait guère à conséquence. Mais son réveil au cours de la

---

1. Alain, *Cahiers de Lorient*, t. II, Gallimard, 1964, p. 176.

décennie fit parfois de certains de ces intellectuels des étranges amphibies soudain ramenés à la surface des choses et, de ce fait, dans l'incapacité d'accommoder, au sens optique du terme, et de percevoir distinctement l'Histoire en train de se faire autour d'eux. Car l'Histoire, on l'a dit, ne faisait qu'une sieste réparatrice. La précoce prise de conscience d'Aron doit être replacée dans un tel contexte et elle peut être résumée dans une phrase écrite vingt ans plus tard : « Pour surmonter l'Histoire, il convient d'abord de la reconnaître. »

En ce début des années 1930, Aron allait rapidement opérer une telle mue. Pour Sartre, le rapport avec l'Histoire n'était pas encore à l'horizon.

II

Le réveil de l'Histoire

En cette fin des années 1920, le vert paradis des années norma-liennes s'éloigne. À l'automne de 1929, Sartre, sur les conseils de son « petit camarade », effectue son service militaire dans la météorologie. Au fort de Saint-Cyr, du reste, son instructeur est précisément Raymond Aron, lui-même militaire depuis un an. La pratique de l'anémomètre l'intéresse moins que d'agacer l'instructeur « en lui lançant pendant ses cours des fléchettes en papier [1] ».

Un jeune clerc socialisant

À cette date, la cible de ces fléchettes est encore de sensibilité socialiste. Sur ce point, les *Mémoires* sont peu éclairants. Raymond Aron se contente d'y noter qu'il se voulait alors toujours « de gauche » à son retour d'Allemagne [2]. Simone de Beauvoir confirme indirectement dans *La Force de l'âge*, mais elle est plus précise, présentant Aron comme socialiste au début des années

---

1. Simone de Beauvoir, *La Force de l'âge*, réf. cit, p. 37.
2. *Op. cit.*, p. 81.

1930[3]. Un texte permet probablement d'y voir plus clair. Dans les *Libres Propos* de janvier 1931, Raymond Aron publie un compte rendu du livre d'Henri de Man, *Au-delà du marxisme*. Pour le jeune agrégé de philosophie, alors en poste à Cologne, le socialisme doit « redevenir une réalité spirituelle », « considérer comme son devoir suprême de sauver les valeurs et l'humanité même du désastre », et, « en réalisant une Internationale véritable, [...] empêcher une guerre nouvelle[4] ». Ce compte rendu est d'autant plus précieux qu'il s'agit probablement de l'un des premiers textes imprimés où Raymond Aron évoque deux des futurs sujets centraux de son œuvre : le rapport au marxisme et la civilisation industrielle.

Pour le marxisme, il s'agit donc de la réplique liminaire d'un dialogue qui durera plus d'un demi-siècle. Mais les termes, assurément, en sont plus balancés que par la suite : certes, « la pseudo-rigueur doctrinale d'un marxisme desséché ne vaut pas mieux que la fadeur d'un réformisme petit-bourgeois ou esthétique, dilettante ou jacobin », mais « un système philosophique ou social, comme le marxisme, même une fois dépassé, n'est pas seulement un fait historique. Il peut rester vrai, et comme méthode féconde de penser, et comme découverte définitive d'une "terra ignota" ou d'une valeur originale[5]. »

Rencontre avec le marxisme, donc, mais aussi premières réflexions sur la civilisation industrielle, bien éloignées des futures *Dix-Huit Leçons sur la société industrielle*. Le socialisme, écrit alors Raymond Aron, doit s'assigner pour tâche de « lutter contre les "scènes de la vie future", c'est-à-dire d'empêcher que la "civilisation industrielle" ne détruise toute civilisation véritable ». Et Raymond Aron de reprendre à son compte, en conclusion, une phrase de Bertrand Russell citée par Henri de

---

3. *Op. cit.*, p. 34. Cela étant, l'indication donnée est en partie inexacte, puisque Simone de Beauvoir précise que Raymond Aron « était inscrit au Parti socialiste ».

4. *Art. cit.*, pp. 43 et 47.

5. *Ibid.*, pp. 43 et 46.

Man : « La grande tâche de notre époque est moins la lutte de classes des travailleurs contre le capitalisme que la lutte de l'humanité contre la civilisation industrielle [6]. »

L'accord apparent de Raymond Aron avec une telle phrase ne doit pas déboucher sur un diagnostic trop sombre : le jeune philosophe ne se contente pas de picorer, débouchant parfois, comme ici, sur des aphorismes qui paraissent en contradiction intellectuelle avec son œuvre à venir. On y verra, plus prosaïquement, d'une part un intérêt précoce, même s'il reste flou, pour les sociétés industrielles, d'autre part, et là est l'essentiel, une tentative, répandue chez d'autres jeunes intellectuels de gauche de cette époque, non pas tant de contourner le marxisme que de le dépasser sur son propre terrain d'application, de pousser la réflexion « au-delà ». D'où l'attrait d'œuvres comme celle du Belge Henri de Man.

On observera, du reste, que ce compte rendu est très favorable, sur le fond, à l'ouvrage d'Henri de Man : celui-ci constitue « le plus vigoureux effort de synthèse », dans cet « effort de pensée original » propre à refaire du socialisme « une réalité spirituelle ». Il y a, de ce point de vue, une remarquable continuité, à cinquante-deux ans de distance, entre ce jugement favorable porté en 1931 et les réserves que formulera Raymond Aron dans ses *Mémoires*[7] à l'égard de l'ouvrage de Zeev Sternhell, *Ni droite ni gauche, l'idéologie fasciste en France*, dans lequel la pensée d'Henri de Man joue, selon l'historien israélien, un rôle déterminant d'aiguilleur vers de dangereuses dérives fascisantes. « Les groupes qui s'appelèrent "planistes", notera Raymond Aron, inspirés par Henri de Man, ne se jugeaient, ni ne se voulaient fascistes ou nationaux-socialistes ; ils cherchaient une issue à la crise mondiale et à l'impuissance des parlements. » La remarque est pour nous doublement éclairante. Raymond Aron, qui n'a certes pas à se dédouaner de tentations antiparlementaires au fil des

---

6. *Ibid.*, p. 47.

7. *Op. cit.*, p. 103 ; cf. également *L'Express*, n° 1648, 4-10 février 1983, pp. 32-34.

années 1930, apporte, d'une part, ici des arguments de poids aux contradicteurs de Zeev Sternhell. Il y eut bien, à la fin des années 1920 et au début de la décennie suivante, un « non-conformisme » intellectuel de gauche[8], qui souhaitait dépasser le marxisme et ne fit pas pour autant le lit du fascisme. À cet égard, il faut noter que le dialogue, d'abord bienveillant mais déjà critique, que Raymond Aron amorce alors avec le marxisme procède d'une critique de gauche et s'inscrit dans une forme de gauche d'un « non-conformisme » dont Jean Touchard avait, il y a plus de trente ans, mis en lumière tout le versant droitier, beaucoup plus ample[9].

D'autre part, le jugement renouvelé, à un demi-siècle de distance, sur Henri de Man montre bien que, lors du procès d'octobre 1983 entre Bertrand de Jouvenel et Zeev Sternhell, à l'une des séances duquel Raymond Aron vint déposer comme témoin, l'appréciation sur l'engagement de Bertrand de Jouvenel n'était pas le seul point de désaccord entre Raymond Aron et Zeev Sternhell : c'est toute une interprétation de la critique de gauche du marxisme – dans laquelle Zeev Sternhell voit une matrice du fascisme – qui était probablement en discussion implicite. Jusqu'à l'issue tragique – et imprévisible – de cette joute intellectuelle de haute volée qui rend compte de la continuité d'une pensée : Raymond Aron meurt brutalement en sortant du Palais de justice de Paris, après être venu apporter son témoignage. Sa présence, ce jour-là, se voulait doublement significative : apporter une forme de soutien à Bertrand de Jouvenel, dont les engagements au fil des années 1930 furent pourtant aux antipodes des siens, mais qui était, selon Aron, injustement traité par les travaux de Zeev Sternhell ; de surcroît, persister et

---

8. Cf. Jean-François Sirinelli, « Note sur *Révolution constructive.* Des non-conformistes des années 20 ? », *Bulletin du Centre d'histoire de la France contemporaine*, 1985, 6.

9. Cf. Jean Touchard, « L'esprit des années 1930 : une tentative de renouvellement de la pensée politique française », dans *Tendances politiques de la vie française depuis 1789*, Hachette, 1960, ainsi que Jean-Louis Loubet del Bayle, *Les Non-Conformistes des années 30*, Le Seuil, 1969.

signer sur ses propres analyses et affirmer ainsi publiquement qu'elles avaient bien vieilli. Rigueur d'une pensée, donc, en même temps que sentiment d'avoir eu raison. Ce jour-là, autant que devant les hommes, c'est devant l'Histoire que Raymond Aron témoignait, et il en revendiquait le jugement.

Mais revenons ici à son socialisme. Le compte rendu d'*Au-delà du marxisme*, en janvier 1931, confirme, on l'a vu, la persistance d'une sensibilité en ce sens. Les souvenirs de Simone de Beauvoir paraissent, sur ce point, fondés : le jeune philosophe, en ce début des années 1930, demeure socialiste ou socialisant. Et la tonalité d'autres de ses textes, au cours des mois suivants, confirme en appel cette persistance. Ainsi, dans sa « Lettre d'Allemagne » datée du 29 janvier et publiée par les *Libres Propos* de février 1932, il écrit en conclusion : « Quand appellerons-nous à nouveau force la force, droit le droit, et gros sous les droits sacrés ? L'asservissement des consciences au marxisme est déplaisant. Mais davantage encore la perpétuelle hypocrisie ou naïveté de la politique bourgeoise. »

En fait, une mue s'opérait bien à cette époque chez Raymond Aron mais sur un autre registre, celui du pacifisme. Et dans cette mue, le séjour en Allemagne entre 1930 et 1933 fut essentiel.

L'ALLEMAGNE : « HISTORY IS AGAIN ON THE MOVE. »

Avant la Première Guerre mondiale, le voyage en Allemagne était chose courante pour les normaliens de certaines disciplines : les germanistes de l'École se rendaient outre-Rhin au cours de leurs études rue d'Ulm, et nombre de philosophes faisaient le voyage après leur agrégation. Il y a bien, d'une certaine façon, une « magistrature intellectuelle [10] » de l'Allemagne en Europe depuis le début du XIXᵉ siècle.

_____

10. Julien Freund, *Max Weber*, PUF, 1964, p. 14. Voir aussi M. Werner et M. Espagne, « La construction d'une référence culturelle allemande en France (1750-1914) », *Annales ESC*, 1987, pp. 969-992.

Ainsi l'un des maîtres de Raymond Aron, Célestin Bouglé, séjourna-t-il outre-Rhin en 1893-1894. Deux ans plus tard, il consignait cette expérience dans ses *Notes d'un étudiant français en Allemagne*, publiées sous le pseudonyme de Jean Breton. « J'ai le devoir, y observait-il, d'entendre beaucoup de musique, de boire beaucoup de bière, de vivre enfin autant qu'il est possible à un Français la vie allemande. Cela rentre dans mon programme d'études. Je ne viens pas seulement chercher des abstractions, il faut que je prenne contact avec la réalité, que je me laisse aller au courant des coutumes, que je suive, dans les moindres détours de sa course, la petite vie de tous les jours ; ce sera peut-être, à tout prendre, la meilleure école de philosophie et de sociologie [11]. » Une école qui, après la guerre, se retrouve dans un premier temps hors de portée des étudiants français. Les séjours normaliens en Allemagne, par exemple, ne reprendront que près d'une décennie après l'armistice, en raison de la tension persistante entre les deux pays et de l'hostilité à l'égard des Français dans les universités allemandes.

En 1927, quand le germaniste Pierre Bertaux, élève de la promotion littéraire de 1926, se rend à Berlin, il est, notera-t-il plus d'un demi-siècle plus tard [12], « le premier étudiant français à Berlin depuis la guerre ». Certes, l'exactitude statistique du souvenir est difficile à vérifier – encore que Bertaux signale se fonder sur des extraits du journal qu'il tenait à l'époque –, mais le sens du témoignage est significatif : les voyages d'étudiants français en Allemagne sont encore en position d'étiage. Et la situation n'est pas propre à la seule capitale. Dans toutes les universités allemandes, les étudiants français ne semblent guère appréciés. Le directeur de l'École normale supérieure s'en plaint même au recteur de l'académie de Paris dans une lettre

---

11. *Op. cit.*, Paris, 1896, p.4 (cité par Dominique Bourel, « Jalons pour une histoire culturelle des rapports entre la France et l'Allemagne au xxe siècle », *Préfaces*, n° 13, mai-juin 1989, pp. 97 sqq).

12. P. Bertaux, « Un étudiant français à Berlin (hiver 1927-1928) », *Revue d'Allemagne*, t. XIV, n° 2, avril-juin 1982, p. 338.

datée du 11 octobre 1927 : « La situation est grave et la vie difficile, surtout pour les étudiants d'allemand qui ne trouvent que
très exceptionnellement des sympathies dans le pays, surtout
dans les milieux universitaires [13]. » Cela étant, le même rapport
relève qu'une évolution est en train de s'amorcer. De fait, dès
1927-1928 deux normaliens effectuent des séjours prolongés en
Allemagne, dont Pierre Bertaux à Berlin, et dès l'année suivante
ils sont six à franchir le Rhin [14].

C'est donc au cours des années suivantes que le mouvement
va se trouver réamorcé. Et, en 1930, est créé l'Institut français
de Berlin. *L'Information universitaire* du samedi 14 juin 1930
annonce en effet l'ouverture en octobre d'une « Fondation universitaire française » à Berlin, située Landhausstrasse et devant
accueillir huit à dix pensionnaires. Son premier directeur fut
Oswald Hesnard, un universitaire qui joua tout au long des
années 1920 un rôle en coulisses essentiel dans les relations
franco-allemandes [15]. Apparemment les archives de cette « Maison » n'ont pas été retrouvées dans celles du Quai d'Orsay [16], et
il est donc difficile de connaître les modalités de recrutement de
la première promotion de cet Institut français avant la lettre.
Celui-ci avait été rattaché à l'académie de Paris, dirigée par le
recteur Charléty. L'information, de ce fait, fut probablement
bien diffusée dans les établissements d'enseignement supérieur
de la capitale, et notamment les grandes écoles. *L'Information
universitaire*, par exemple, répercutera dès le mois de juin la nouvelle de cette création et l'annonce des postes qu'elle induisait,
on l'a vu. Le journal précisait : « Il s'agit avant tout d'aider les
chercheurs auxquels les milieux scientifiques d'Allemagne
offrent ou bien des éléments de documentation (histoire de

---

13. Arch. nat. 61 AJ 202.
14. « Liste générale des élèves boursiers en voyage d'études à l'étranger
(1927-1931) » (*ibid.*).
15. Cf. Jacques Bariéty, « Un artisan méconnu des relations franco-allemandes : le professeur Oswald Hesnard, 1877-1936 », dans *Recueil de mélanges
offert à Karl Ferdinand Werner*, Hérault Éditions, pp. 1-18.
16. Cf. Bernard Auffray, *Pierre de Margerie*, Klincksieck, 1976, pp. 490-491.

l'Allemagne et des pays d'Europe centrale, éducation politique, économique, sociale de ces pays, histoire de l'art, de la civilisation) ou bien une vue directe des efforts faits par ce pays dans les domaines des sciences naturelles, des sciences exactes et de leur application. »

À l'automne 1932, le normalien Henri Jourdan, de la promotion littéraire de 1921, donc de quelques années à peine l'aîné d'Aron et de Sartre, et comme eux agrégé de philosophie, succédera à Oswald Hesnard à la tête de cet établissement dont le nom officiel est alors la Maison académique française, et il restera directeur jusqu'en 1939[17]. En définitive, c'est en général plutôt cinq à six pensionnaires qui seront hébergés chaque année durant cette période. Passeront alors à Berlin notamment, les historiens Henri Brunschwig et Marcel Simon, les germanistes Pierre Grappin et Jean Sauvagnargues. D'autres boursiers français gravitaient autour de l'Institut, tels les Rockefeller Fellows René Capitant et François Perroux.

Raymond Aron, après son brillant succès à l'agrégation en juillet 1928, avait formulé le souhait suivant, mentionné dans son dossier de l'École normale supérieure : « Poste à l'étranger (de préférence Allemagne ou Autriche) ou fondation Thiers[18]. » De fait, dès la fin de son service militaire, au printemps 1930, il part comme lecteur de français à l'université de Cologne. Et après un peu plus d'une année passée à Cologne, il rejoint à la rentrée universitaire de 1931 l'Institut français de Berlin, où il restera deux ans.

S'y opéra alors, pour le jeune philosophe, un retour sur lui-même qui engagea le reste de son existence. À tel point que quarante ans plus tard il évoqua, par exemple, ce tournant dans sa leçon inaugurale au Collège de France : « Dans l'Allemagne préhitlérienne, la montée du national-socialisme, la révélation

---

17. Correspondance avec l'auteur, octobre 1980, et « Souvenirs d'un Français en poste à Berlin de 1933 à 1939 », *Mémoires de l'Académie des sciences, belles-lettres et arts de Lyon*, 3ᵉ série, t. 29, Lyon, 1975, pp. 125-137.

18. Arch. nat. 61 AJ 251.

de la politique en son essence diabolique, m'obligeait à penser contre moi-même, contre mes préférences intimes[19]. »

L'adieu aux « préférences intimes » de sa jeunesse, et en premier lieu à son pacifisme nourri de chartiérisme, se fit progressivement, et les articles envoyés d'Allemagne aux *Libres Propos* et à *Europe* permettent de jalonner cette évolution et d'en discerner les facteurs principaux : d'une part, le spectacle de la montée du nazisme – bien avant, donc, le constat du nazisme d'État –, d'autre part, nourri par ce spectacle, le sentiment d'être entré désormais dans une zone de turbulence historique. « En arrivant à Cologne au printemps de 1930, j'éprouvai le choc que traduit le mot de Toynbee, "*History is again on the move*" », écrira Raymond Aron plus d'un demi-siècle plus tard dans ses *Mémoires*[20]. Cette prescience d'une remise en marche de l'Histoire n'est pas une reconstruction *a posteriori* proposée par l'intéressé ou opérée par l'historien. Elle est manifeste – et explicitée – dans les textes alors écrits par Raymond Aron, eux-mêmes confirmés par sa correspondance. Et, dans ce retour du jeune philosophe sur lui-même, le séjour en Allemagne fut décisif, jouant le rôle de catalyseur.

La première « Lettre d'Allemagne » envoyée aux *Libres Propos* est brève : dix-sept lignes dans le numéro de décembre 1930, adressées par « un jeune professeur en séjour d'études ». Au fil des premières « Lettres », le chartiérisme est toujours présent, fondé sur ce que Raymond Aron appellera dans ses *Mémoires* le « refus affectif[21] ». Vingt-six mois plus tard, alors qu'il se trouve toujours à Berlin, la mue semble terminée. Son dernier article dans les *Libres Propos* est publié, en effet, en février 1933, et le diagnostic semble sans appel : la « vérité » d'Alain « flotte entre ciel et terre ». Il faut s'arrêter à cet article, pour trois raisons au moins. D'une part, on vient de le voir, la rupture est consommée avec

---

19. R. Aron, *De la condition historique du sociologue*, Collège de France, premier trimestre 1971, p. 14.
20. *Op. cit.*, p. 55.
21. *Ibid.*

« l'Homme » – en tout cas pour ce qui concerne le pacifisme – et elle est publiquement affichée dans la revue même des chartié-ristes. D'autre part, la mue est bien plus profonde que le seul rejet du chartiérisme : pour Raymond Aron, il s'agit désormais de « penser avec rigueur même les réalités qui font horreur à l'es-prit ». La phase proto-aronienne est bien terminée : c'est déjà un autoportrait en pied du Aron de la maturité qui est ici brossé. Il est ainsi, au long de l'œuvre aronienne, quelques phrases qui pourraient résumer leur auteur, et celle qui précède en fait partie de plain-pied. Or, à cette date, Raymond Aron n'a pas encore vingt-huit ans.

S'il fallait une dernière preuve de la rupture avec le chartié-risme, le même texte la fournit sans ambiguïté, et c'est son troisième point d'intérêt. Raymond Aron y attaque, en effet, la « thèse Challaye-Canguilhem ». En 1931, Félicien Challaye, pro-fesseur de philosophie au lycée Condorcet et tenant du « paci-fisme intégral », avait publié *La Paix sans aucune réserve*. Il y mettait en balance « les maux qu'engendre la guerre » et ceux « auxquels pourrait aboutir la renonciation à toute guerre », et concluait sans hésitation : « À mal absolu, remède absolu ; paci-fisme intégral, paix sans aucune espèce de réserve. » Le repré-sentant d'une autre tendance pacifiste, « La Paix par le droit », Théodore Ruyssen avait répondu en prônant une « paix sous réserves », « dans la justice et la dignité ». Les *Libres Propos* prirent alors l'initiative de rééditer, dans leurs « Documents », les thèses de Félicien Challaye et de Théodore Ruyssen ainsi que plusieurs textes additifs, dont deux de Georges Canguilhem, très favo-rables au premier puisque le titre de l'un de ses textes appelait au « refus de toute guerre nationale [22] ». La prise de position de

---

22. *La Paix sans aucune réserve, thèse de Félicien Challaye, suivie d'une discussion entre Théodore Ruyssen, Félicien Challaye, Georges Canguilhem et Jean Le Mataf, et des textes de Bertrand Russel et d'Alain sur la vraie et folle Résistance*, « Documents des Libres Propos », cahier n° 1, 1932. Sur Théodore Ruyssen et le mouve-ment « La Paix par le droit », cf. l'article de Rémi Fabre, « Un exemple de pacifisme juridique : Théodore Ruyssen et le mouvement La Paix par le droit, de 1887 à 1950 », *Vingtième Siècle. Revue d'histoire*, n° 39, juillet-septembre 1993.

Raymond Aron en février 1933[23] prend donc, là encore, figure de rupture publiquement affichée : Georges Canguilhem, on l'a vu, est probablement le normalien qui, près d'une décennie plus tôt, l'avait rapproché du chartiérisme. Quant à Félicien Challaye, il était de longue date un compagnon de route des chartiéristes dans le combat pacifiste.

En ce mois de février 1933, c'en était donc bien fini des liens d'Aron avec le chartiérisme. La collaboration avec les *Libres Propos* s'arrête, du reste, à cette date[24]. Il y a là une manière de symbole. La nécessité de « penser avec rigueur même les réalités qui font horreur à l'esprit » est proclamée au moment même où, le 30 janvier 1933, Hitler devient chancelier. L'Histoire s'était remise en marche, et la « penser » exigeait de douloureux retours sur soi. On retrouve d'ailleurs quasiment la même chronologie dans la collaboration de Raymond Aron avec *Europe*. Cette revue, à l'époque, était dirigée par Jean Guéhenno. Deux générations y avaient infusé un pacifisme chevillé au corps et au cœur de la plupart des rédacteurs : celle de Romain Rolland, qui présida à la naissance de la revue en 1923, et celle de Guéhenno, donc, qui prend les rênes progressivement à partir de janvier 1929. Jean Guéhenno a su y faire écrire de jeunes intellectuels encore inconnus : *Aden Arabie* de Paul Nizan est d'abord publié en livraisons dans la revue, de septembre à novembre 1930 ; des normaliens comme Georges Canguilhem, Georges Friedmann ou Étiemble y écrivent ; Marguerite Yourcenar y publie *Le Changeur d'or*[25]. Le premier article de Raymond Aron, en février 1931, était encore profondément marqué par le pacifisme chartiériste. Vingt-deux mois plus tard, dans le numéro de décembre 1932, le verdict d'un début de décennie passé en Allemagne est rendu sans ambiguïté : « Les formules du pacifisme universel ne

---

23. Dont le titre, précisément, était « Réflexions sur le "pacifisme intégral" » (*Libres Propos*, février 1933, pp. 96-99).

24. Raymond Aron ne publiera plus aucun article à partir de ce numéro de février 1933. Seul un bref compte rendu de *La Condition humaine* d'André Malraux sera encore publié dans le numéro de décembre 1933 (n° 12, pp. 653-657).

sont, hélas, plus de saison [26]. » Quelques mois plus tard, dans le
numéro du 15 septembre 1933, il étudie « La révolution nationale en Allemagne » : une autre phase a commencé, où il s'agit
désormais de « penser avec rigueur [27] ».

Plusieurs indices montrent que depuis un an déjà cette phase
était largement enclenchée. Et ce, donc, avant même l'accession
d'Hitler à la chancellerie. Un document inédit est, à cet égard,
précieux. En août 1932, Raymond Aron est l'un des orateurs
des Décades de Pontigny. Depuis 1910 – avec une interruption
entre 1914 et 1922 –, le professeur Paul Desjardins réunissait
chaque été des intellectuels français et étrangers dans une
ancienne abbaye cistercienne qu'il avait achetée quelques
années plus tôt. Chaque décade s'articulait autour de trois
thèmes, littéraire, philosophique et politique. Déjà, quelques
semaines après son succès à l'agrégation, en 1928, Raymond
Aron avait participé, aux côtés de Vladimir Jankélévitch, à la session consacrée à « Temps et éternité [28] ». En 1932, le thème
retenu est « la transmission des valeurs ». Le 30 août, Raymond
Aron fait un exposé comparatif sur la France et l'Allemagne [29].

---

25. Pascal Ory, « La revue *Europe* à l'époque de Jean Guéhenno (1929-
1936) », dans *Hommage à Jean Guéhenno*, actes du colloque de 1990, multigra-
phié, pp. 128-146, Bernard Duchatelet, « Jean Guéhenno, Romain Rolland et
Europe», *ibid.*, pp. 148-166.

26. *Europe*, 15 février 1931, pp. 281-286, et 15 décembre 1932, pp. 625-630
(entre-temps, cf. notamment les numéros du 15 février 1932 et 15 juillet
1932). Après le 15 décembre 1932, la collaboration s'interrompt quasiment :
un bref compte rendu dans le numéro du 15 février 1933 et le texte important
du 15 septembre 1933, mais qui, précisément, sonne comme un adieu à la
revue.

27. « L'effort d'objectivité » ne doit pas pour autant étouffer « l'indignation
nécessaire » : contrairement à une légende tenace, Aron, dans cet article,
dénonce avec force les mesures antisémites qui s'amorcent. Et il signale qu'il
croit à la « véracité » des « faits effroyables » dans les camps de concentration
(note 1, p. 130).

28. Sartre y était venu, pour sa part, dès 1926.

29. Notes inédites de Georges Guy-Grand, prises durant l'exposé de Raymond Aron (aimablement signalées par François Chaubet, qui prépare une
thèse sur les Décades de Pontigny).

Il constate « une reprise de la volonté nationale » de l'Allemagne qui passe notamment par « le besoin d'un chef ». Les Allemands font le procès de la France, « procès qui se confond avec celui du libéralisme ». Avec cette conclusion : « Il faut accepter le monde héroïquement. »

Un deuxième indice montre bien que, durant l'hiver 1932-1933, cette décision de prendre le monde tel qu'il est et non tel qu'il devrait être est déjà assumée. Raymond Aron le proclame publiquement dans un article d'*Esprit*, observant que la politique demande « un effort d'honnêteté par consentement au réel [30] ». D'où, sur le moment, des semaines de doute et de refus des points de repère de l'époque. Dans le même texte, Raymond Aron écrit, en effet : « Je ne suis plus ni de droite ni de gauche, ni communiste, ni nationaliste, pas plus radical que socialiste. J'ignore si je trouverai mes compagnons. »

Il convient, bien sûr, de faire la part de l'emphase induite par une pensée inquiète et cherchant de nouvelles bases. Bien plus, l'homme reste à gauche. Il demeure que cette inquiétude est le reflet d'une mue dont il faut prendre la mesure. Notamment en soulignant ce qu'elle put avoir de douloureux, pour deux raisons au moins. D'une part, Raymond Aron semble avoir reçu de plein fouet le choc de la réalité allemande, comme le montrent, par exemple, ses lettres à Jean Guéhenno. Ce dernier est alors, on l'a vu, le rédacteur en chef d'*Europe*. Après la publication de son premier article dans cette revue, le 15 février 1931, Raymond Aron entretint une relation épistolaire avec lui. Ses lettres ont été retrouvées et elles confirment, avec plus de force encore que ses articles, le trouble profond ressenti dès le printemps 1931 par le jeune philosophe [31]. Ainsi, une lettre non datée, mais écrite probablement au printemps 1931 depuis Cologne,

---

30. R. Aron, « Lettre ouverte d'un jeune Français à l'Allemagne », *Esprit*, février 1933, p. 742.

31. Ces lettres inédites, conservées par Mme Annie Guéhenno, ont été publiées par Nicole Racine en annexe de sa contribution, « La revue *Europe* et l'Allemagne, 1929-1936 », à *Entre Locarno et Vichy. Les relations*

exprime une inquiétude déjà profonde sur la situation allemande : « Et quand je vois la France assister indifférente et lointaine au spectacle d'une Allemagne au bord de l'abîme, je sens
douloureusement l'inutilité de tels conseils. Je sens avec horreur
la puissance de la résignation fataliste : est-il temps encore de
s'arrêter sur la pente où nous glissons ? Ou ne reste-t-il place que
pour les tentatives désespérées ? » Et de condamner « ceux qui
dorment en plein midi ».

Pour bien mesurer la difficulté du retour sur soi qu'opéra
Raymond Aron durant ses années allemandes, il faut aussi
garder en tête, d'autre part, l'influence chartiériste qui précéda.
Or la pensée qui sous-tendait cette influence allait se trouver
progressivement déconnectée d'une réalité nouvelle et dangereuse, celle des années 1930. C'est peut-être Julien Gracq, qui
fut l'élève d'Alain en khâgne de 1928 à 1930, qui a le plus clairement formulé, au moins rétrospectivement, ce fossé devenu
large entre une pensée à forte influence et le monde qu'elle
était censée éclairer. « Au moment même où nous quittions sa
classe, en 1930, un brutal changement d'échelle désarçonnait sa
pensée, un monde commençait à se mettre en place, un monde
effréné, violent, qui rejetait tout de son humanisme tempéré
[…]. Peut-être lui en ai-je voulu un peu de m'avoir fait prendre
pour un éveil intemporel à la vie de l'esprit une pensée étroitement située et datée [32]. »

De fait, face aux enjeux et aux défis nouveaux d'une décennie
de turbulence historique, la pensée incontestablement « située
et datée » qu'était la vision chartiériste de la politique ne fut
pas un viatique suffisant. Notamment parce que, comme l'a noté
Raymond Aron au moment de la mort d'Alain, cette pensée
s'ingénia, entre 1933 et 1939, à « éviter la guerre de 1914 [33] »,

culturelles franco-allemandes dans les années trente, sous la direction de Hans
Manfred Bock, Reinhart Meyer-Kalkus et Michel Trebitsch, Éditions du
CNRS, t. II, 1993, pp. 652-658.

32. Julien Gracq, En lisant, en écrivant, réf. cit., p. 187.

33. Raymond Aron, « Alain et la politique », La Nouvelle Revue française,
numéro d'« Hommage à Alain », septembre 1952, pp. 155-167, citation p. 164.

ce qui ne la prédisposait guère à affronter ces temps nouveaux. C'est encore Julien Gracq qui a parlé à propos d'Alain d'« antihistorisme », observant : « Des questions telles que le colonialisme, le communisme, l'hitlérisme, le destin de l'Europe, l'éruption technicienne, les nouveaux équilibres du monde, dépassaient l'horizon de sa sagesse un peu départementale [34]. »

Et pourtant l'influence d'Alain continua à être profonde. Vécu comme une donnée éthique, le pacifisme de nombre de chartiéristes a été posé en impératif catégorique, et, dans ces conditions, les possibilités d'amendement de la doctrine furent, par essence, faibles et la marge de manœuvre étroite. Les seules évolutions se firent au prix d'une rupture avec la foi chartiériste. Car Alain, même si ce ne fut pas de façon délibérée, n'avait placé dans la giberne de ses jeunes disciples, pour affronter les périls grandissants des années 1930, qu'une théorie de la guerre et de la paix entre les nations fondée sur l'observation du précédent conflit. Certes, le raisonnement politique par analogie historique dépasse le seul chartiérisme et constitue un trait qui caractérise toutes les sociétés humaines, mais il était inoculé, dans ce cas précis, à de jeunes intellectuels en devenir, dont le rôle est parfois d'aller à contre-courant des passions ou des aveuglements collectifs.

Bien plus, la réticence proclamée par Alain envers l'Histoire et transmise à ses jeunes disciples leur rendait difficile une mise à jour de la vision chartiériste : la pensée politique du maître était un système aux contours fixés une fois pour toutes dès avant 1914 – ou 1918, dans le cas de la « guerre jugée » –, et elle était transmise telle quelle à des jeunes gens qui venaient de naître au moment où elle fut élaborée.

À tout prendre, l'influence d'Alain aurait pu doter Raymond Aron d'un mépris durable ou, pour le moins, d'une méconnaissance profonde de l'Histoire. On l'a vu, Alain avait fait sa distinction entre les « intelligents » et les « historiens » en 1905,

---

34. Julien Gracq, *op. cit.*, p. 188.

l'année même où naissait Aron. Le jeu de dates est symbolique. Car la transmission de cette réticence d'Alain vis-à-vis de l'Histoire à ses disciples de vingt ans, au cœur des années 1920, interdisait à nombre d'entre eux de réactualiser sa pensée, devenue, de ce fait, doublement vieillie dans les années 1930 : pensée déjà de vingt ou trente ans d'âge dans la tête du maître, et transmise telle quelle à des jeunes gens qui venaient de naître au moment où elle fut élaborée.

Dès lors, quand Raymond Aron s'est dépris de cette pensée d'Alain, il n'a pas seulement prononcé un adieu au pacifisme. Il a également pris acte du poids de l'Histoire dans les sociétés humaines. La mue est essentielle : c'est à la fois son œuvre philosophique alors en gestation qui allait s'en trouver définitivement marquée et son rapport au débat civique qui allait en être radicalement bouleversé.

Au moment des années normaliennes de Jean-Paul Sartre et de Raymond Aron, l'idéalisme postkantien dominait encore la philosophie universitaire. Les enseignants qui occupent alors les chaires de philosophie dans les facultés des lettres en avaient été, en effet, nourris plusieurs décennies plus tôt, et notamment à l'École normale supérieure. Bien plus tard, en 1978, Raymond Aron décrira ainsi la situation qui prévalait cinquante ans plus tôt : « Élie Halévy, révolté avec sa génération contre Taine ou Renan, à la fin du siècle dernier, appartient à l'une des premières générations d'élèves de l'École normale supérieure pour lesquelles l'histoire de la philosophie commençait avec Socrate, Platon et Aristote, se renouvelait avec Descartes et les cartésiens (Spinoza, Malebranche, Leibniz), culminait dans l'œuvre de Kant, prolongée ou, à leurs yeux, déformée par Hegel. Étudiant à l'École normale supérieure un demi-siècle plus tard, je retrouvai cette perspective sensiblement la même ; le néokantisme plus que le bergsonisme dominait l'enseignement [35]. »

---

35. Raymond Aron, préface à l'ouvrage de Michèle Bo Bramsen, *Portrait d'Élie Halévy*, B.R. Grüner éditeur, Amsterdam, 1978, VIII + 318 p., p. I.

À partir d'une telle situation, les chemins de traverse, pour les jeunes agrégés de philosophie issus de la rue d'Ulm, pourront être de trois types : d'une part, sous l'influence d'hommes comme Marcel Mauss ou Paul Rivet, procéder comme Jacques Soustelle, qui, pour « déserter les sommets de l'épistémologie et l'air raréfié de la stratosphère néokantienne [36] », obliquera vers l'ethnologie ; d'autre part, à la suite de maîtres comme Célestin Bouglé, infléchir un itinéraire scientifique vers la sociologie ; enfin, comme Raymond Aron, trouver un champ de réflexion autonome, quitte, nous le verrons, à s'attirer les foudres d'une partie de son jury de thèse.

Le terrain choisi par Raymond Aron portera sur... la philosophie de l'Histoire. Signe, en tout état de cause, que la réticence chartiériste était surmontée. Et cette orientation philosophique se fait précisément à un moment où s'opère chez lui une véritable « reconversion ». C'est le terme, en effet, qu'il utilisera dans ses *Mémoires* pour qualifier la phase 1930-1933, qui correspond en fait à sa période allemande. Son séjour outre-Rhin fut, précise-t-il, une « expérience choc », qui détermina chez lui une « intuition [37] » : l'Histoire se remettait en marche.

Plus largement encore que la question du pacifisme, c'est bien un rapport différent à l'Histoire qui désormais, en ce début des années 1930, éloigne le jeune philosophe du maître Alain. Vingt ans plus tard, analysant la « pensée politique d'Alain », il insiste d'ailleurs sur ce point : « Pourquoi ce contraste entre la profondeur et l'importance des idées directrices et le caractère simpliste des suggestions pratiques ? La faute en est surtout à la méthode d'Alain, au passage du cas concret à l'idée éternelle ou prétendument telle, sans l'intermédiaire de l'étude historique. Il est loisible de penser comme Alain que les sociétés ne changent pas plus, en leur fond, que la nature des hommes. Encore ne faut-il pas ignorer les diversités, si l'on veut démontrer la

---

36. Jacques Soustelle, *Les Quatre Soleils. Souvenirs et réflexions d'un ethnologue au Mexique*, Plon, coll. « Terre humaine », 1967, p. 19.
37. *Mémoires*, réf. cit., pp. 81 et 150.

permanence. Pour surmonter l'Histoire, il convient d'abord de la reconnaître [38]. »

Reconnaître l'Histoire. À Cologne en 1930-1931 et surtout à Berlin entre 1931 et 1933, Raymond Aron se retrouva aux premières loges d'une histoire qui redémarrait. Le sentiment d'être entré dans une zone de turbulence historique et le spectacle de la montée du nazisme vont l'amener rapidement, et avant même le constat des exigences et des provocations hitlériennes après 1933, à rompre avec le pacifisme : « C'est au début des années trente, sorti pour la première fois de l'hexagone, que je découvris tout à la fois le sens de ma vie, le tragique de la politique et la fragilité de la liberté [39]. » Dès 1934, la mue, en ce qui concerne le pacifisme, était totalement achevée. À cette date Raymond Aron écrit en effet : « À l'heure présente, une nation qui refuserait en toute circonstance la guerre renoncerait à jouer un rôle dans la politique mondiale [40]. » Reconnaître l'Histoire, en ces temps qui déjà s'annonçaient troublés, c'était parvenir à penser la guerre. Désormais, Raymond Aron entendait s'en donner les moyens.

Cet adieu au pacifisme et le retour sur soi probablement douloureux qui l'accompagna ne furent pas seulement chez Aron le symptôme d'un changement d'analyse de la situation internationale. C'était plus largement un changement d'attitude par rapport au politique qu'ils induisaient. Car le pacifisme est un fait d'opinion qui, par essence, est davantage d'incantation que d'action, et, de ce fait, n'a pas forcément prise sur l'événement. Or il y a bien à présent chez Aron, en raison même du constat

---

38. Raymond Aron, « Remarques sur la pensée politique d'Alain », *Revue de métaphysique et de morale*, 57, 1952, p. 199.

39. Raymond Aron, « Les droits de l'homme et la politique », Conférence de Berne, automne 1981, 21 p., p.1. Ce thème est naturellement récurrent dans les livres de Raymond Aron : ainsi l'évocation des « mois pathétiques » vécus en Allemagne, au début de *Dimensions de la conscience historique*, (Plon, 1961, p. 31).

40. « De l'objection de conscience », *Revue de métaphysique et de morale*, 41, janvier 1934, p. 134.

de cette inaptitude du pacifisme à peser sur le cours de l'Histoire, l'idée que l'engagement de l'intellectuel n'est action que si son analyse, redescendant de l'empyrée des grandes causes à majuscule, s'enracine dans la glèbe de l'Histoire en train de se faire.

La scène d'un Raymond Aron connaissant son chemin de Damas en ce début des années 1930 n'est en rien reconstruction sur le tard et remise en perspective chronologique d'une évolution qui aurait été lente et floue et qui se serait dilatée sur de longues années. C'est bien le spectacle de l'Allemagne et, à travers lui, le choc de l'Histoire qui débouchent sur cette posture revendiquée de « spectateur engagé » paradoxale en apparence seulement. Certes, l'évolution de sa pensée philosophique qui s'amorce à la même époque et la place que va y occuper Max Weber iront dans le même sens : le « spectateur engagé » est bien la mise en forme imagée de l'« éthique de responsabilité ». Mais le choc de l'Histoire préexiste, et l'on peut même se demander si l'influence webérienne sur Aron aurait été aussi profonde si ne s'était pas opéré à la même époque ce retour sur soi. Loin de naître *ex nihilo*, la pensée aronienne est historiquement enracinée. Ce qui ne signifie pas qu'elle est datée : car, précisément, d'une expérience personnelle découlent une attitude et des principes qui dépassent le seul moment de leur gestation. Il y a bien là, en ces années allemandes, une perte de l'innocence de la part de Raymond Aron. D'une part, la prise de conscience que l'Histoire est souvent tragique, qu'à aucun moment, en tout cas, on ne peut se contenter de lui faire crédit. Indirectement, c'est donc le choix de l'action qui est impliqué par une telle vision. Et c'est l'adieu à l'incantation, qui, souvent marquait ses premiers textes. C'est dans cet esprit qu'il faut comprendre l'expression « spectateur engagé », trop souvent interprétée, à tort, comme l'apologie de la tour d'ivoire. Le spectateur est celui qui délibérément prête attention au monde qui l'entoure et non celui qui, par indifférence ou désinvolture, laisse planer son regard ou se contente d'ironiser. Et par là même l'attention et la réflexion qui en découlent sont engagement. La parole argumentée et publique est action. À sa manière, et dès cette date, Raymond Aron devient un homme de *l'agora*, commentant, dans des revues certes confidentielles, l'Histoire de son temps.

D'autre part, une telle immersion dans l'Histoire conduit aussi à la prise de conscience du lien social. À coup sûr, la khâgne puis l'École normale supérieure constituaient des lieux préservés qui, certes, pouvaient éventuellement résonner des bruits de la grande ville et susciter des engagements politiques, mais n'en restaient pas moins des enclaves au statut d'exterritorialité. À sa manière, Jean-Paul Sartre allait prolonger au fil des années 1930 cette existence protégée des remous de l'Histoire, jusqu'au moment où celle-ci allait le rattraper.

« VACANCES » BERLINOISES

Pour l'heure, quand il termine son service militaire, au printemps 1931, l'agrégé de philosophie Jean-Paul Sartre doit prendre un poste dans l'enseignement secondaire. Il faut faire justice, en effet, d'un mythe selon lequel les élèves de la rue d'Ulm de l'entre-deux-guerres auraient déserté en grand nombre les lycées et collèges français, happés vers des destins qu'ils jugeaient plus illustres. Au sortir de Normale, on se dirige, au contraire, tout naturellement vers l'enseignement secondaire, et pour longtemps. Si l'on prend, par exemple, l'*Annuaire* normalien de 1934 – dix ans, donc, après l'entrée d'Aron et de Sartre rue d'Ulm, cinq ans après l'agrégation du second –, sur les 1 680 noms recensés, 82 % sont fonctionnaires de l'enseignement de l'État, en activité ou à la retraite, dont 43,8 % de professeurs de lycée. L'enseignement supérieur n'occupe que 21,3 % d'entre eux, 359 précisément.

Mis à part la fondation Thiers et quelques postes à l'étranger, le début de carrière à l'époque est, de toute façon, placé sous le signe de l'enseignement secondaire. Les postes d'assistant dans

les facultés qui ont parfois constitué par la suite le support sta-
tutaire pour les premiers pas dans l'enseignement supérieur ne
seront créés qu'une dizaine d'années plus tard par un décret du
13 mai 1942[41]. En 1934, seuls deux normaliens littéraires de la
promotion de 1924 sont professeurs ou maîtres de conférences
des facultés de lettres, trois sont boursiers d'études supérieures
et quatre sont en poste à l'étranger. C'est dire que de tels postes
en dehors des frontières sont très rares. Jean-Paul Sartre, sur les
pas de l'ami Aron, va à son tour, après deux années passées au
Havre, se porter candidat à l'Institut de Berlin. Il présente
comme projet de recherches le thème suivant : « Rapport du psy-
chique avec le physiologique en général[42]. »

À nouveau les itinéraires des deux petits camarades s'entremê-
lent puisque la candidature de Sartre est acceptée et que c'est
Aron qui, ayant pour sa part terminé son séjour berlinois, le remplace au lycée du Havre pour l'année universitaire 1933-1934.
Mais le parallèle s'arrête là. Car le voyage en Allemagne joue, au
contraire, un rôle différent dans les itinéraires des deux hommes.
L'un, on l'a vu, en revient profondément transformé dans son
rapport au politique. L'autre, apparemment, ne subit guère de
contrecoups d'un tel séjour. Son année berlinoise, pourtant, est
tout aussi dense historiquement que les deux années précédentes
de Raymond Aron : celui-ci était dans la capitale allemande, le 30
janvier 1933, au moment de la nomination de Hitler comme
chancelier ; un mois plus tard, l'incendie du Reichstag, le 27
février, avait donné au chef nazi, par le décret « Pour la protection
du peuple et de l'État », les moyens d'éliminer ses adversaires.
Dès lors, les dix-huit mois qui vont de ce début de printemps
1933 à la mort de Hindenburg, le 2 août 1934, moment où les
fonctions de président et de chancelier sont désormais réunies
entre les mains de Hitler, constituent une période décisive
de l'histoire allemande et, partant, de l'histoire du monde, et

---

41. *Revue universitaire*, janvier-février 1943, p. 18.
42. « Liste des candidatures à l'Institut français de Berlin pour 1933-1934 »,
Arch. nat. 61 AJ 202.

l'année universitaire 1933-1934 durant laquelle Sartre est à Berlin est chronologiquement au cœur de cette période. Le piéton berlinois Sartre est donc sinon aux premières loges, en tout cas au contact direct avec l'Histoire en train de se faire.

Quand il arrive à Berlin au seuil de l'année universitaire 1933-1934, il est vrai, Sartre est « en plein dilemme philosophique [43] ». Au jeune penseur en quête d'une métaphysique depuis plusieurs années [44], c'est précisément Raymond Aron qui conseille le voyage à Berlin et la lecture d'Edmund Husserl.

Contrairement à Raymond Aron, qui, au cours des années précédentes, s'était immergé dans la culture de Weimar [45], Jean-Paul Sartre manifesta, semble-t-il, peu d'intérêt pour la création foisonnante qui prolongeait encore l'effervescence culturelle de l'Allemagne des années 1920. À nouveau, à cet égard, Sartre et Aron paraissent à contre-emploi de leur futur répertoire. Le premier, qui déploiera par la suite non seulement une œuvre théâtrale mais des études sur la littérature de son temps et montrera des velléités de collaboration avec le cinéma, reste d'une certaine façon « confiné dans [ses] travaux [46] », et la littérature allemande ne l'attire ni ne le marque. *La Nausée* au demeurant en partie rédigée durant son séjour berlinois, n'emprunte guère à l'expressionnisme allemand [47]. Le second, au contraire, même s'il ne sort pas par la suite des sillons de son champ de compétence, dans ses ouvrages comme dans ses articles, engrange sensations et émotions artistiques.

---

43. Marie-Christine Granjon, « L'Allemagne de Raymond Aron et de Jean-Paul Sartre », dans *Entre Locarno et Vichy. Les relations culturelles franco-allemandes dans les années 1930*, réf. cit., t. II, p. 465.

44. Cf. Simone de Beauvoir, *Mémoires d'une jeune fille rangée*, réf. cit., pp. 341-342, et *La Force de l'âge*, réf. cit., t. I, pp. 37-38 et 50-51 ; Raymond Aron, *Mémoires*, réf. cit., pp. 36 et 68.

45. *Mémoires*, réf. cit., p. 73.

46. Annie Cohen-Solal, *Sartre*, réf. cit., p. 150.

47. Cf. Marie-Christine Granjon, *op. cit.*, p. 466, et Michel Contat, dans Jean-Paul Sartre, *Œuvres romanesques*, édition établie par Michel Contat et Michel Rybalka, avec la collaboration de Geneviève Idt et de Georges H. Bauer, Gallimard, La Pléiade, 1981, p. 1724.

Sartre avait aspiré, il est vrai, à d'autres sensations, « bien décidé à connaître l'amour des Allemandes » : tel est l'aveu, en tout cas, qu'il fait quelques années plus tard dans ses *Carnets de la drôle de guerre*[48]. Mais, là encore, ses « rêves donjuanesques[49] » semblent être restés à l'état virtuel et il dut, écrit-il encore, se « rabattre sur une Française ».

Par-delà ces banales intermittences de la sensualité, Sartre, en se portant candidat à un séjour berlinois, aspirait à effectuer, de façon somme toute classique, un parcours intellectuel initiatique. Son originalité réside dans le fait que cette initiation ne se doubla pas alors d'influences profondes et durables dans le domaine civique. Les témoignages sont, à cet égard, convergents. Le germaniste Eugène Susini, par exemple, qui se trouvait à la même date dans la capitale allemande, conservait à la fin de sa vie le souvenir d'un Sartre totalement indifférent à la politique, à tel point que, placé lors d'un dîner à gauche de l'ambassadeur français à Berlin André François-Poncet, il fut muet tout le repas. Et le normalien François-Poncet d'interroger ensuite Susini : « Qui m'avez-vous mis à côté[50] ? » Jean-Paul Sartre ne tentera, du reste, jamais de modifier rétrospectivement la réalité de sa torpeur berlinoise. Tout au contraire. Ainsi, six ans plus tard, durant la « drôle de guerre », il notera dans ses carnets : « J'eus des vacances d'un an à Berlin, j'y retrouvai l'irresponsabilité de la jeunesse[51]. » Et, bien longtemps après, dans le film *Sartre* tourné en 1972, il confessera à nouveau avoir été alors pratiquement indifférent aux événements politiques[52].

À l'heure où l'Histoire se remet en marche, ce sont les événements d'Allemagne qui constituent l'épicentre de ce redémarrage et c'est là que s'opèrent les premiers ébranlements.

---

48. *Op. cit.*, p. 345.
49. Marie-Christine Granjon, *op. cit.*, p. 466.
50. Entretien avec l'auteur, 10 novembre 1980.
51. *Op. cit.*, p. 100.
52. Cf. *Sartre : un film réalisé par A. Astruc et M. Contat*, texte intégral, réf. cit.

Jean-Paul Sartre, pourtant présent sur le site au moment de la secousse, ne ressentit sur le moment ni les ondes ni les secousses sous ses pieds. Ce n'est là, bien sûr, ni facteur d'infamie ni élément à charge. La mise en perspective s'impose tout de même pour l'historien, car onze ans plus tard viendront les premiers textes sartriens sur le devoir d'engagement, qui influenceront ensuite plusieurs générations d'intellectuels et marqueront en profondeur le paysage idéologique français.

Mise en perspective qui doit, de surcroît, rappeler le caractère atypique de la torpeur sartrienne à Berlin. Car d'autres jeunes agrégés de philosophie venus à Berlin durant la même décennie y connurent des évolutions décisives. Raymond Aron, assurément, mais aussi Maurice de Gandillac. Celui-ci, pensionnaire à l'Institut français une année après Sartre, scrute la situation allemande avec attention et inquiétude, cet intérêt soutenu débouchant dans ce cas précis sur l'affirmation de positions pacifistes. Il adresse ainsi à *Esprit* une lettre datée du 17 mars 1935[53] : au moment où Hitler viole les clauses militaires du traité de Versailles en annonçant son intention de rétablir le service militaire obligatoire, le jeune philosophe prône la modération et appelle de ses vœux la venue d'un « nouveau Saint Louis qui, à la face du monde, confiant avant tout dans la justice de Dieu, osera faire crédit à la paix et, devant le réarmement allemand, répondra par la seule arme efficace, c'est-à-dire par un désarmement intégral et sans arrière-pensée ». Même si le propos, avec le recul, n'est pas placé sous le signe de la plus totale lucidité, il permet de mesurer le choc de l'expérience berlinoise sur ces jeunes intellectuels proches de la trentaine, au cœur des années 1930. À tel point, du reste, que cette expérience détermina parfois de profonds et durables chassés-croisés. Ce fut le cas, précisément, d'Aron comme de Gandillac. Le premier, on l'a vu, venu de la matrice pacifiste de la rue d'Ulm des années 1920, se

---

53. Extraits d'une lettre de Maurice de Gandillac publiés dans un article d'Emmanuel Mounier, « La course à la guerre », *Esprit*, n° 31, 1er avril 1935, pp. 142-145.

convertit précocement au réalisme, persuadé qu'il était désormais, devant le spectacle du naufrage de la République de Weimar, que l'embellie de l'esprit de Genève et de Locarno se terminait. Le second, initialement pétri de nationalisme – celui de l'Action française, en l'occurrence –, adopte au contact de la réalité allemande des analyses très pacifistes, qui le conduiront en 1938 à approuver les accords de Munich[54].

On pourrait multiplier les exemples de séjours allemands décisifs. Celui de René Maheu, futur directeur général de l'Unesco, qui fut comme Maurice de Gandillac élève de l'École normale supérieure à partir de 1925, est d'autant plus éclairant qu'à la différence de ce dernier il fut un proche de Sartre rue d'Ulm[55] et qu'il remplaça Raymond Aron à l'université de Cologne en 1931, quand celui-ci partit à Berlin. Or Maheu, bien plus tard, recevant en 1973 ès qualités le prix Montaigne, haute distinction d'une fondation allemande, rappela dans l'allocution qu'il prononça alors : « Octobre 1931-juin 1933 à l'université de Cologne… J'avais 26-28 ans. J'étais venu dans le sillage du "briandisme" finissant, avec ce que l'on appelait alors l'esprit de Locarno et dont je découvrais soudain qu'il ne correspondait plus à aucune réalité. » Là encore, le séjour allemand fut essentiel : « J'étais venu parce qu'à l'École normale de la rue d'Ulm, où mon esprit s'est formé, j'étais, comme la plupart de mes camarades, un internationaliste fervent, parce que je croyais qu'il fallait soutenir la Société des Nations et que j'étais persuadé que la paix exigeait avant tout la réconciliation franco-allemande. Je voulais travailler à cette réconciliation et c'est ainsi que je m'appliquais à expliquer à mes étudiants *Mars ou la guerre jugée* d'Alain, mais, bien sûr, ce n'était pas le moment. Je partis le jour où brûla le Reichstag[56]. »

---

54. *Esprit*, n° 74, 1er novembre 1938, pp. 295-299.
55. Simone de Beauvoir évoque les deux normaliens dans ses Mémoires : Maheu apparaît comme un membre du cercle rapproché ; il fut, du reste, celui qui fit rencontrer Sartre et Beauvoir.
56. Cité dans la notice nécrologique de René Maheu, *Annuaire de l'École normale supérieure*, 1978, pp. 89-90.

Jean-Paul Sartre, pour sa part, arriva quelques mois après cet incendie. À ce moment-là, l'installation du régime nazi était largement avancée. Le spectacle berlinois, de ce fait, aurait pu être pour lui non seulement, comme pour ses prédécesseurs venus en Allemagne, le choc d'une Histoire qui se remettait brutalement en marche après la détente des relations internationales intervenue à partir de 1925 après Locarno, mais de surcroît aurait pu plus particulièrement le sensibiliser au problème du fascisme et surtout de l'antifascisme, qui allait s'installer au cœur de l'engagement des intellectuels français.

Dans les semaines qui suivirent le 6 février 1934, se constitua, en effet, le Comité de vigilance des intellectuels antifascistes – d'abord appelé Comité d'action antifasciste et de vigilance –, dont le texte fondateur est daté du 5 mars 1934[57]. Dès le début du mois de mai suivant, ce texte avait été signé par 2 300 intellectuels et, à la fin de l'année 1934, le CVIA revendiquait, selon son périodique *Vigilance*, « environ » 6 000 membres[58]. Certes, l'historiographie française a bien démontré, depuis, que le danger fasciste fut, en France, bien moindre que les contemporains ne le crurent[59], mais elle souligne que, précisément, cette perception, sur le moment, fut essentielle : dans la mesure où l'on pensa qu'il y avait danger fasciste, l'antifascisme devint pour des années un moteur essentiel de l'engagement des intellectuels de gauche et s'installa au cœur de leur vision politique. Les noms qui se multiplièrent alors sur les listes d'adhésion successives que publia *Vigilance* reflètent un phénomène de mobilisation qui, reporté à l'échelle du milieu intellectuel de gauche, fut indéniablement massif.

---

57. Ce texte – « Aux travailleurs » – est reproduit dans Jean-François Sirinelli, *Intellectuels et passions françaises*, Fayard, 1990, pp. 88-89. Il était cosigné par Alain, Paul Langevin et Paul Rivet.

58. *Vigilance*, n° 14, janvier 1935, p. 2. Pour les 2 300 adhésions revendiquées à la date du 8 mai 1934, cf. *Vigilance*, 2, 18 mai 1934, p. 3.

59. Voir, sur ce point, la mise au point de Pierre Milza dans *Fascisme français. Passé et présent*, Flammarion, 1987.

Or Jean-Paul Sartre, revenu en France à l'été 1934, n'adhéra pas au CVIA. Il n'y a pas là, pour l'historien, certitude absolue, car si des listes furent au début publiées, on passa ensuite de la phase de la pétition – celle du 5 mars 1934 – à la période de l'organisation – celle du CVIA. Dès lors, *Vigilance*, de plus en plus, revendiqua des nombres plus qu'il n'aligna des noms, et une vérification exhaustive est impossible. Toujours est-il que, sur les listes publiées dans un premier temps, le nom de Sartre n'apparaissait pas et, surtout, à aucun moment, par la suite, ni Sartre ni ses proches n'ont fait mention d'une telle adhésion, qui resta pourtant un titre de noblesse dans la mémoire des gauches intellectuelles.

Il serait incongru de reprocher au jeune philosophe sa très probable non-adhésion au CVIA. Il faut simplement y percevoir un indice supplémentaire à la fois du non-événement que fut pour lui – en s'en tenant bien sûr, ici, au seul registre de l'engagement politique – le séjour berlinois et de l'indifférence, au cours de l'année qui suivit son retour, pour les grands combats mobilisateurs de l'intelligentsia de gauche, combats qui, répétons-le, sont devenus depuis part intégrante de la mémoire de cette intelligentsia et, quasiment, de son légendaire. À tel point que lorsque Max Gallo, porte-parole du gouvernement de Pierre Mauroy, lança en juillet 1983 un débat estival sur le « silence » présumé des intellectuels de gauche, la question qui sous-tendait son article était explicite : « Où sont les Gide, les Malraux, les Alain, les Langevin d'aujourd'hui[60] ? » Certes, la phrase se voulait une allusion à la période du Front populaire proprement dit, durant laquelle les liens furent forts et densément ressentis entre le gouvernement de Léon Blum et les intellectuels de gauche, mais aussi à la phase de gestation de ce Front populaire précisément placée, pour ces intellectuels, sous le signe du combat antifasciste. Au reste, parmi les quatre noms cités par Max Gallo, deux, Alain et Langevin, appartenaient au triumvirat fondateur du CVIA.

---

60. *Le Monde*, mardi 26 juillet 1983, p. 7.

Ajoutons, pour mieux mesurer encore la signification de l'absence de Jean-Paul Sartre parmi les membres du CVIA, que nombre de normaliens de son âge, devenus entre-temps comme lui professeurs dans des lycées de province, participèrent alors à la constitution de comités locaux de vigilance des intellectuels antifascistes. Ainsi le philosophe René Château, professeur au lycée de La Rochelle, fonde-t-il dans sa ville un tel comité, puis préside-t-il l'année suivante le comité départemental du Rassemblement populaire. Et l'agrégé de lettres Claude Jamet, professeur au lycée de Bourges, contribuera à former dans cette ville au mois de juin 1934, avec ses collègues du lycée, de l'École normale et de l'École primaire supérieure, la section locale du CVIA, avant d'en devenir le secrétaire général au mois de novembre suivant. Il sera bientôt secrétaire du Comité d'unité d'action antifasciste du Cher[61].

UN PÉRIL FASCISTE EN FRANCE ?

Cela étant, il faut bien constater que Raymond Aron, en dépit du séjour allemand, n'adhéra pas non plus au CVIA. Faut-il pour autant y voir un élément venant infirmer le caractère significatif de la non-adhésion sartrienne ? Non, car, précisément, Raymond Aron envisagea d'adhérer au Comité mais y renonça pour des raisons de cohérence intellectuelle. C'est en tout cas l'interprétation qu'il en proposera dans ses *Mémoires* en 1983[62] : il a refusé alors de se « joindre au Comité de vigilance des intellectuels antifascistes pour deux raisons majeures » : d'une part, le sentiment qu'« il n'existait pas en France de péril fasciste » ; d'autre part, la conscience que le CVIA était animé par les

---

61. Sur ces rôles locaux de René Château et Claude Jamet, cf. Jean-François Sirinelli, *Génération intellectuelle*, réf. cit., pp. 605 et 617.

62. *Op. cit.*, pp. 132-133.

communistes et les élèves d'Alain, et qu'il était en profond désaccord avec les uns et les autres. Certes, l'historien se doit, en praticien de la mémoire, de faire la part – éventuelle – du tamis du souvenir et des remises en perspective au soir d'une vie. Mais cette défiance méthodologique doit-elle pour autant récuser en doute tout témoignage rétrospectif ? Dans ce cas précis, en tout cas, deux choses sont sûres : cette question du CVIA n'était pas indifférente aux yeux de Raymond Aron [63] ; et la distance vis-à-vis des communistes comme la réticence désormais à l'égard des positions d'Alain et de ses disciples rendent probable la seconde raison [64]. Quant à la première cause invoquée, le sentiment de l'absence d'un péril fasciste en France, il est difficile rétrospectivement d'en vérifier le degré d'élaboration à cette date. On observera tout de même que ces années 1934 et 1935, de fait, sont bien celles où Aron a commencé à réfléchir, en sociologue, sur le fascisme européen. Durant l'année 1934-1935, il participe à une série de conférences à l'École normale supérieure sur « la crise sociale et les idéologies nationales ». Lui-même traite l'Allemagne et conclut que le national-socialisme, « catastrophe pour l'Europe », est « très spécifiquement germanique [65] ».

Certes, nous le verrons, il déploiera et nuancera sa pensée dans les années suivantes, intégrant l'étude du nazisme dans la perspective plus large des « tyrannies modernes ». Mais il y a

---

63. Il l'évoqua spontanément lors d'un entretien avec l'auteur, le 23 janvier 1981 ; l'entretien portait sur son engagement politique avant la Seconde Guerre mondiale.

64. Dans ce même entretien de janvier 1981, deux ans et demi donc avant la publication des *Mémoires*, Raymond Aron avait déjà avancé explicitement ces deux raisons et nous avait assuré qu'il ne s'agissait en aucun cas de reconstruction postérieure. Les deux raisons ont été brièvement avancées, également, dans le dialogue avec Jean-Louis Missika et Dominique Wolton, enregistré à la même époque et publié en juillet 1981 dans *Le Spectateur engagé*.

65. *L'Allemagne. Une révolution antiprolétarienne : idéologie et réalité du national-socialisme* (dans Élie Halévy *et alii, Inventaires*, t. I., *La Crise sociale et les idéologies nationales*, Félix Alcan, 1976, pp. 24-55).

donc chez lui dès cette date, fût-ce au prix d'un raisonnement tronqué, l'idée d'un phénomène irréductible à la situation française et qui de ce fait constitue pour la France et pour l'Europe une menace diplomatique et militaire mais pas un danger en termes de mimétisme politique et d'accommodation intérieure. La description rétrospective par Aron de ses sentiments et de ses analyses de l'époque apparaît donc recevable, et ce point est, pour notre analyse, doublement essentielle. Il faut y voir la confirmation que la mue du jeune clerc en provenance d'Allemagne s'était bel et bien opérée : pour lui, désormais, l'intellectuel doit dépasser les slogans mobilisateurs et même les représentations collectivement ressenties et exprimées, pour toujours s'en tenir à une attitude de libre examen, qui amende l'éthique de conviction et doit en infléchir, si besoin est, les analyses. Or force est de constater que, là encore, Raymond Aron est très largement et délibérément à contre-courant. Pour nombre d'intellectuels de gauche de l'époque, les chemins de l'engagement politique passent moins alors par la défense de l'héritage du dreyfusisme et des valeurs qui en étaient issues que par les combats de l'antifascisme.

Il y a, d'une certaine façon, bifurcation idéologique : pour nombre de ces intellectuels, « ni les Lumières ni la Révolution française ne permettent plus de penser les convulsions du XXᵉ siècle », et, avec le recul, il apparaît bien que s'ouvre alors une « faille dans le patrimoine démocratique de la France » et que Raymond Aron « l'a sentie et analysée très tôt[66] ». Et cette prescience est d'autant plus difficile à vivre pour un jeune clerc de gauche que le combat antifasciste devient alors quasi identitaire, que, de surcroît, il se diffuse rapidement au sein du milieu intellectuel et que, plus largement, il imprègne en profondeur le débat politique de l'époque. Dans *À gauche de la barricade*, « chronique syndicale » qu'il publia après la guerre, André Delmas, qui fut secrétaire général du Syndicat national

---

66. François Furet, *Le Passé d'une illusion. Essai sur l'idée communiste au XXᵉ siècle*, Laffont-Calmann-Lévy, 1995, p. 361.

des instituteurs en ces années de mobilisation antifasciste, évoque à propos de celle-ci « la grande peur des républicains de 1934[67] ». L'historien doit faire sienne une telle formule. En effet, la conviction de l'existence d'un fort danger fasciste intérieur se diffusa peu à peu dans le corps civique et imprégna dès lors, par ondes concentriques, les débats de la communauté nationale. Dans des contextes historiques et culturels certes différents, et à condition de ne pas pousser le parallèle trop loin, cette propagation n'est pas sans rappeler celle de la « grande peur » de l'été 1789.

Seconde observation sur les conséquences de la mue aronienne : sur bien des points, l'intéressé ne variera plus, une vie durant. De même que ses analyses sur le fascisme dans sa variante française semblent avoir pu faire dès cette époque abstraction des mouvements de foule et des indignations collectives, de même, cinquante ans plus tard, de telles analyses le conduiront à intervenir, un lundi d'octobre 1983, au procès, déjà évoqué, entre l'historien israélien Zeev Sternhell et Bertrand de Jouvenel. Et ce moins pour dédouaner le second, dont les engagements en ces années 1930 puis sous l'Occupation auront été bien éloignés de ceux du Raymond Aron antifasciste puis choisissant l'exil et le combat, que pour prendre le contrepied du premier à propos de ses conclusions sur l'ampleur de l'imprégnation fasciste dans la France des années 1930.

Il faut aussi observer, plus prosaïquement, que cette non-adhésion des deux anciens « petits camarades » procède, en tout état de cause, et quelle que soit l'hypothèse retenue pour Aron, de raisons totalement différentes et, somme toute, opposées : indifférence pour Sartre, décision au contraire pesée au trébuchet et mesurée dans toutes ses implications pour Aron. C'était là, du reste, un précédent appelé à se reproduire : sur l'indépendance algérienne, un quart de siècle plus tard, les deux hommes parviendront aux mêmes conclusions à

---

67. André Delmas, *À gauche de la barricade*, éditions de l'Hexagone, 1950, p. 9.

partir de prémisses radicalement opposées et mûries dans des terreaux idéologiquement antagonistes.

Pour l'heure, après une année passée au lycée du Havre, Raymond Aron retrouve Paris à l'été 1934. Le 8 août, par exemple, il écrit à Marcel Mauss : « Je viens de m'installer à Paris. Bouglé m'a pris comme assistant au centre de documentation. Ce qui va me laisser plus de temps pour travailler. [...] Et j'attends un gosse pour le mois prochain [68]. » De fait, Raymond Aron devient secrétaire général du Centre de documentation sociale [69], la « Docu » dans le langage normalien de l'époque. Il y restera quatre ans, et ce séjour est doublement significatif, politiquement et intellectuellement.

Politiquement, ce Centre, créé en novembre 1920, avait été, au fil de sa première décennie d'existence, l'un des lieux importants du socialisme normalien. Marcel Déat en avait tenu le secrétariat à deux reprises, en 1920-1922 puis en 1925-1926, au moment où il était l'une des étoiles montantes de la SFIO. La « Docu » gardera de ses traits de jeunesse une orientation politique marquée, qui perdurera tout au long de la décennie suivante. *Le Figaro* du 3 juin 1939 le lui reproche, du reste, explicitement : « Nous savons, d'autre part, que l'École est le royaume de la liberté de pensée absolue, mais on y a établi un Centre de documentation sociale où les principes sociologiques officiellement révérés sont sinon rouges, du moins roses. » Et d'ajouter : « Sans doute le directeur de l'École, philosophe remarquable, qui a autant de science que de probité, n'a-t-il consciemment songé à "influencer" personne, mais il est certaines machines qui, une fois mises en place [70]... »

C'est le sociologue Célestin Bouglé qui est ici visé. À l'époque professeur à la Sorbonne, il avait créé en 1920 la « Docu ».

---

68. Cité dans Marcel Fournier, *Marcel Mauss*, Fayard, 1994, p. 642.

69. Il remplace le normalien Philippe Schwob (cf. la lettre du directeur adjoint de l'ENS, Célestin Bouglé, au recteur de l'académie de Paris, en date du 6 juin 1934, Arch. nat. AJ 16 2895).

70. Marcel Thiébaut, « Une serre pour controverses ou l'École normale éternelle », *Le Figaro*, 3 juin 1939.

Directeur adjoint de l'École normale supérieure en 1927, il en devient directeur en 1935 et le demeurera jusqu'à sa mort en 1940. Jeune professeur dreyfusard, il sera sa vie durant un universitaire proche du parti radical, collaborateur régulier de *La Dépêche*. Si ce radicalisant a plutôt couvé, on l'a vu, une nichée de socialistes à la « Docu », l'essentiel, de toute façon, est probablement ailleurs, dans le terreau intellectuel ainsi constitué. L'idée initiale, concrétisée grâce aux largesses du mécène Albert Kahn, était de mettre à la disposition des jeunes normaliens, en complément de la bibliothèque de la rue d'Ulm riche surtout en livres relevant des disciplines classiques, les ouvrages importants et les grands périodiques touchant aux problèmes sociaux ou à la politique étrangère. À l'origine, il s'agissait notamment de préparer les normaliens à d'éventuelles fonctions au Bureau international du travail ou à la Société des Nations. Dès 1926, le directeur de l'École, Gustave Lanson, estimait que s'était ainsi constitué « une sorte de séminaire ou de laboratoire, où des philosophes et des historiens viennent apprendre à recueillir, à classer, à interpréter les faits contemporains de l'ordre social et économique, et à soumettre cette matière, toujours si difficile à connaître, aux règles de la méthode critique [71] ». Malgré un support logistique limité – deux pièces au premier étage de l'École –, la « Docu » s'étoffa encore dans les années 1930 : comme l'écrira bien plus tard Jean Stoetzel – qui, jeune normalien agrégé de philosophie, y travailla à cette époque –, elle devint alors « la première bibliothèque sociologique française [72] ».

Au sein de la « Docu », Raymond Aron avait pris bientôt le titre de « secrétaire général » [73]. S'il y termine ses thèses sur la

---

71. Gustave Lanson, « L'École normale supérieure », *Revue des Deux Mondes*, 1926, p. 527.

72. *BSAENS*, n° 107, décembre 1966, p. 11.

73. Cf. un document intitulé « Centre de documentation sociale. Rapport sur l'activité pendant l'année scolaire 1936-1937 », transmis par Stéphane Israël, dont le mémoire de DEA (*L'École normale supérieure et la Seconde Guerre mondiale*, 2 tomes, 301 + 133 p., Lille III, 1993) évoque dans ses premières pages la rue d'Ulm de la fin des années 1930.

philosophie de l'histoire, il y déploie aussi des activités qui s'inscrivent dans son intérêt proclamé pour les disciplines permettant d'analyser le monde contemporain. Il professe à la « Docu » un cours d'économie politique[74] et mène des recherches de sociologie. Dès 1935, il publie chez Alcan une *Sociologie allemande contemporaine,* dont une large part est consacrée à Max Weber. Il joue aussi un rôle déterminant dans les enquêtes collectives du Centre. Celui-ci, en effet, avec les fonds d'une subvention de la fondation Rockefeller, entreprend des recherches de psychologie sociale comparative. Trois volumes, publiés sous le titre général d'*Inventaires,* traitent respectivement de *Crise sociale et idéologies nationales, Économique et politique, Classes moyennes.* En 1937, traitant « la sociologie » dans la somme consacrée chez Paul Hartmann aux *Sciences sociales en France,* Raymond Aron évoque ces travaux collectifs de sociologie de la « Docu[75] ».

Indépendamment même du centre de gravité politique de la « Docu » – qu'il convient, du reste, de ne pas généraliser, Célestin Bouglé n'ayant pas pratiqué d'exclusive dans le recrutement des animateurs –, ce Centre a probablement été aussi, par les débats de haute volée qui s'y tinrent, un lieu propice à l'approfondissement de la réflexion aronienne sur l'Allemagne nazie. Célestin Bouglé, en effet, était sensible au sort des intellectuels chassés par le nazisme et réfugiés en France ; son Centre accueillait, de ce fait, bien des ouvrages écrits par ces intellectuels. Bien plus, des conférences portent sur des sujets au cœur de l'actualité : ainsi, en janvier 1939, le normalien Raymond Polin, lui aussi membre de la « Docu », rapporte d'un voyage en Tchécoslovaquie un témoignage précieux et précis[76].

Sur l'Union soviétique, aussi, Aron commence, semble-t-il, à réfléchir, mais dans un contexte de plus grande opacité et en devant affronter l'opinion sourcilleuse des normaliens engagés dans le combat antifasciste. Témoin cet incident lors de l'une de

---

74. *Ibid.*
75. *Op. cit.,* p. 42.
76. Arch. nat. 61 AJ 97 et 98.

ses conférences à la « Docu ». Évoquant les classes moyennes, il en vient, au fil de sa réflexion, à observer que l'Union soviétique s'en est prise « violemment » à la « propriété paysanne ». À l'aune de la réalité reconstituée depuis, le propos pourrait presque paraître lénifiant. Et pourtant la réaction d'une partie de l'auditoire est immédiate : le conférencier est houspillé et le président de séance doit rappeler à l'ordre les contradicteurs[77].

L'UN VOTE, L'AUTRE PAS

Pendant qu'Aron tentait ainsi, parfois douloureusement, de penser le monde environnant, Sartre, revenu en France depuis 1934, semblait demeurer comme auparavant en marge de l'Histoire en train de se faire sous ses yeux. Certes, Simone de Beauvoir écrira, un quart de siècle plus tard : « Nous assistions avec enthousiasme au triomphe du Front populaire », mais pour préciser aussitôt que « Sartre n'avait pas voté[78] ». Cette abstention appelle deux séries de remarques, selon qu'on l'analyse dans le court terme de l'événement ou dans le long terme du rapport entre l'intéressé et le suffrage universel. Sur le court terme, elle confirme le désintérêt de Sartre à cette date pour le débat civique. Par-delà ce constat en forme de tautologie, il faut rappeler que l'abstention du futur chantre de l'engagement se manifeste lors d'une élection qui occupe une place particulière dans la mémoire de la gauche et qui a contribué à nimber le Front populaire d'une auréole intellectuelle due au soutien de nombre de clercs et à la politique culturelle qu'il mettra alors en

---

77. Extrait d'un film intitulé « Les normaliens par eux-mêmes », tourné rue d'Ulm en 1937 par René Guy-Grand et exhumé par Pierre Aubry et Jean-Noël Jeanneney dans leur documentaire, « Six normaliens en quête d'École », Arte, 17 mars 1995.
78. Simone de Beauvoir, *La Force de l'âge*, réf. cit., pp. 271-272.

œuvre. Comme le soulignait Jacques Soustelle dès la fin du mois de juin 1936, « parallèle au grand mouvement politique et social du Front populaire, ou plutôt ne formant qu'un de ses aspects, se déroule dans notre pays un vaste mouvement culturel[79] ».

Cette osmose entre la société intellectuelle et le gouvernement de Léon Blum, même si elle a été transfigurée par la mémoire et avivée par la nostalgie, est une réalité historique, au moins pour les premiers mois, avant que surgissent les dissensions sur l'Espagne. À tel point, on l'a vu, que cette osmose est devenue un point de référence. Certes, on se gardera ici des reconstitutions épiques – les clercs seul levain et uniques gardiens du Rassemblement populaire – ou, inversement, des condamnations définitives – les illusions lyriques, et la danse sur le volcan, insensible aux nuées venues d'outre-Rhin –, mais un fait demeure : nous sommes en face de certaines des très riches heures de l'intelligentsia française, et Sartre, âgé alors de trente et un ans, n'en fut pas. Et ses appels, une dizaine d'années plus tard, à investir le champ politique théorisent un engagement qui, historiquement, existait déjà largement dans les années 1930, même si lui-même n'y fut pas impliqué.

Bien plus, on peut dire que l'heure, en ce milieu des années 1930, est aux intellectuels, sommés de fournir le nouvel argumentaire des luttes politiques, celles-ci s'articulant de plus en plus autour de l'anticommunisme et de l'antifascisme, deux thèmes à forte teneur idéologique. À la fois hérauts de la guerre franco-française froide qui se joue alors[80] et maîtres à penser de deux camps en quête d'identité idéologique, les intellectuels sont au cœur du débat civique, à la fois sur le devant de la scène et dans la coulisse. Ajoutons, pour recadrer historiquement cette abstention sartrienne au moment de la victoire du Front populaire, que ce cas de figure de 1936 d'un gouvernement de

---

79. Jacques Soustelle, « Musées vivants. Pour une culture populaire », *Vendredi*, n° 34, 26 juin 1936, p. 1.

80. Cf. Serge Berstein, « L'affrontement simulé des années 1930 », *Vingtième siècle. Revue d'histoire*, n° 5, janvier-mars 1985, pp. 39-53.

gauche en phase avec les intellectuels pour cause d'harmonie idéologique et affective est, à y regarder de plus près, très rare dans l'histoire de la gauche française au xxe siècle. Le plus souvent, en effet, la victoire politique survint pour elle à contre-courant, au moment d'un reflux idéologique. Avec, à partir de là, deux variantes : reflux d'une idéologie au sein de sa propre mouvance politique au profit d'un autre courant concurrent et conquérant, ou reflux au profit du camp opposé. À la première variante correspond, par exemple, la phase du Cartel des gauches en 1924 où la « République des professeurs » radicale est politiquement victorieuse mais idéologiquement dépassée sur sa gauche, aux yeux des nouvelles générations, par le courant socialiste : pour les jeunes normaliens, par exemple, Blum est alors plus séduisant qu'Herriot. Ce fut le cas, notamment, rappelons-le, de Raymond Aron. La deuxième variante se produisit au printemps 1981, quand la gauche politique arriva au pouvoir au moment même où la gauche intellectuelle, entrée dans une phase de désarroi et de repli, cédait du terrain à la droite libérale en pleine reviviscence, et dont... Raymond Aron était devenu à la fois la figure de proue et l'un des personnages tutélaires. Cette distorsion, précisément, expliqua la nostalgie pour l'osmose de 1936 et amorça le débat de l'été 1983 sur les intellectuels et la gauche.

Sartre, assurément, passa donc en 1936 à côté d'une situation historique propice aux intellectuels de gauche. Mais l'analyse de son abstention ne peut se faire seulement dans le court terme d'une occasion manquée, dans un contexte pourtant propice aux effusions lyriques et à l'engagement. À l'échelle d'une existence, il faut assurément faire la part des relations compliquées que Sartre a toujours entretenues avec l'urne et le bulletin de vote. Il semble bien que l'on doive parler, à ce propos, d'un véritable blocage, qui transcende les décennies, jusqu'au fameux article de janvier 1973, « Élections piège à cons ». Mais, par-delà même ce blocage apparent, l'épisode revêt une double signification. Dès cette époque, Sartre semble être resté largement imperméable à la culture démocratique et au « modèle républicain» qui la porte. Cette culture et ce modèle sont pourtant, depuis le début du siècle, fortement enracinés, constituant une «sorte d'écosystème social[81]», à la fois régime politique et système de valeurs[82], sous-tendu par ce que l'historien américain Stanley Hoffmann avait appelé «la synthèse républicaine».

Pour autant, le refus de Sartre ne s'intègre pas dans le courant «non conformiste» qui, à la fin des années 1920 et au début de la décennie suivante, tente de trouver une voie médiane entre capitalisme et marxisme, se nourrissant notamment d'antilibéralisme. La pensée de Sartre est beaucoup trop désidéologisée à cette époque pour pouvoir être rattachée à une telle mouvance. Le refus sartrien se nourrit alors, beaucoup plus prosaïquement, d'une sorte d'hostilité instinctive à la bourgeoisie, qui s'inscrit dans le droit fil du XIXᵉ siècle et d'écrivains aussi divers que Balzac ou Flaubert, et qui le privera, quand viendra le temps pour lui du dialogue avec le marxisme-léninisme, du contrepoids, dans ses élans idéologiques, de la culture républicaine. À tout prendre, dès cette époque, son rejet de la société bourgeoise le rend plus proche du discours communiste, du moins avant que celui-ci amorce le tournant du Rassemblement populaire! Au début de la conférence nationale du PCF tenue à Ivry du 23 au 25 juin 1934, par exemple, qui verra s'amorcer un tel tournant, Maurice Thorez déclarera encore: «Les communistes, eux, luttent contre toutes les formes de la dictature bourgeoise, même lorsque cette dictature revêt la forme de la démocratie bourgeoise[83].» La phrase, probablement, n'avait rien de choquant pour le Sartre de vingt-neuf ans. Sans, pour autant, qu'elle le pousse à abandonner son quant-à-soi.

---

81. Serge Berstein et Odile Rudelle, dans l'avant-propos de l'ouvrage *Le Modèle républicain*, publié sous leur direction, PUF, 1992, p. 7.

82. Cf. Jean-François Sirinelli, «Les vingt décisives. Cultures politiques et temporalités dans la France fin de siècle», *Vingtième Siècle. Revue d'histoire*, n° 44, octobre-décembre 1994, pp. 121-127.

83. Cité par Stéphane Courtois et Marc Lazar, *Histoire du Parti communiste français*, PUF, coll. «Thémis-Histoire», 1995, p. 122.

En effet, et c'est la deuxième signification de l'abstention de 1936, ce quant-à-soi reflète indéniablement, il faut bien y revenir, une absence de sympathie, au sens premier du terme, pour les grands débats et les enjeux de cette France de 1936. Il y a, en tout cas, présomption en ce sens, qui incite à relativiser, pour le moins, le mot « enthousiasme » utilisé par Simone de Beauvoir. Va, du reste, dans le même sens une certaine impassibilité deux ans plus tard devant les soubresauts du Front populaire moribond. Le 14 juillet 1938, par exemple, Jean-Paul Sartre est au Dôme, à Montparnasse : « Il fait gris et terriblement républicain », écrit-il à Simone de Beauvoir, et il évoque sa rencontre avec son camarade de promotion ulmienne, l'angliciste Alfred Péron, « revenu du défilé Front populaire, avec une petite étiquette rouge à la boutonnière "Fidélité au serment. Application du Programme. Vive l'Espagne républicaine"[84] ». Un observateur davantage concerné aurait à coup sûr gardé en mémoire les flamboiements du 14 juillet 1935 et le serment solennellement prêté ce jour-là, acte constitutif et symbolique tout à la fois du Rassemblement populaire. Et il aurait probablement senti que l'ambiance « terriblement républicaine » du 14 juillet 1938 participait plus d'une pavane pour un pouvoir de gauche défunt ou à l'agonie que d'une manifestation de force et de joie. Attitude d'autant plus inattentive que, trois ans plus tôt, Sartre et Simone de Beauvoir, sans participer directement à la manifestation proprement dite du 14 juillet 1935 de la Bastille à la Nation, s'étaient rendus tout de même ce jour-là en badauds place de la Bastille[85]. Fait significatif : dans ses *Mémoires,* en 1960, évoquant les slogans de cette manifestation, Simone de Beauvoir cite un « La Roque au poteau ». Si l'on songe que ce nom propre fut l'un de ceux qui revenaient le plus souvent dans les slogans de l'époque, la faute d'orthographe en dit long sur le faible degré d'imprégnation du

---

84. *Lettres au Castor et à quelques autres,* réf. cit., t. I, p. 183.
85. *La Force de l'âge,* p. 224 (le nom propre est également mal orthographié, sous la plume même de Simone de Beauvoir, page 207).

couple par la culture politique « antifasciste » de la gauche française des années 1930.

L'épisode de la rencontre avec Péron est également significatif du fait que Sartre, à cette époque, s'est largement coupé de
ses anciens camarades de la rue d'Ulm, au moment où précisément certains d'entre eux ont un engagement politique marqué. Le 3 mai 1937, par exemple, écrivant à Simone de Beauvoir,
il évoque Nizan et interroge : « Saviez-vous qu'il était rédacteur
en chef de *Ce soir* ? » En juillet 1938, il déjeunera avec « les
Nizan », « emmerdants comme la pluie[86] ». Autre ancien camarade ulmien, l'agrégé de philosophie Pierre Boivin est devenu
en juin 1936 chef adjoint du cabinet de Jean Zay. En mai 1937,
Sartre rapporte à Simone de Beauvoir, sans en paraître autrement touché, ces propos de René Maheu : « Il s'est longuement
réjoui, en descendant la rue de la Gaîté, parce que nous demeu-
rions tous si pareils à nous-mêmes et que nos destins s'annonçaient taillés sur mesure : "Ainsi, m'a-t-il dit, Boivin va mourir
d'un cancer à l'anus. Les médecins l'ont condamné. Il vient une
fois par semaine à son bureau, il reste debout, s'il s'assied, il s'assied sur une fesse. Il mourra par l'anus et chef de cabinet de
Jean Zay : n'est-ce pas un destin pour lui ? " Il en a passé d'autres
en revue : Nizan, etc. Il a conclu : "Ah la vie, mon petit camarade,
la vie dépasse de loin tous les romans"[87]. » Pierre Boivin mourra
le 12 août suivant. Même en faisant la part de l'affectation faus-
sement cynique qui sied à deux « archicubes » se rencontrant, on
ne peut manquer de noter que ces propos sont échangés par
le futur directeur général de l'Unesco et le futur intellectuel
« incarnateur » de son temps. Les adversaires des deux hommes
trouveraient là des arguments pour affirmer que la génération
de 1905 n'a pas donné, sur le tard, ses meilleurs surgeons. On se
contentera pour l'instant d'observer que s'est produite à la Libération une relève intragénérationnelle qui a propulsé sur le
devant de la scène un rameau de cette génération jusque-là

---

86. *Lettres au Castor*, t. I, réf. cit., pp. 126 et 205.
87. *Ibid*, p. 127.

demeuré en coulisse. Et, en son sein, Sartre et Maheu notamment. D'autre part, on notera que les engagements des membres du premier rameau ne suscitent guère l'intérêt du « petit camarade » resté en marge du débat civique, sinon, par moments, le sarcasme.

ARON : LA « CATASTROPHE » À L'HORIZON

Pour sa part, Raymond Aron compte encore à l'époque parmi ces normaliens engagés à gauche. Sa réflexion amorcée sur le nazisme lui fait porter un regard lucide et pessimiste sur les relations internationales. « À mes yeux, écrit-il en 1936, le national-socialisme est une catastrophe pour l'Europe parce qu'il a ravivé une hostilité presque religieuse entre les peuples[88]. » Guéri ou instruit par rapport à l'influence d'Alain, il condamne celle-ci sans ambiguïté, avec comme attendu l'observation suivante : « Alain ignore l'histoire[89]. » Sur le plan plus directement politique, en revanche, la continuité l'emporte encore alors sur le changement. Au printemps 1936, il vote en faveur du Front populaire et tout indique qu'il est toujours à cette date et au cours des années suivantes dans des dispositions socialistes ou socialisantes[90]. Deux ans plus tard, en effet, lors de sa soutenance de thèse le 26 mars 1938, il aurait commencé son exposé de la thèse principale par ces mots : « Pourquoi suis-je socialiste ? Que signifie avoir une position politique ? Telles sont les questions que je me suis posées en étudiant le marxisme et

---

88. *Inventaires*, vol. 1, *La Crise sociale et les idéologies nationales*, réf. cit., p. 55.
89. R. Aron, « Alain, Histoire de mes pensées », *Zeitchrift für Sozialforschung*, VI, 1937, p. 223.
90. Au demeurant, en 1936 Raymond Aron avait un projet de livre dans la collection de Georges Friedmann « Socialisme et culture » (cf. Pascal Ory, *La Belle Illusion*, Plon, 1994, p. 76).

l'économie politique [91]. » Ce témoignage de Gaston Fessard est confirmé par la *Revue de métaphysique et de morale* qui, en langage académique, dit à peu près la même chose, sans préciser, il est vrai, la couleur politique revendiquée par le candidat : « M. Aron présente comme point de départ de sa thèse principale une réflexion toute personnelle sur les conditions du choix politique [92]. »

Cela étant, plus de quarante ans après la période du Front populaire, Raymond Aron insistait, dans *Le Spectateur engagé,* sur la baisse progressive de sa sensibilité socialiste : « J'étais socialiste, vaguement, mais de moins en moins au fur et à mesure que j'étudiais l'économie politique [93]. » Et le propos, là encore, n'est pas une reconstruction rétrospective. Il faut même y voir une allusion directe et précise à l'article critique que Raymond Aron publia dans le numéro d'octobre 1937 de l'austère *Revue de métaphysique et de morale.* Ces « Réflexions sur les problèmes économiques français » constituaient une gerbe de fleurs mortuaires déposées sur la politique économique du Front populaire. Raymond Aron en a longuement expliqué la teneur et le ton dans ses *Mémoires,* et plusieurs brillantes exégèses en ont été faites [94]. L'article était également important à un autre égard, car l'auteur y définissait sa conception du rôle de l'intellectuel. Il attaquait, en effet, ceux qui « agissent ou prétendent agir en clercs

---

91. Témoignage du père Gaston Fessard, qui assista à cette soutenance et prit plusieurs pages de notes (pp. 34 sqq.), dans *La Philosophie historique de Raymond Aron,* Julliard, 1980, p. 42.

92. Compte rendu de la soutenance de thèse de Raymond Aron publié dans le *Supplément* du numéro de juillet 1938 de la *Revue de métaphysique et de morale,* pp. 28-31, citation p. 29. Ce texte et celui de Gaston Fessard ont été repris dans l'édition revue et annotée par Sylvie Mesure de l'*Introduction à la philosophie de l'histoire,* Gallimard, 1986.

93. *Op. cit.,* p. 46.

94. Ainsi Nicolas Baverez, *Raymond Aron, op. cit.,* pp. 123-126. D'une façon plus générale, cette période de la fin des années 1930 est longuement traitée dans l'ouvrage de Nicolas Baverez et minutieusement analysée dans les *Mémoires.* Le souci d'éviter de faire double emploi nous conduit à être ici plus concis.

à seule fin de défendre des valeurs sacrées » ; car, « glissement inévitable », alors ils « se conduisent en partisans ». Et « il n'y a pas toujours une affaire Dreyfus qui autorise à invoquer la vérité contre l'erreur ». Julien Benda était évidemment visé ! Mais Raymond Aron déplorait aussi que « les masses qui leur font confiance ignorent que tel illustre physicien, tel écrivain célèbre, tel ethnologue réputé n'en [sachent] pas plus long que l'homme de la rue, sur les conditions de la reprise, qu'ils réagissent aux événements comme n'importe quel militant » : allusion à peine voilée au triumvirat du Comité de vigilance des intellectuels antifascistes, Paul Langevin, Paul Rivet et... Alain. Et ajoutait deux lignes plus loin : « Pourquoi ne serait-il pas permis à quelques intellectuels de choisir le rôle d'observateur impartial [95] ? » Faut-il déjà y distinguer la matrice du « spectateur engagé » ? Raymond Aron, en tout cas, considérait cet article, quarante-quatre ans après, comme son « premier article politique » et ne le « désavouait pas, tout au contraire », en 1981 [96].

L'année universitaire qui suivit sa soutenance de thèse fut pour Raymond Aron, tout l'indique, une année de tension douloureuse : la « catastrophe pour l'Europe », qu'il diagnostiquait depuis 1936, semblait se rapprocher de plus en plus rapidement. Là encore, il ne s'agit pas de reconstruction par l'historien, ou de tardive remise en perspective par l'intéressé lui-même. Les indices sont, à cet égard, convergents. Ainsi, au début de l'automne 1938, au moment même de la crise tchèque débouchant sur les accords de Munich, Raymond Aron débutait une série de cours devant les élèves de l'École normale supérieure de Saint-Cloud. Il ouvrit la première séance par « des réflexions sur la crise [97] ». Longtemps après, dans un ouvrage de souvenirs inédits, l'un de ses auditeurs évoquera ces cours où Raymond Aron dénonçait « le danger nazi qui portait avec lui la

---

95. *Revue de métaphysique et de morale*, t. XLIV, 1937, pp. 793 sqq., citations p. 793.
96. Entretien avec l'auteur, 23 janvier 1981.
97. *Mémoires*, réf. cit., p. 147.

menace de guerre». À ses élèves, en effet, il «démontrait sans plaisir que la guerre était difficilement évitable[98]». Fort d'une telle analyse, le jeune professeur est, sans conteste, antimunichois, mais, là encore, avec le souci constant d'éviter les slogans et les simplismes. L'affirmation, développée par certains antimunichois, qu'une position ferme entraînerait forcément la paix lui apparaissait profondément malhonnête[99]. Déjà se profilait cette idée maîtresse qu'il faut penser la guerre et la paix entre les nations, et que le reste n'est qu'incantation.

Bien sûr, le rebond de la crise tchèque en mars 1939 ne pouvait que le conforter dans ses dispositions d'esprit. Probablement se pose-t-il à cette date la même question que son camarade de la rue d'Ulm, Henri-Irénée Marrou, qui, sous son pseudonyme d'Henri Davenson, s'interroge dans la conclusion d'un article d'*Esprit* du 1er avril 1939[100] : l'Europe n'est-elle pas « dans une veillée d'armes » ? Et, deux mois et demi avant la crise polonaise, dans une communication à la Société française de philosophie le 17 juin 1939, analysant le face-à-face entre États démocratiques et États totalitaires, Raymond Aron prédisait dans l'une des dernières phrases de son syllabus[101] : « La crise actuelle sera longue, profonde. Quels que soient les événements

---

98. Le premier témoignage est cité par Raymond Aron lui-même, dans ses *Mémoires* (*op. cit.*, p. 744-745.). Le second est extrait de Jean-Noël Luc et Alain Barbé, *Des normaliens. Histoire de l'École normale supérieure de Saint-Cloud*, Presses de la Fondation nationale des sciences politiques, 1982, pp. 125-126 (les deux normaliens n'étant pas nommés, il n'est pas possible de savoir s'il s'agit, en fait, d'un ou de deux témoignages différents, et, dans ce second cas, recoupables).

99. Entretien avec l'auteur, 23 janvier 1981 ; cf. également *Le Spectateur engagé* et les *Mémoires*, *passim*.

100. « Tristesse de l'historien » (reproduit par *Vingtième Siècle. Revue d'histoire*, n° 45, janvier-mars 1995, pp. 109-131), où il médite sur l'histoire, à partir de l'*Introduction à la philosophie de l'Histoire* de Raymond Aron, « garçon extraordinairement intelligent, mais (s'en doute-t-il seulement ?) un peu hautain ».

101. Ce syllabus ne sera publié qu'en 1946 dans le bulletin de la Société. Il est repris dans *Machiavel et les tyrannies modernes*, De Fallois, 1993, citation p. 179.

immédiats, nous n'en sortirons pas à bon compte. L'aventure dans laquelle la France et les pays d'Europe sont engagés ne comporte pas d'issue immédiate et miraculeuse. Dès lors, je pense que les professeurs que nous sommes sont susceptibles de jouer un petit rôle dans cet effort pour sauver les valeurs auxquelles nous sommes attachés. » On a déjà, à juste titre, insisté sur cette communication du 17 juin 1939. Car Raymond Aron, pourtant encore lui-même homme de gauche, vient, entre 1937 et 1939, d'avoir deux grands débats avec ses deux terreaux d'origine. À la gauche politique, il a exprimé ses réticences par l'article de la *Revue de métaphysique et de morale*: succédant à sa réticence affichée depuis 1934 à l'égard du thème mobilisateur de l'antifascisme, le propos critique d'Aron sur le Front populaire l'éloigne des deux épicentres de la sensibilité de gauche de cette deuxième partie des années 1930. Et cette communication du 17 juin 1939 est, de surcroît, « son premier grand débat avec la gauche intellectuelle française [102] ».

L'évolution de Raymond Aron, à partir de la matrice alinienne, doit être à nouveau replacée en perspective. Car le «plus jamais ça» pacifiste dans lequel il baigna longtemps se doublait, on l'a vu, d'une hostilité à l'égard des «pouvoirs». Hostilité qui ne prédisposait pas à une réflexion approfondie sur les différents régimes politiques en cette «ère des tyrannies». D'autant qu'un tel décalage ne concerna pas seulement les pacifistes extrêmes ou quelques penseurs comme Alain. Les excès d'une littérature «patriote» durant la Première Guerre mondiale firent que le thème d'une Allemagne éventuellement «mauvaise» deviendra tabou. Du coup, la difficulté à penser le nazisme en sera rendue encore plus forte. Au blocage induit par une analyse sans trop de nuances de la nocivité des «pouvoirs» s'ajoutera cet interdit tacite: longtemps, et encore dans la deuxième partie des années 1930, toute analyse alarmiste de ce qui se déroule outre-Rhin sera forcément considérée comme outrancière. Bien plus, une méfiance instinctive envers tout ce

---

102. François Furet, *Le Passé d'une illusion*, réf. cit., p. 363.

qui, de près ou de loin, rappelait le « bourrage de crâne » durant le premier conflit mondial, loin d'être un remède contre l'aveuglement, entraîna souvent, au contraire, par ses excès, une forme de cécité.

Ce mélange de passion pacifiste et de méfiance envers les « pouvoirs » – auquel s'ajoutait, chez Alain et chez Valéry, par exemple, un mépris pour l'Histoire, considérée comme une alchimie dangereuse – déboucha donc parfois sur une réflexion passablement déconnectée du réel, pourtant marqué au fil des années 1930 par la multiplication des régimes autoritaires et la montée des périls.

Cette déconnexion et ces blocages auront parfois d'étranges conséquences. Qu'on songe, par exemple, au cas Giraudoux dans le cadre de ses fonctions de commissaire général à l'Information à partir du 29 juillet 1939. Ces fonctions n'ont jamais trouvé grâce aux yeux des clercs, ni sur le moment ni rétrospectivement. Ce qui, à tout prendre, est singulier. Car, remise en perspective, il s'agissait bel et bien d'une confrontation Giraudoux-Goebbels, ou qui, du moins, aurait pu être ressentie comme telle et devenir, de ce fait, emblématique malgré l'échec. Pourquoi donc, dans ces conditions, y eut-il ce discrédit de ce qui fut pourtant une forme d'engagement d'un intellectuel contre le nazisme ? D'autant que d'autres clercs respectables et respectés furent associés à l'entreprise : entre autres, René Cassin, à l'époque professeur à la faculté de droit de Paris.

Certes, bien des éléments ont contribué à entacher sur le moment et surtout rétrospectivement cette entreprise. Les allocutions du commissaire général, si elles ne tombent pas dans certaines outrances de *Pleins Pouvoirs*, manquent d'aise et de souffle : le style giralducien s'est alourdi, comme empâté par une fonction non souhaitée [103]. De surcroît, l'efficacité de Jean Giraudoux dans ses fonctions ne semble pas avoir fait l'unanimité.

---

103. Jean Giraudoux, *Messages du Continental. Allocutions radiodiffusées du commissaire général à l'Information (1939-1940)*, Grasset, Cahiers Jean Giraudoux, 1987.

Conséquence, pour Suzanne Bidault, qui y fut nommée en août 1939 : « Goebbels pouvait dormir tranquille [104]. » Si l'on ajoute que Goebbels, au moins dans un premier temps, fut victorieux et que, généralement, la défaite condamne par priorité ceux qui ont été les porte-voix des exhortations à la victoire et des propos cocardiers et rassurants, le passif, assurément, est lourd.

Mais, répétons-le, le discrédit, ou, au moins, la réticence, vinrent parfois avant même l'échec. Et ce discrédit retentit un peu comme un écho de la campagne en 1927 contre la « loi Paul-Boncour » sur « l'organisation générale de la nation pour le temps de guerre ». Dans *Europe* du 15 avril 1927, Alain avait parlé d'une « idée folle », et, dans le numéro suivant, le 15 mai, Romain Rolland avait proclamé, on l'a vu : « Le monstrueux projet de loi militaire, audacieusement camouflé par le verbiage bellipaciste de quelques socialistes et voté par escamotage à la Chambre française, le 7 mars dernier, prétend réaliser ce qu'aucune dictature impériale ou fasciste n'a osé encore accomplir en Europe : l'asservissement d'un peuple entier, du berceau à la tombe. »

Parmi les jeunes normaliens qui signèrent la pétition contre la « loi Paul-Boncour », on comptera, il est vrai, durant la Seconde Guerre mondiale, au moins deux intellectuels fusillés (Cavaillès et Lautman), un déporté (Baillou), un « londonien » (Aron), un « maquisard » (Canguilhem), des résistants universitaires (Metz, Marrou) et un commissaire de la République à la Libération (Bertaux). Mais il faut garder en tête les analyses pacifistes des années 1920 pour imaginer la difficulté des retours sur soi des jeunes intellectuels issus de la mouvance alinienne. Et prendre la mesure du caractère précoce de l'évolution de Raymond Aron. Dans d'autres cas, la mutation s'opéra plus tard dans la décennie. Ainsi, Georges Canguilhem, le partisan du pacifisme intégral, l'homme qui proclamait en 1932 son « refus de toute guerre mondiale », allait devenir un « héros de la Résistance ». L'expression est de... Raymond Aron [105], auquel,

---

104. Suzanne Bidault, *Souvenirs*, Rennes, Ouest-France, 1987, p. 23.
105. *Mémoires*, réf. cit., p. 57.

précisément, il s'était opposé sur la question du pacifisme en cette année 1932. La mue qui devait le conduire au combat de l'ombre pendant l'Occupation s'était, en fait, amorcée au milieu de la décennie [106]. À partir de mars 1934, de fait, sa signature disparaît des *Libres Propos,* mais il est difficile, faute de traces écrites, de reconstituer la chronologie de l'adieu au pacifisme. Toujours est-il qu'à la veille de la guerre, et avant même, donc, les situations d'urgence de l'Occupation, cette mue était terminée. Dans le *Traité de logique et de morale* qu'il publie en 1939 avec l'un de ses collègues, le dernier chapitre est consacré à « La Nation et les relations internationales » et à « La guerre et la paix [107] ». Dans les dernières pages du *Traité,* les auteurs observent que « les tenants du pacifisme intégral ne manquent pas d'arguments à faire valoir pour refuser la participation à toute guerre ». Et d'énumérer ces arguments, en précisant en note : « On lira, d'Alain, *Mars ou la guerre jugée,* le livre le plus profond sur la question. » Mais les deux auteurs, à coup sûr, ne partagent pas – ou plus – de telles analyses. Dans les deux dernière pages du livre, intitulées « Réalisme et pacifisme. Conclusion », ils prennent explicitement leurs distances : « Au fond, si on confronte les données du problème international avec les données du problème social en général, on voit que les deux problèmes ne se séparent pas ; la guerre redevient ce qu'elle était naturellement, une lutte de forces entre régimes humains différents. Malgré l'énorme complexité et l'enchevêtrement des problèmes historiques, ce sont des types d'organisation politique et sociale, conformes à un sens général et à une valeur donnée à la vie humaine, qui s'affrontent... Ici, comme l'Hamlet de Shakespeare, il faut choisir. »

Ni Sartre ni, par exemple, Claude Lévi-Strauss n'opérèrent une mue aussi précoce dans ce domaine du pacifisme. Le second déclarera en 1980 : « Quant aux engagements politiques, j'ai été pacifiste dans ma jeunesse et puis j'ai vécu la débâcle de l'armée

---

106. Entretien avec l'auteur, mai 1981.
107. G. Canguilhem et C. Planet, *Traité de logique et de morale,* Marseille, F. Robert et Fils imprimeurs, 1939.

française. […] De m'être si lourdement trompé m'a inspiré une défiance définitive envers mes jugements politiques[108]. » Propos somme toute assez proche de celui de Jean-Paul Sartre en 1961, regrettant, à la lueur de la drôle de guerre, « son anarchisme d'avant-guerre[109] ». En 1939, de fait, l'intéressé, apparemment, n'avait pas terminé sa mue. Dans sa casemate alsacienne de la drôle de guerre, on le verra, il se livre à un lucide examen de conscience et analyse, par exemple, son « antimilitarisme » depuis le milieu des années 1920 et l'influence de *Mars ou la guerre jugée*, « livre essentiel[110] ». Mais, sur l'essentiel, l'Hamlet du Bas-Rhin pose comme principe que le choix est complexe : « Contre *quoi* nous battons-nous ? Contre le nazisme ? Mais depuis un an un fascisme larvé règne en France. L'idée de guerre idéologique était d'avant-guerre. En fait, nous ne trouvons pas un bloc démocratique contre l'Axe. Nous ne sommes pas les ennemis de l'Italie. Et au contraire nous risquons de devenir ceux de la Russie soviétique. D'ailleurs, qu'est-ce que le nazisme aujourd'hui ? Est-ce *Mein Kampf* ? Est-ce Rosenberg ? Est-ce Ribbentrop ? Et qu'est-ce que notre démocratie qui supprime les Chambres et la liberté de penser ? Et *pour* quoi nous battons-nous ? Pour défendre la démocratie ? Il n'y en a plus… Ne pas confondre les origines de cette guerre, qui seront claires, peut-être, pour l'historien, avec les motifs que nous avons de combattre qui, comme je l'ai indiqué plus haut, sont incertains. Il faut en effet tenter de penser une guerre comme *événement*, comme *réalité signifiante* et comme *valeur*. C'est la valeur de cette guerre particulière qui échappe[111]. »

---

108. « Ce que je suis », entretien de Claude Lévi-Strauss avec Jean-Paul Enthoven et André Burguière, seconde partie, *Le Nouvel Observateur*, 817, 5 juillet 1980, p. 18. Cette analyse est apparemment essentielle aux yeux de Claude Lévi-Strauss. Il l'a, en effet, reproduite presque dans les mêmes termes dans d'autres entretiens.

109. « Merleau-Ponty vivant », *Les Temps modernes*, octobre 1961, p. 304.

110. 3 octobre 1939, *Carnets de la drôle de guerre*, Gallimard, édition de 1995, p. 84.

111. 20 octobre 1939, *ibid*, pp. 152-156.

LA GUERRE, AU MITAN DE LA VIE

Cela étant, en ces années de l'immédiat avant-guerre, l'Histoire rattrapait Jean-Paul Sartre[112]. Certes, nous le verrons, la Seconde Guerre mondiale constitue bien un tournant dans la vie du philosophe. Mais ce constat et la citation qui précède ne doivent pas conduire à considérer, comme c'est trop souvent le cas dans les travaux sur Sartre, que la période qui précède immédiatement l'été 1939 est exempte de ferments d'évolution. L'Histoire, à partir de 1937, et contrairement aux trente-deux années d'existence qui précèdent, va avoir désormais prise sur Jean-Paul Sartre, d'abord par réverbération sur l'œuvre puis par empreinte directe sur l'écrivain.

Pourquoi 1937? «Dans les premiers mois[113]» de cette année-là, il rédige la nouvelle intitulée «Le mur», qui sera publiée à l'été dans La Nouvelle Revue française puis reprise en 1939 dans le recueil de cinq nouvelles qui porte le même titre. Si le cadre de cette nouvelle se situe dans l'Espagne de la guerre civile, on aurait tort, bien sûr, d'extrapoler à partir de ce seul texte, et on est loin de L'Espoir d'André Malraux! De surcroît, l'Espagne est plus ici le cadre d'une méditation existentielle – l'attente d'un homme qui va être fusillé – que l'occasion d'une œuvre réellement engagée. Il n'en reste pas moins que l'Histoire, dès cette date, exerce un effet de réverbération sur l'œuvre. Sans pour autant que l'écrivain exprime pour l'heure, comme dans d'autres œuvres de la même époque, une «position politique nette[114]», qui n'apparaît ni dans la nouvelle elle-même ni dans des prises de position publiques qui n'eurent pas lieu.

---

112. J'ai déjà eu l'occasion de proposer cette analyse dans la brève contribution, «Le jeune Sartre, ou la non-tentation de l'Histoire», au numéro double des Temps modernes d'octobre-décembre, 1990, consacré à Jean-Paul Sartre.

113. Annie Cohen-Solal, Sartre, op. cit., p. 171.

114. Mary Jean Green parle de « clear political position » dans Fiction in the Historical Present. French writers and the thirties, University Press of New England, Hanover and London, 1986, p. 244.

Mais l'Histoire, à coup sûr, gagnait du terrain. Et c'est désormais le citoyen Sartre qui allait se trouver progressivement impliqué, comme le montre, en septembre 1938, son attitude au moment de la crise tchèque. L'analyse, sur ce point, doit se faire en deux temps : le jugement personnel de Sartre sur les accords de Munich, et l'attention portée à la crise dont ces accords découlèrent. Pour les accords eux-mêmes, il y a débat rétrospectif sur le sentiment qui fut le sien sur le moment : en d'autres termes, fut-il antimunichois ou munichois ? Simone de Beauvoir a contribué, vingt-deux ans après, dans *La Force de l'âge*, à accréditer l'image d'un Sartre hostile aux accords de Munich[115]. Et, déjà, la description célèbre du retour de Daladier au Bourget, que le philosophe avait brossée en 1945 dans les dernières lignes du *Sursis*[116], pouvait paraître aller dans le même sens. À une remarque près, et d'importance : cette description est rédigée durant l'Occupation ou à la Libération[117], et tout le monde, alors, est rétrospectivement antimunichois[118].

À l'inverse du témoignage de Simone de Beauvoir, le souvenir de Raymond Aron restitue le portrait d'un Sartre plutôt munichois, soutenant notamment qu'« on ne peut pas disposer de la vie des autres[119] ». Faute de document plus précis, il n'est pas possible aux historiens de trancher. Mais si le point aurait été précieux à éclaircir, le débat lui-même est révélateur : Sartre parla autour de lui des accords de Munich et s'interrogea à leur

---

115. *Op. cit.*, p. 345.

116. Jean-Paul Sartre, *réf. cit.*, p. 1133.

117. *Le Sursis* est rédigé sur « environ trois ans » (*ibid*, p. 1868) et sa rédaction est achevée à l'automne 1944.

118. Sur l'intérêt intrinsèque de la description de Sartre, mais aussi ses limites de fiabilité – fiabilité, au reste, que Sartre ne revendiquait pas, porté par la licence du romancier –, cf. la confrontation précieuse avec d'autres sources menée par Élisabeth du Réau dans *Édouard Daladier*, Fayard, 1993, p. 285.

119. Entretien avec l'auteur, 23 janvier 1981. Raymond Aron avait déjà donné un témoignage de même teneur lors de l'émission *Apostrophes* du 18 avril 1980, qui suivit la mort de Sartre. On se reportera aussi à ses *Mémoires*, p. 148.

propos. Pour la première fois, en 1938, l'historien travaillant sur Sartre n'étudie plus un silence, mais, problème classique, confronte des témoignages contradictoires sur un homme qui, désormais, s'exprime sur la vie de la Cité.

Au demeurant, il existe une longue lettre, datée du cœur de la crise tchèque – septembre 1938, sans plus de précision – et adressée au « charmant Castor », dans laquelle Jean-Paul Sartre donne à Simone de Beauvoir « quelques renseignements sur la situation ». Suit une analyse curieusement – par rapport au ton et à la teneur, jusque-là, des missives sartriennes – docte et indéniablement lucide (« Beaucoup de gens disent ici que [la Russie] se tournera alors vers l'Allemagne et ce n'est point impossible »). Avec un Jean-Paul Sartre apparemment conscient de l'enjeu, tant sa lettre est portée par une sorte de gravité et de souffle retenu.

Il faudrait, à cet égard, s'interroger sur l'influence éventuelle, en la matière, de Paul Nizan, à l'époque chef du service étranger du journal communiste *Ce soir*. Ce dernier porta, en effet, à la crise une attention dont témoigne sa *Chronique de septembre,* ouvrage publié dès mars 1939. Certes, on l'a vu, les liens s'étaient apparemment distendus à cette époque entre les deux hommes, mais il est possible que Sartre ait lu, au fil du mois de septembre, les articles de Nizan dans *Ce soir*. Non, du reste, qu'il ait forcément tiré de la crise les mêmes conclusions que ce dernier, partisan de la fermeté puis hostile, de ce fait, aux accords signés à Munich. La lettre de Sartre au « charmant Castor » se termine, en effet, par la satisfaction du... « sursis » obtenu[120].

Sursis d'autant plus goûté par l'intéressé que ces années 1937-1938 marquent pour lui un tournant dans son parcours d'écrivain. Les deux tiers de décennie qui avaient précédé n'avaient

---

120. Pour la lettre à Simone de Beauvoir, cf. *Lettres au Castor et à quelques autres*, t. I, réf. cit., pp. 210-217. Sur les liens apparemment distendus avec Paul Nizan, *ibid.*, pp. 126 et 204-205. La *Chronique de septembre* de ce dernier, publiée en 1939, a été rééditée en 1978 chez Gallimard, avec une préface d'Olivier Todd.

guère été féconds, tout au moins en apparence, encombrés par la lente, et souvent difficile, gestation de *La Nausée*. À Berlin déjà, la rédaction en était à une deuxième version. Trente-six ans après la sortie de l'ouvrage, Sartre confiera en 1974 à Simone de Beauvoir : « *La Nausée* fut un véritable apprentissage [121]. » Entre les textes de jeunesse, publiés dans *La Revue sans titre* en 1923, et *La Nausée*, sortie en avril 1938, le philosophe n'a guère publié que *L'Imagination* (qui reprend, en fait, le sujet de son diplôme d'études supérieures), en 1936, et un article, « La transcendance de l'ego », l'année suivante, dans les *Recherches philosophiques*. Et le romancier a, pour l'heure, une production encore plus maigre. Sa nouvelle « Le mur » est publiée dans *La Nouvelle Revue française* en juillet 1937, tandis qu'une autre nouvelle, « La chambre » – elle aussi reprise dans le recueil *Le Mur* en 1939 –, est publiée dans *Mesures* en janvier 1938. Quant au critique littéraire, il n'en est alors qu'à ses balbutiements : *La Nouvelle Revue française* publie sa première note en février 1938. De surcroît, comme l'a bien noté Jacques Deguy, « le décor de ces années 1930-1936 » avait été, pour Sartre, « à dominante grise » : à la difficulté de l'entrée en littérature – en termes de production comme de reconnaissance – sont venues se conjuguer « les incertitudes du passage à l'âge adulte : les obligations d'un métier, les intermittences du cœur [122] ».

La Nausée, à cet égard, marque incontestablement un tournant. Car le livre connut un réel écho. Tiré initialement à 4 400 exemplaires, il connut une première réimpression dès son année de publication, à 3 300 exemplaires [123]. À titre de comparaison, *L'Amour fou* d'André Breton, publié l'année précédente chez le même éditeur et tiré à 1 800 exemplaires, attendra 1945 pour une réimpression, à 2 200 exemplaires. Même chose pour *La Métamor-*

---

121. *La Cérémonie des adieux*, réf. cit., p. 520.122. Jacques Deguy, présentation de *La Nausée*, « Foliothèque », Paris, Gallimard, 1993, pp. 17 et 19.

122. Jacques Deguy, présentation de *La Nausée*, « Foliothèque », Gallimard, 1993, pp. 17 et 19.

123. Sources : éditions Gallimard.

phose de Kafka, tirée en 1938 à 2 200 exemplaires et qui devra attendre 1946 pour un nouveau tirage. Il est même possible d'affiner l'analyse : en 1938, *La Nausée* se vendit précisément à 4 615 exemplaires, *L'Amour fou* à 540 et *La Métamorphose* à 1395. Un homme comme André Gide, en 1925, avait vu ses *Faux-Monnayeurs* tirés à 8 800 exemplaires et réimprimés l'année suivante à 6 600 exemplaires. Sur une seule année, Jean-Paul Sartre fait donc presque jeu égal avec Gide en 1925, alors auteur déjà consacré.

Au moment où le jeune écrivain voit à son tour l'horizon se dégager, en cette année 1938, l'Histoire voit le ciel s'obscurcir encore davantage. Sartre, au mitan, ou presque, de sa vie, est rattrapé par cette Histoire. Jusque-là, son rapport avec elle avait été placé sous le signe du sommeil, dans les années 1920, puis de la torpeur, au cours de la décennie suivante. L'établissement de la chronologie précise du réveil est malaisé, on l'a vu. Une réalité, pourtant, se fait progressivement jour : contrairement à l'idée courante devenue vulgate, ce réveil fut précédé d'une acclimatation progressive au monde qui l'entourait. Il faudrait, du reste, mais tel n'est pas l'objet de ce livre, voir si le cheminement philosophique de Sartre avait rendu progressivement son acuité historique plus grande, ou si la présence de l'Histoire, dans sa densité de cette fin des années 1930, est seule responsable de l'évolution initiale. Toujours est-il qu'évolution il y eut, au crépuscule de cette décennie. L'image de l'éternel khâgneux au bois dormant trouvant son chemin de Damas sous l'effet du triple choc de l'écroulement national de 1940, de la découverte de la fraternité dans le camp de prisonniers et du spectacle, une fois libéré, du Paris des années noires doit être en partie amendée. En ces dernières années de l'avant-guerre, l'Histoire est si présente, par les nuées qui s'amoncellent, qu'elle envahit progressivement tout le paysage. Il était désormais difficile d'y échapper, sauf à vivre en ermite ou en reclus. Il est possible, pour cette raison, de soumettre à la discussion l'hypothèse suivante, en réponse à la question posée plus haut : en fait, l'Histoire rattrapa alors Jean-Paul Sartre plus que ce dernier n'opéra un tournant vers elle. La perte de l'innocence fut, à cet égard, davantage subie que voulue.

Et, en tout état de cause, elle était tardive. Sartre, en effet, se trouva rattrapé par la vague de l'Histoire en même temps que la génération suivante, celle des enfants de l'après-guerre qui eurent vingt ans en cette fin de décennie. C'est le cas, par exemple, de Louis Althusser, qui écrira en 1965, dans la préface de *Pour Marx* : « Elle [c'est-à-dire l'Histoire] s'était emparée de notre adolescence dès le Front populaire et la guerre d'Espagne, pour nous imprimer, dans la guerre tout court, la terrible éducation des faits. Elle nous avait surpris là où nous étions venus au monde, et des étudiants d'origine bourgeoise ou petite-bourgeoise que nous étions, elle avait fait des hommes instruits de l'existence des classes, de leur lutte et de son enjeu. Des évidences qu'elle nous avait imposées, nous avions tiré la conclusion en ralliant l'organisation de la classe ouvrière, le Parti communiste. » Même par rapport à cette génération de quinze années sa cadette, Sartre connaît un engagement tardif, post-Front populaire. Mais il s'en rapproche tout de même plus que de sa propre génération, par certains aspects tout au moins. Jusqu'à l'attrait du communisme, après guerre, qui l'en rapproche aussi. À bien y regarder, la plus grande partie de la génération normalienne de 1905 est restée rétive, avant et après la guerre, à l'attrait du communisme [124]. Le parallèle entre Sartre et Althusser, pourtant distants par l'âge de treize années, présente plusieurs similitudes frappantes : éveil politique dans les dernières années d'avant-guerre, choc du camp de prisonniers en 1940, attrait du communisme après la Libération, ou, plus précisément, nécessité de se situer par rapport à lui.

Pour l'heure, en cette fin de décennie, il va être bientôt minuit dans le siècle et les jeunes gens de la génération de Louis Althusser comme les hommes faits de celle de Jean-Paul Sartre vont être confrontés au cataclysme de 1940.

---

124. Cf. *Génération intellectuelle*, réf. cit., notamment p. 424.

III

Deux clercs en guerre mondiale

> La guerre a vraiment divisé ma vie en deux. [...] Ça a vraiment été le passage de la jeunesse à l'âge mûr. En même temps, la guerre m'a révélé certains aspects de moi-même et du monde [1].

> Je demeure marqué à tout jamais par cette expérience qui m'a incliné vers un pessimisme actif. Une fois pour toutes, j'ai cessé de croire que l'Histoire obéisse d'elle-même aux impératifs de la raison et aux désirs des hommes de bonne volonté [2].

Comme les autres citoyens mobilisés, les intellectuels s'installent après la déclaration de guerre dans un immobilisme de fait que les observateurs appelleront bientôt la « drôle de guerre ». L'incongruité de la situation laisse souvent perplexes ces clercs aux armées. Marc Bloch, par exemple, écrit à Michel Mollat le 4 décembre 1939 : « Quelle étrange guerre ! » Bientôt viendra pour le père fondateur des *Annales* le temps de la réflexion sur... *l'étrange défaite*, qu'il rédigera après le choc du printemps 1940. Les clercs plus jeunes, de la génération de Sartre, firent

---

1. Jean-Paul Sartre, « Autoportrait à soixante-dix ans », *Situations* X, Gallimard, 1976, pp. 179-180.
2. R. Aron, *Leçon inaugurale au Collège de France*, 1er décembre 1970, Collège de France, 1972, p. 14.

eux aussi la découverte de l'étrangeté de la situation historique. Ainsi Paul Nizan, qui, dans une lettre du 18 octobre 1939, écrit : « Le soldat, qui a l'esprit simple, se dit : on m'a mobilisé pour la guerre. La guerre c'est la bataille. Or je ne me bats pas. Il me faut changer la définition de la guerre[3]. » Pour les chercheurs de sens que sont souvent les intellectuels, la situation, de fait, est souvent encore plus mal vécue que par d'autres catégories. Marc Bloch parle d'une « besogne de moins en moins intelligente[4] » et il écrit à Lucien Febvre le 8 octobre 1939 qu'il « enrage d'être si mal employé », ajoutant : « Il me déplairait en tant qu'homme, en tant aussi qu'appartenant à ceux que le pauvre Langevin et consorts nommaient les INTELLECTUELS [en majuscules dans la lettre], il me déplairait, dis-je, de paraître mettre mes ambitions dans un total repli. » Conclusion de ce constat de sous-emploi : « La moutarde me monte au nez de ce que je fais[5]. »

SARTRE : UN « SÉRIEUX CHANGEMENT »

Pour Sartre, la « drôle de guerre » se déroule dans le Bas-Rhin. Au demeurant, c'est le sort commun de la plupart des intellectuels de sa génération que d'être ainsi mobilisés et dispersés dans les unités françaises de l'Est ou du Nord. À partir de là, il est vrai, une typologie s'impose : les situations locales, le rapport avec les supérieurs hiérarchiques, le tempérament aussi débouchent sur des usages bien différents des bribes volées au temps suspendu des garnisons. Avec, pour tous, une commune

---

3. Pour la lettre de Marc Bloch, cf. *Marc Bloch à Étienne Bloch. Lettres de la « drôle de guerre »*, édition établie et présentée par François Bédarida et Denis Peschanski, *Cahiers de l'IHTP*, n° 19, décembre 1991, p. 13. La lettre de Nizan, également citée dans ce *Cahier*, a été publiée dans *Écrits et correspondance 1926-1940*, Maspero, 1967, p. 263.

4. Lettre du 20 septembre 1939, réf. cit., p. 15.

5. *Ibid*, pp. 43-44.

« rumination ». Le philosophe Jean Lacroix, de quelques années l'aîné de Sartre et d'Aron – il est né en 1900 – et qui a quitté sa chaire de la khâgne de Lyon, décrira finement dans le numéro d'*Esprit* de février 1940 le sort de « l'intellectuel aux armées » – c'est le titre de sa brève « chronique », signée « sergent Lacroix[6] ». L'intellectuel a alors « pour la première fois l'impression de se dépouiller de tout ce qu'il y a de factice en lui » mais il est menacé de « rumination mentale ». Une telle « rumination » n'est certes pas inhérente à la vie d'intellectuel sous les drapeaux, et elle ne lui est pas propre. Il reste que la semi-servitude de la vie de garnison introduisait souvent chez les clercs une rupture dans la vie quotidienne beaucoup plus fortement ressentie que dans d'autres corporations, déjà régies par des rapports d'autorité ou de hiérarchie.

Dès lors, le déracinement, la macération et le souci de maintenir une activité de pensée engendrèrent carnets et journaux de clercs, avec toute une palette de genres, depuis le livre de comptes intellectuels et moraux jusqu'au carnet d'égotisme. À la première catégorie se rattache, par exemple, le *Journal de guerre* du philosophe Georges Friedmann, qui met à profit la « drôle de guerre » passée dans un hôpital de campagne pour s'interroger sur « l'état d'esprit d'un intellectuel qui se détache de l'Union soviétique ». Et l'auteur, ancien compagnon de route du Parti communiste de 1930 à 1936, de préciser : « livre écrit avant tout pour moi. Mais sincérité totale[7] ».

Du second genre relèvent les *Carnets de la drôle de guerre* de Jean-Paul Sartre. Durant l'hiver alsacien 1939-1940, donc, le philosophe aux armées noircit des *Carnets*[8] qui constituent autant de sources précieuses aussi bien pour l'exégète de l'œuvre sartrienne – dont certains pans apparaissent en filigrane des pages

---

6. *Esprit-Le Voltigeur*, 89, février 1940, pp. 291-294.

7. Georges Friedmann, *Journal de guerre 1939-1940*, Gallimard, 1987, pp. 31, 41, 102 et 253.

8. *Les Carnets de la drôle de guerre. Novembre 1939-mars 1940*, Gallimard, 1983. Et nouvelle édition, avec le premier carnet jusque-là inédit, Gallimard, 1995.

alors écrites – que pour l'historien qui tente d'éclaircir un éveil
à la vie de la Cité. Quelques mots, notamment, y sont, à cet
égard, essentiels. En février 1940, Jean-Paul Sartre, se penchant
sur les deux décennies de sa vie qui viennent de s'écouler,
évoque, au détour d'une ligne, son « indifférence politique[9] ».
Le propos, déjà signalé, est recoupé par le souvenir, vingt ans
après, de Simone de Beauvoir dans *La Force de l'âge*: « Au début
de février [1940], j'allai attendre Sartre à la gare de l'Est. La
semaine se passa en promenades et en conversations. Sartre
pensait beaucoup à l'après-guerre ; il était bien décidé à ne plus
se tenir à l'écart de la vie politique. Sa nouvelle morale, basée
sur la notion d'authenticité, et qu'il s'efforçait de mettre en pratique, exigeait que l'homme "assumât" sa "situation"; et la seule
manière de le faire, c'était de la dépasser en s'engageant dans
une action : toute autre attitude était une fuite, une prétention
vide, une mascarade fondées sur la mauvaise foi. On voit qu'un
sérieux changement s'était produit en lui[10]... »

L'aveu dans les *Carnets* est moins intéressant en lui-même –
tout, on l'a vu, confirme un tel diagnostic – que par ce qu'il sous-
tend. S'agit-il seulement, dans une sorte d'accès de lucidité tardive, d'un simple constat clinique ? Ou est-ce l'expression d'un
regret qui déjà le taraude ? Jusqu'à une date très récente, il était
difficile de trancher, faute de sources complémentaires. Les
témoignages donnés par l'intéressé étaient chronologiquement
très éloignés de la période de la guerre. Ainsi cette appréciation
bien connue, livrée près d'un quart de siècle plus tard, à la mort
de Maurice Merleau-Ponty: « Je ne sais s'il a regretté, en 39, au
contact de ceux que leurs chefs appellent curieusement des
hommes, la condition de simple soldat. Mais, quand je vis mes
officiers, ces incapables, je regrettai, moi, mon anarchisme
d'avant-guerre : puisqu'il fallait se battre, nous avions eu le
tort de laisser le commandement aux mains de ces imbéciles

---

9. *Carnets* XI, *op. cit.*, p. 216 de l'édition de 1983.
10. *Op. cit.*, p. 442.

vaniteux[11].» Mais ce témoignage est trop largement rétrospectif pour être reçu et examiné en l'état, d'autant qu'au moment où il est donné, en 1961, il a aussi un usage immédiat, et donc instrumental : attaquer l'armée engagée dans la guerre d'Algérie. Car si «le commandement» était, en 1939, «aux mains [d'] imbéciles vaniteux», Sartre ajoute dans son article : «On sait qu'il y est resté, après le court intérim de la Résistance, c'est ce qui explique une partie de nos malheurs.»

Il reste donc difficile de dégager la signification précise de l'aveu de février 1940. Cet aveu, et c'est ce qui compte ici, était déjà le signe qu'une évolution s'était amorcée à cette date. Il faut donc confirmer l'abandon du cliché d'un Sartre connaissant une sorte de chemin de Damas, quelque part entre le choc de la défaite du printemps 1940 et le stalag XII D de l'hiver suivant. L'Histoire était déjà entrée progressivement dans sa vie, entre l'Espagne de 1936 et la gare de l'Est de l'été 1939. Et la publication au début de 1995 du premier carnet écrit par Sartre durant la « drôle de guerre » confirme bien ce qui n'était jusque-là qu'une hypothèse[12].

Il faut donc amender l'image d'un nouveau Sartre sorti tout armé du chaudron de la guerre. Les prodromes de celle-ci avaient déjà enclenché la métamorphose[13]. Le constat, il est

---

11. «Merleau-Ponty vivant», *Les Temps modernes*, n° 184, octobre 1961, pp. 304-376, citation p. 304 (texte repris dans *Situations* IV, Gallimard, 1964).

12. Ce chapitre avait été rédigé avant la publication, en février 1995, de ce carnet jusque-là inédit et que je n'avais donc pas eu l'occasion de consulter auparavant. J'y ai trouvé confirmation de l'analyse non seulement de ce chapitre mais du livre tout entier. Ce *Carnet* I est absolument essentiel : Sartre y fait l'aveu que l'Histoire lui a été longtemps « masquée » (p. 83) et y formule à plusieurs reprises, et longuement, une manière d'autocritique. D'une certaine façon, il était logique que ce texte existât car il constituait un élément manquant, dont l'existence pouvait être déduite, un peu comme une planète, par déduction mathématique de la présence des autres textes sartriens. Parmi les passages fondamentaux pour notre propos, signalons notamment les pages 83-88 et 135-136.

13. Cette analyse, que nous avons développée à la fin du chapitre précédent, est là encore confortée par le *Carnet* I, pp. 86-87.

vrai, est en même temps très largement un faux problème.
D'une part, la notion même de prodrome signifie que le monde
était entré en cette fin des années 1930, avant même
septembre 1939, dans une phase d'accélération de l'Histoire.
D'autre part, la guerre proprement dite, même si elle n'a pas été
l'événement strictement fondateur de l'évolution sartrienne, en
a été à coup sûr l'amplificateur et l'accélérateur. Son rôle reste
donc déterminant à l'échelle d'une vie. Et le contraste demeure
entier entre un Aron qui perçoit l'entrée du monde en turbulence historique au seuil des années 1930 et un Sartre rattrapé
par l'Histoire à la fin de la même décennie.

Pour le Sartre de trente-quatre ans, la prise de conscience
d'être partie intégrante – et, à une modeste échelle, défenseur –
d'une nation en guerre accélère incontestablement un processus
qui s'était engagé très lentement jusque-là. Et l'analyse historique
vient, dans ce cas précis, confirmer le passage de *La Force de l'âge*,
déjà cité, où Simone de Beauvoir décrit les dispositions d'esprit
de Jean-Paul Sartre en février 1940, au moment de sa semaine de
permission parisienne : « Il était bien décidé à ne plus se tenir à
l'écart de la vie politique. » La correspondance, dans les deux
sens, entre Simone de Beauvoir et Jean-Paul Sartre durant l'automne 1939 et l'hiver 1939-1940 et les six carnets dont nous dis-
posons pour la même période confirment bien cette décision et
l'éveil qui la sous-tend.

ARON : LES CHARS OU LA PLUME ?

Jean-Paul Sartre est fait prisonnier le 21 juin, jour anniversaire
de ses trente-cinq ans. Deux jours plus tard, Raymond Aron
embarquait à Saint-Jean-de-Luz pour l'Angleterre. Pour lui
aussi, la « drôle de guerre » avait été un moment de réflexion et
de rédaction. Et cette réflexion était tournée vers l'Histoire en
train de se faire. Dès le printemps 1937, en effet, Raymond Aron

s'était intéressé à Machiavel[14]. Une telle démarche lui était largement dictée par l'observation de la tournure prise par les relations internationales. À travers Machiavel, c'est une réflexion sur l'usage de la force et sur la pratique du mensonge des régimes dictatoriaux qui s'amorce. Il est difficile d'établir avec précision ce qui en fut déjà rédigé avant septembre 1939. Toujours est-il que la «drôle de guerre» le voit remettre sur le métier son ouvrage sur «le Machiavélisme au XXᵉ siècle». Dans une lettre adressée à son épouse le 28 novembre 1939[15], il évoque une première partie déjà achevée et signale qu'il est en train de rédiger la deuxième, «le Machiavélisme et les doctrines politiques au XXᵉ siècle». Devraient suivre «Machiavélisme et régimes totalitaires» et «La France à l'époque des césarismes démagogiques». Et de conclure: «Ce travail me distrait assez, du moins les jours où quelque incident de la vie militaire ne me retient pas des heures pour une sottise.»

Le travail avancera et, quand vient le temps de l'exode, la musette d'Aron est, comme celle de Sartre, alourdie de textes rédigés durant les mois d'attente. Raymond Aron remettra ce manuscrit inachevé à des amis à Sucy-en-Brie puis le récupérera après la Libération. Mais ce texte préservé sera ensuite égaré et ne réapparaîtra qu'en 1990. Édité en 1993[16], il est essentiel: il nous livre le chaînon manquant dans l'évolution de la réflexion politique et historique de Raymond Aron.

Celui-ci, dans le court traité qui nous est ainsi donné plus d'un demi-siècle après sa rédaction, écrivait: «Contemporain de Hitler, Staline, Mussolini, j'ai à mon tour relu *Le Prince* et les *Discours* et cherché le secret du machiavélisme. Si nous prenons le mot au sens où il est employé vulgairement, rarement époque fut plus machiavélique que la nôtre[17].» Et, de fait, il est question

---

14. Raymond Aron, *Mémoires*, réf. cit., p. 210.
15. *Commentaire*, février 1985, p. 233.
16. Avec un ensemble de textes sur le totalitarisme, et sous le titre *Machiavel et les tyrannies modernes*, De Fallois, 1993.
17. *Op. cit.*, p. 59.

de Mussolini et de Hitler, mais aussi de Staline. En d'autres termes, dans cet essai, et avant Hannah Arendt, s'amorce chez Aron une réflexion menée de front sur communisme et fascisme. L'évolution est très nette par rapport à l'avant-guerre : « Le national-socialisme ou le communisme n'est pas machiavélique seulement à nos yeux parce qu'il ruse, trompe, ment, viole la parole donnée, assassine [18]. »

Tout indique donc que si la guerre a été, pour reprendre l'épigraphe de ce chapitre, une « expérience » à nulle autre pareille dans la vie de Raymond Aron et en a infléchi le cours, elle joua seulement, dans son évolution intellectuelle, un rôle d'accélérateur d'un processus déjà en marche. La même épigraphe, extraite d'un texte pesé au trébuchet – la leçon inaugurale au Collège de France –, est, à cet égard, tout à fait explicite : « Une fois pour toutes, j'ai cessé de croire que l'histoire obéisse d'elle-même aux impératifs de la raison et aux désirs des hommes de bonne volonté. »

Quand cette guerre éclata, le parcours universitaire d'Aron, très brillant – major à l'agrégation de philosophie, docteur ès lettres à trente-trois ans – et en même temps très classique, venait de connaître un premier aboutissement avec une maîtrise de conférences à l'université de Toulouse pour la rentrée de 1939. Et pourtant, il ne prendra une chaire que seize ans plus tard, la cinquantaine venue. Entre-temps, non seulement la guerre avait différé son entrée en faculté, mais elle avait changé le fil d'une vie.

Au moment de la mobilisation, le sergent Aron avait rejoint une station météorologique des Ardennes et y avait connu les mornes mois de la « drôle de guerre ». Au moment de l'attaque allemande, il avait tenté à nouveau – comme au cœur de l'hiver – de se faire verser dans une section de chars, mais l'avance allemande avait tout emporté et le désir d'action s'exprima bientôt à travers la décision de passer en Angleterre.

---

18. *Op. cit.*, p. 119.

Curieusement, une telle décision apparaît souvent, dans les réflexions sur les vies parallèles des deux « petits camarades », comme banale et allant, somme toute, de soi. Il faudrait au contraire en souligner le caractère atypique et statistiquement exceptionnel au sein de l'Université française. D'autant qu'Aron, à cette date, n'est plus un jeune clerc et qu'il a, de surcroît, charge de famille. Famille qui ne parviendra à le rejoindre qu'en juillet 1943 : Suzanne et Dominique Aron arriveront à Londres à cette date, et Emmanuelle y naîtra en juin 1944. Entre-temps, il aura dû, bien sûr, écrire sous un pseudonyme – René Avord – pour protéger les siens, restés sur le continent.

Les années londoniennes de Raymond Aron sont bien connues, d'autant que ses articles écrits alors dans *La France libre* ont été souvent analysés. La question la plus importante, ici, pour notre propos, est le choix initial de la plume comme arme. Comme au mois de mai précédent, Aron, en arrivant à Londres, avait souhaité s'engager dans les blindés. Il s'était retrouvé chargé de la comptabilité de son unité. L'épisode, en lui-même, était certes frustrant mais ne tirait pas forcément à conséquences sur le moyen terme. La véritable bifurcation, en fait, s'opéra quelques semaines plus tard, et cette fois-ci en pleine autonomie de décision. André Labarthe lui proposa le 17 août 1940 de devenir le secrétaire d'une revue qu'il s'apprêtait à fonder. Après trois jours de réflexion, l'intéressé donna une réponse positive.

À plusieurs reprises depuis, et notamment dans ses *Mémoires,* Raymond Aron évoquera le tourment qui le taraudera le reste de son âge : a-t-il eu raison d'opter pour le combat de l'esprit plutôt que pour la participation directe à l'action ? Il n'appartient pas ici à l'historien de trancher : le choix était affaire de conscience, et tout indique qu'il fut douloureux à opérer et qu'Aron s'interrogea dès lors constamment, durant la guerre comme par la suite, sur sa pertinence. Mais, là encore, il convient de rappeler que de tels scrupules ne doivent pas dissimuler l'essentiel : Raymond Aron fut, en juin 1940, l'un des rares professeurs d'université – la maîtrise de conférences est à cette époque le premier degré du statut de professeur – à rejoindre Londres. Et l'on a vu, notamment, ce qu'un tel choix impliquait pour sa vie familiale. Bien plus, pour n'être pas d'action directe les armes à la main, sa participation aux combats de la France libre est immédiate, entière et sans ambiguïtés. On notera du reste que, par une sorte d'ironie de l'Histoire, Raymond Aron s'installe à une fonction, le combat intellectuel, que lui-même et les jeunes normaliens de 1927 ont, d'une certaine façon, condamnée dans leur pétition contre la loi Paul-Boncour. Cette pétition, on s'en souvient, s'attaquait aux deux derniers paragraphes de l'article IV, qui prévoyaient, « dans l'ordre intellectuel, une orientation des ressources du pays dans le sens des intérêts de la défense nationale » et, plus largement, « toutes les mesures nécessaires pour garantir le moral du pays ». En 1940, Raymond Aron, par son choix, participait à la mobilisation intellectuelle et morale de la France libre – c'est-à-dire, désormais et jusqu'à la victoire, pour lui « le pays ». Cela étant, il est vrai, son choix raisonné et assumé renvoyait à un autre aspect de la pétition de 1927, qui évoquait « l'idée d'une nation armée qui suppose le libre assentiment des citoyens ».

Durant ses quatre années londoniennes, Raymond Aron écrira de très nombreux articles [19]. Ces chroniques substantielles, qui atteignaient souvent une dizaine de pages, sont passionnantes car l'historien et le philosophe Aron s'y mêlent au témoin et – à son créneau – à l'acteur. Le propos de ce livre n'appelle pas ici une étude approfondie. On a déjà souvent souligné combien novembre 1942 apparaissait à Aron comme une coupure essentielle : « Si, à cet instant décisif, les gouvernants de Vichy avaient eu la clairvoyance, le courage ou simplement le

---

19. Les plus notables de ses chroniques – au nombre de 67 – ont été rééditées récemment (*Chroniques de guerre. La France libre, 1940-1945*, Paris, Gallimard, 1990 ; cf. aussi l'édition de la fin de la guerre en trois livres chez Gallimard, à partir de laquelle sont faites les citations : *De l'armistice à l'insurrection nationale*, 1945, *L'Âge des empires et l'avenir de la France*, 1945, *L'Homme contre les tyrans*, 1946, 1re éd. New York, Éditions de la Maison française, 1944).

bon sens de faire leur choix, tout leur passé aurait pris rétrospectivement une autre signification. » Cette analyse et certaines du même type ont fait soupçonner une complaisance de l'auteur pour Vichy. Outre que l'accusation peut paraître déjà incongrue concernant quelqu'un qui aurait eu à souffrir, s'il était resté sur le sol métropolitain, des lois antisémites de la Révolution nationale, outre aussi que l'intéressé a rejoint Londres l'un des tout premiers, outre enfin qu'il y a chez lui dès le départ l'intuition que la bataille de France ne terminait pas une guerre qui ne faisait, au contraire, que commencer, on passerait en fait, à reprendre de tels soupçons, à côté de l'essentiel : déjà chez l'analyste Aron, il y a cette idée profondément et définitivement ancrée qu'il n'est « pas plus légitime de prêter à tous les pires motifs que de supposer chez tous la prévision du déroulement du conflit[20] ».

Cette volonté d'éviter l'incantation et de toujours livrer les attendus raisonnés de ses jugements est constante et souvent explicite. Ainsi, s'interrogeant sur les motivations des écrivains collaborationnistes, et notamment Chardonne, Montherlant et Drieu La Rochelle, il écrit : « Si tenté que l'on soit de rejeter cette littérature, on doit s'imposer une bonne fois l'effort de l'étudier. Car il faut donner réponse à la question que chacun se pose : comment, pourquoi, par quelle voie, des écrivains français en sont-ils venus à se faire les agents de Goebbels[21] ? »

Ce penchant à disséquer et cette inclination à donner la parole à l'accusé ne doivent pas conduire à conclure à la complaisance. On oublierait, répétons-le, que le chemin de l'exil a été pris dès la fin de juin 1940. Bien plus, le fait est peu connu, on ne perdra pas de vue que si Sartre publie beaucoup sous l'Occupation, Aron, dès septembre 1940, se retrouve sur la fameuse « liste Otto » d'ouvrages bannis par l'occupant. Il s'y retrouve même à un double titre. D'une part, son ouvrage aux Presses universitaires de France sur *La Sociologie allemande contemporaine* figure sur la première liste publiée, d'autre part, l'une

---

20. *De l'Armistice à l'insurrection nationale*, pp. 359 et 362.
21. *L'Homme contre les tyrans*, réf. cit., p. 132.

des publications de la « Docu », *Inventaires II. L'économique et le politique*, se trouve également interdite de publication et les auteurs mentionnés sont « Aron, Vaucher, etc. [22] ». Par ailleurs, Raymond Aron applique dans ses articles de *La France libre* un principe dans le droit fil de ses méditations des années 1930 : ses interventions civiques n'entendent pas être seulement l'expression d'une opinion mais plus largement un avis autorisé, fondé sur une maîtrise, par exemple, de l'étude des relations internationales ou de l'économie. Il le dit explicitement dans cet article triplement important qu'est « Prestige et illusion du citoyen contre les pouvoirs » publié en septembre 1941. Article important, d'abord, parce que Aron y rompt définitivement avec le versant politique de l'œuvre d'Alain : de ce point de vue aussi, la mue est bien terminée à cette date. Important, également, parce qu'il y explique ce statut d'observateur se dotant des attributs de la compétence et de l'expertise. Important enfin parce qu'il y évoque sa volonté désormais de toujours s'interroger, dans le jugement porté sur une décision politique, sur sa propre attitude dans une situation identique.

Certaines des analyses alors développées sont, bien sûr, dictées par l'urgence. Ainsi, Raymond Aron écrit au printemps 1941 : « On ne proclamera jamais assez haut que les nations alliées contre l'Allemagne hitlérienne luttent pour leur vie même [23]. » Et de surenchérir quelques mois plus tard : « Cette guerre est une lutte à mort : il s'agit pour les nations de périr ou de survivre [24]. » Mais l'appel à la lutte se double dès le début d'une réflexion en profondeur sur « l'État partisan [25] », dans lequel « la fin est toujours d'organiser l'ensemble de la société de manière telle que l'existence de tous et de chacun trouve son unité dans le service de l'État [26] ».

---

22. Cf. notamment cette liste dans Pascal Fouché, *L'Édition française sous l'Occupation*, Publications de l'IMEC, 1987.

23. *L'Homme contre les tyrans*, réf. cit., p. 37.

24. *Ibid*, p. 201.

25. *Ibid*, p. 40.

26. *Ibid*, p. 45.

D'une certaine façon, ces articles ont joué le rôle de sas pour Raymond Aron. Avant la guerre, l'universitaire avait privilégié logiquement le livre et, sur un autre registre, l'article de revue scientifique ou académique. Après la guerre, embrassant une carrière d'éditorialiste, il livrera, au fil des ans, ces textes de quelques feuillets qui deviendront le support de ses analyses à chaud des relations internationales. Certes, la périodicité mensuelle de *La France libre* lui laissait un peu plus de champ par rapport à l'événement commenté, et la nature de ses chroniques lui laissait plus de place pour le commentaire, mais le passage d'un genre à l'autre s'est bien opéré à Londres de 1940 à 1944.

Mais le sas n'aurait pas eu sa raison d'être si la guerre n'avait pas joué de surcroît, et beaucoup plus largement, le rôle de césure essentielle dans la hiérarchie des activités de Raymond Aron : sur ce plan, nous le verrons, il y a bien pour lui un avant et un après 1939-1945 [27].

Une exégèse plus attentive des textes aroniens devrait aussi permettre de préciser le jugement que portait alors Raymond Aron sur le chef de la France libre. Là n'est pas notre propos. Une telle étude devrait, en tout état de cause, être replacée dans le contexte des relations fort complexes entre les différentes tendances de la France libre. Le fameux article d'août 1943 sur « L'ombre des Bonaparte » est ainsi à replacer dans la tumultueuse histoire intérieure de la France libre. En 1991 encore, un ancien londonien comme Maurice Schumann jugeait « scandaleux » le parti adopté par *La France libre* et notamment cet article de Raymond Aron [28].

---

27. Pour une première approche fine et synthétique du rôle joué par la Seconde Guerre mondiale dans ces activités de Raymond Aron, signalons l'étude de Valérie Hannon, « De l'université au journalisme : le poids de la Seconde Guerre mondiale chez Raymond Aron (1939-1955) », Actes du colloque de Clermont-Ferrand, novembre 1993, « Étudiants, universitaires, universités en France pendant la Seconde Guerre mondiale », à paraître.

28. Entretien avec Thibault Tellier, dans le mémoire de maîtrise de ce dernier, *Maurice Schumann 1939-1945*, Lille III, 1991, p. 256.

UNE DOUCE OCCUPATION ?

Si les points qui précèdent sont, en soi, importants pour l'établissement d'une biographie politique de Raymond Aron, les années de guerre de ce dernier, on l'a vu, ne posent pas à l'historien de problèmes insurmontables. Techniquement bien plus complexes à reconstituer avec précision sont pour le chercheur les années d'Occupation de Jean-Paul Sartre, car ce dernier se dérobe largement à l'examen, sans, du reste, qu'il y ait eu de sa part volonté délibérée d'occultation ou, pour le moins, d'opacité. Mais le fait est là : non seulement il faut proposer plusieurs photographies successives car Sartre, on va le voir, continue à évoluer dans son rapport avec l'Histoire après l'année 1939-1940, mais celles-ci restent le plus souvent floues et relèvent du cliché, dans le sens commun du terme.

Le problème est patent, par exemple, pour la question de la résistance de Sartre, tant les versions proposées apparaissent contradictoires. Est-il resté, trois années durant, de son retour de captivité au printemps 1941 jusqu'à la libération de Paris à l'été 1944, un intellectuel au bois dormant qui, à peine éveillé en 1939 de son lourd sommeil politique, se serait à nouveau assoupi, ciselant une œuvre littéraire et philosophique durant les années grises de l'Occupation ? Ou fut-il, à son créneau et avec ses moyens, un authentique résistant ? Le débat s'est encore compliqué avec la publication, en 1991, d'une charge très sévère contre Jean-Paul Sartre et Simone de Beauvoir en guerre mondiale, période qui n'aurait été pour eux qu'une « si douce Occupation [29] ». Sartre n'aurait pas tenu seulement le rôle passif de Fabrice à Waterloo, il aurait pratiqué, au prix d'une complaisance avec l'ennemi, une sorte d'activisme carriériste, consacrant, tout comme Simone de Beauvoir, ses années de guerre à promouvoir sa carrière littéraire. Bien plus, à l'ambition

---

29. Gilbert Joseph, *Une si douce Occupation… Simone de Beauvoir et Jean-Paul Sartre 1940-1944*, Albin Michel, 1991.

dévorante doublée de compromission se seraient ajoutés le mensonge et le détournement de sacrifice : à la Libération, Sartre aurait usurpé le titre de résistant.

Les excès du livre comme ceux, inversement, de certains critiques en rendant compte dans la presse illustrent bien la difficulté de traiter le cas Sartre avec équité. Pour ce faire, il faut d'abord remonter, à nouveau, vers la période de la « drôle de guerre ». Même si celle-ci a constitué un tournant décisif dans l'évolution de Jean-Paul Sartre, la mue ne s'opéra pas totalement en ces mois de garnison. Le soldat Sartre parvint, en effet, dans la grisaille des travaux et des jours, à conserver son quant-à-soi. À défaut d'être une fuite, l'écriture constituait bien un refuge, et l'ampleur de sa production – qui révèle, avec les *Carnets* notamment, un véritable tempérament d'écrivain – à cette date montre bien que Jean-Paul Sartre avait réussi à bâtir son propre bunker – au moins intérieur – au sein des fortifications de la ligne Maginot. Certes, écrira Simone de Beauvoir, il y a, dès cette date, chez lui la conviction que l'homme doit « assumer » sa « situation », mais celle-ci n'est pas encore celle d'une catastrophe nationale. L'Histoire, pour Sartre, s'est levée, mais le vent n'est pas encore à la tempête. Le 16 mai, six jours après le déclenchement de l'offensive allemande, dans une lettre au « charmant Castor », il ne « croit pas du tout » que les Allemands « perceront ». Du coup, avant de « reprendre son carnet », le problème de l'heure semble être de « finir au plus vite le roman [30] ». Déjà, à la fin du mois d'août 1939, en pleine crise polonaise, il écrivait à Louise Védrine : « Je ne crois pas vraiment à la guerre [31]. »

L'Histoire, on le sait, en décida autrement. Et, dès lors, l'heure n'était plus à la méditation et à cette forme de contemplation qu'avait permises la semi-réclusion de la vie de garnison. Jean-Paul Sartre, on l'a dit, est fait prisonnier le 21 juin. Les témoignages rassemblés par Gilbert Joseph sont, à cet égard,

---

30. *Lettres au Castor*, t. II, réf. cit., pp. 230-231.
31. *Ibid.*, t. I, p. 268.

concordants : à cette date semblent encore compter avant tout les trois musettes de manuscrits qui alourdissent la marche et ne contribuent guère à améliorer l'ordinaire de ses compagnons d'infortune.

Avec la défaite, l'Histoire, cette fois, aura pleinement rattrapé Jean-Paul Sartre, soldat de l'an 1940 se retrouvant à trente-cinq ans dans un camp de prisonniers en Allemagne. Certes, il n'y séjourna qu'une neuvaine de mois mais il y a bien là l'un des moments tournants de la vie du philosophe. Car c'est probablement à cette occasion que s'opère ou, en tout cas, se parachève la découverte du lien social. Peu importe, au bout du compte, que la gerbe de témoignages réunis par Gilbert Joseph montre un Sartre passablement distant et déphasé par rapport à ses compagnons d'infortune, alors que l'abbé Marius Perrin a brossé un tableau beaucoup plus chaleureux des mois passés en stalag avec Sartre [32]. La diversité même des regards portés sur le soldat Sartre révèle un homme qui existe désormais aux yeux des communautés ordinaires qui l'entourent, car il y est maintenant – par la force des choses ou volontairement, il y a sur ce point incertitude persistante – immergé. Et le contraste est d'autant plus fort que cette immersion avait été très superficielle jusques et y compris durant la drôle de guerre. Les *Carnets* – et notamment le premier d'entre eux – montrent bien la distance qui subsiste encore à cette date entre Sartre et ses camarades de chambrée. C'est bien le stalag qui est, sur ce plan, le moment tournant. Un tiers de siècle après, il s'en expliquait en ces termes auprès de John Gerassi : « J'ai retrouvé au stalag une forme de vie collective que je n'avais plus connue depuis l'École normale. [...] Ce que j'aimais au camp c'était le sentiment de faire partie d'une masse [33]. »

La découverte du lien social, à peine amorcée dans les casemates de la ligne Maginot, se poursuivit donc au stalag XII D et

---

32. Marius Perrin, *Avec Sartre, au stalag 12 D*, éditions Jean-Pierre Delarge, 1980.

33. Entretiens inédits avec John Gerassi, 1973, cité dans les *Œuvres romanesques*, réf. cit., p. LVI.

s'amplifia même, du fait des conditions inhérentes à la captivité. Et c'est un Sartre profondément refaçonné qui revient à Paris à la fin du mois de mars 1941.

Là encore, subsistent de larges pans d'opacité – ce qui ne veut pas dire forcément d'ambiguïté – sur les conditions de ce retour. *Bariona*, la pièce écrite en captivité, distillait-elle une forme d'antisémitisme, comme l'insinue Gilbert Joseph ? Et faut-il, dès lors, y voir les causes d'une mansuétude particulière de la part des autorités allemandes, favorisant la libération anticipée de Sartre ? Sauf à apporter la preuve de leur fondement – et tel n'est pas le cas en l'état –, de telles analyses restent forcément polémiques. Rien n'autorise, en tout cas, à suivre Gilbert Joseph dans sa version des conditions de départ du stalag XII D. Certes, une certaine légende dorée est incongrue : Simone de Beauvoir a parlé d'une « évasion » de Jean-Paul Sartre, mot ici dévalorisé puisqu'il s'est agi d'une libération officielle. Mais l'auteur d'*Une si douce Occupation* procède par pétition de principe puisqu'il n'apporte pas de preuves quand il suggère que cette libération a été obtenue grâce à une attitude de compromission avec l'autorité militaire du camp. Le témoignage de Marius Perrin accréditait, inversement, l'explication de Sartre, rapportée par Simone de Beauvoir, d'une libération obtenue grâce à un faux médical diagnostiquant des troubles de l'équilibre. Rien ne permet, à ce jour, de la mettre en doute, même si dans d'autres cas les *Mémoires* de Simone de Beauvoir ne contribuent guère, on le verra, à la précision de l'analyse [34].

Au demeurant, le point essentiel est ailleurs et doit être analysé avec équité : par-delà une version édifiante du Sartre des années noires parfois vulgarisée par quelques zélotes, qu'en fut-il en réalité des activités de résistance de Jean-Paul Sartre ? On remarquera, d'abord, que l'intéressé n'a jamais, tout au moins

---

34. On notera tout de même qu'a été aussi avancée, et cette fois sans esprit de polémique, l'hypothèse d'un rôle joué par Drieu La Rochelle dans la libération de Brasillach et... de Sartre (cf. Gilles et Jean-Robert Ragache, *La Vie quotidienne des écrivains et des artistes sous l'Occupation*, Hachette, 1988, p. 76).

dans les années de l'après-guerre, revendiqué haut et fort des actes édifiants en la matière. On connaît la célèbre analyse rétrospective : « Pendant l'Occupation, j'étais un écrivain qui résistait et non un résistant qui écrivait. » Certes, la distinction peut paraître spécieuse et la revendication d'une attitude de résistant est implicite. On conviendra pourtant que la phrase peut aussi s'interpréter comme un remords de n'avoir pas été plus actif. Dans plusieurs textes, telle *La République du silence*[35], des passages entiers peuvent ainsi se lire. Et dès 1945, un article de Sartre dans *La France libre* a bien décrit tout un processus qui, si l'on n'y prenait garde, conduisait à une gamme d'attitudes que l'historien suisse Philippe Burrin appellera un demi-siècle plus tard les « accommodements[36] » : « Ainsi vivions-nous, dans le pire désarroi malheureux sans oser nous le dire, honteux et dégoûtés de la honte. Pour comble de malheur, nous ne pouvions pas faire un pas, ni manger, ni respirer même sans nous rendre complices de l'occupant. »

Assurément, par la suite, Sartre a fait preuve de moins de réserve dans l'affirmation d'un passé résistant. Gilbert Joseph a rappelé qu'il avait noté à la rubrique « guerre », dans la fiche biographique remplie en 1962 pour son adhésion à la Société des gens de lettres : « Prend une part active à la Résistance et aux barricades de Paris. » Raison de plus, par-delà ces déclarations variables dans le temps – mais dont la teneur, malgré cette fiche incongrue, reste globalement sous le signe d'une certaine retenue dans la revendication d'actions concrètes –, pour tenter d'établir ou de rappeler certains points avérés.

Que Sartre ait eu, au printemps de 1941, l'envie de « faire quelque chose », comme il le déclara par exemple à Maurice Merleau-Ponty[37], est indéniable. Il s'agissait de « parvenir à

---

35. Repris au début de *Situations* III.

36. Philippe Burrin, *La France à l'heure allemande. 1940-1944*, Le Seuil, 1995. Le texte de *La France libre* est repris lui aussi dans le tome III de *Situations*.

37. Cf., sur ce point, le témoignage de Maurice Nadeau, *Grâces leur soient rendues. Mémoires littéraires*, Albin Michel, 1990, p. 56.

constituer une toile d'araignée» par la constitution de petits groupes très cloisonnés d'intellectuels, de cinq personnes chacun au plus. Une réunion de ce type se tint, par exemple, dans une chambre d'hôtel de la rue de Buci, à laquelle participèrent notamment Sartre, Jacques-Laurent Bost, Wanda et Maurice Nadeau. À la surprise de ce dernier, Sartre conclut la réunion par cet objectif: «Dans un an nous devrons avoir élucidé la nature de l'État édifié par Vichy[38]. » Tout, probablement, est dit par l'anecdote. L'initiative de Sartre est avérée, mais sa conception – neuve en 1941 – d'une résistance essentiellement intellectuelle pose le problème – classique pour l'historien – du seuil à partir duquel il y eut véritablement acte de résistance.

La réalité de l'initiative sartrienne – connue sous le nom de « Socialisme et Liberté » – est, par exemple, confirmée par Jean-Toussaint Desanti. Ce dernier animait depuis 1940 un groupe de résistance, «Sous la botte», dont un autre dirigeant, Maurice Merleau-Ponty, enseignait rue d'Ulm. Ce groupe à forte densité normalienne se joignit à «Socialisme et Liberté». Après l'échec de la tentative sartrienne, Jean-Toussaint Desanti rejoignit la Résistance communiste[39]. Cela étant, même si les témoignages attestant les tentatives de Sartre sont réels et sincères, il convient de ne pas exagérer la portée de l'épisode de «Socialisme et Liberté». D'une part, Nathalie Sarraute, qui appartint au groupe, a donné un témoignage des plus réservés sur son intensité résistante. À la question: «Vous m'avez dit un jour à propos de Sartre que vous aviez fait partie avec lui, pendant la guerre, d'un comité de réflexion», elle donnait en 1990 une réponse sans appel: «C'était soi-disant un groupe de résistance. En fait, on faisait des devoirs sur la France future! Il y a eu trois ou quatre réunions et c'est tout[40]. » Même si l'on tient compte du fait que

---

38. *Ibid.*, p. 58.

39. Jean-Toussaint Desanti, *Un destin philosophique*, Le Livre de poche, p. 147, et *Bulletin de la société des amis de l'ENS*, n° 122, décembre 1971.

40. Arnaud Rykner, *Nathalie Sarraute*, Le Seuil, 1991, p. 174 (l'entretien date d'avril 1990).

ce témoignage peut être déformé par la mémoire et que, de sur-croît, il intervient chronologiquement après le lourd conten-tieux qui opposa Sartre aux auteurs du «nouveau roman», force est de constater que l'un des principaux témoins est plutôt à charge. D'autre part, «Socialisme et Liberté» a été quasiment immortalisé par les pages de Simone de Beauvoir, dans *La Force de l'âge*, souvent reprises depuis leur publication en 1960 sans même un souci élémentaire de critique historique. Or les souve-nirs de Simone de Beauvoir sur la période de l'Occupation sont souvent approximatifs, parfois erronés. Approximative, par exemple, ou pour le moins rapide, son appréciation[41] selon laquelle «presque toute l'intelligentsia française» aurait évité l'exposition du sculpteur allemand Arno Breker à l'Orangerie des Tuileries en mai 1942. Il semble bien, au contraire, que le milieu intellectuel s'y soit rendu en nombre. Les partisans de Breker parlèrent même de 80 000 visiteurs[42].

Le point, il est vrai, n'a pas grand rapport avec l'engagement et reste ici du domaine de l'appréciation, tandis que, dans le cas des activités résistantes de Sartre, les souvenirs de Simone de Beauvoir relèvent du témoignage. Mais, dans ce cas éga-lement, le flagrant délit de mémoire défaillante est, sur certains points, établi. Ainsi Simone de Beauvoir explique-t-elle dans ses Mémoires que, rapidement, la tentative de résistance sartrienne se heurta à l'hostilité de la résistance communiste. Elle y voit même l'une des causes essentielles de l'échec de «Socialisme et Liberté», minimisant le fait qu'à cette date, et jusqu'au 22 juin 1941, si des initiatives individuelles communistes sont avérées, la Résistance communiste n'existe guère en tant qu'entité centralisée[43]. Bien plus, l'appareil

---

41. *La Force de l'âge*, réf. cit., II, p. 528.

42. Laurence Bertrand Dorléac, *L'Art de la défaite. 1940-1944*, Le Seuil, 1993, pp. 83 et 330. Cf. également Gilles et Jean-Robert Ragache, *La Vie quo-tidienne des écrivains et des artistes sous l'Occupation*, réf. cit., pp. 128-129.

43. Sur les débats entre historiens à ce propos, cf. notamment, sous la direction de Jean-Pierre Azéma, Antoine Prost et Jean-Pierre Rioux, *Les*

clandestin du parti n'est pas encore sur une ligne explicite de résistance à l'occupant. On voit mal, de ce fait, quels oukases communistes auraient pu perturber l'entreprise sartrienne au point de la tuer dans l'œuf. Il y a là, pour le moins, une erreur de chronologie qui reporte sur le premier semestre 1941 une situation plus tardive.

Dans d'autres cas, d'ailleurs, on passe de la question de la fiabilité du témoignage au problème de la véracité. Entendons ainsi une déformation probablement volontaire, directement ou par omission, de la réalité historique sur des points essentiels. Ainsi le problème de la participation de Simone de Beauvoir à des émissions de radio. Dans ses *Mémoires,* celle-ci, en effet, parle de sa collaboration à Radio-Vichy, après avoir demandé l'autorisation de la Résistance. On ne peut qu'être frappé par le caractère sibyllin de ces indications, et, dans l'état actuel de nos connaissances sur la résistance de Simone de Beauvoir, on ne peut faire la part de la naïveté ou de la roublardise dans ces contacts revendiqués avec une instance supérieure qui reste d'autant plus floue qu'elle n'est ni identifiée ni localisée. En 1960, le cloisonnement n'est plus de rigueur et l'auteur ne compromettrait personne en se faisant plus précise. Et quand elle y revient un quart de siècle après, en 1983, dans l'édition des *Lettres au Castor,* elle insère une note se contentant de signaler, d'une part, qu'elle a bien travaillé pour Radio-Vichy, et, d'autre part, qu'elle fut « autorisée ». À nouveau, erreur ou omission se doublent d'une obscurité sur les contacts et les hiérarchies. Mais l'épisode de Radio-Vichy – on parlera, pour être plus précis, de la Radiodiffusion nationale – appelle d'autres remarques. Certes, il ne s'agit pas de Radio-Paris, qui devint le symbole de l'ultracisme en matière de collaboration : « Radio-Paris ment, Radio-Paris ment, Radio-Paris est allemand. » Et les travaux d'Hélène Eck ont bien montré que la radio de Vichy a ouvert sous l'Occupation ses studios à une « pléiade de talents » et que,

---

Communistes français de Munich à Châteaubriant et *Le Parti communiste français des années sombres, 1938-1941,* FNSP et Le Seuil, 1986-1987.

malgré son maréchalisme ambiant, au sein de cette radio d'État «c'est bien la culture française qui a fourni la matière principale de la production, sans grande révérence à l'égard de l'occupant». Mais ces mêmes travaux ont rappelé que le premier semestre 1944 est le moment où «Philippe Henriot déploie son talent dans la plus opiniâtre et la plus haineuse campagne de propagande que la radio de Vichy ait jamais diffusée [44]». Or c'est à ce moment que Simone de Beauvoir intervient sur les mêmes ondes de la Radiodiffusion nationale. *Radio national*, l'hebdomadaire des programmes de Vichy, indique, en effet, une série d'émissions de Simone de Beauvoir sur «Les origines du music-hall» à partir du 27 février 1944.

Il n'appartient, en aucun cas, à l'historien de porter un jugement sur ce point, qui est affaire de conscience. Il lui revenait seulement de livrer à l'appréciation de chacun les éléments – au demeurant fragmentaires – du dossier. Il lui faut pourtant, pour être complet, assortir ce dossier de deux remarques complémentaires. Il n'est pas possible, tout d'abord, de faire l'impasse sur la date. À ce moment, on l'a vu, Radio-Vichy diffuse, dans certains de ses éditoriaux, un propos politiquement radicalisé. Assurément, la simultanéité de ces propos et de la participation de Simone de Beauvoir à Radio-Vichy ne rend pas cette dernière solidaire de tout ce qui se dit à l'antenne. Pour autant, la responsabilité de l'intellectuel n'est-elle pas aussi de veiller à ce qui se dit sur le support qui amplifie sa propre parole? C'est, en ce sens, en tout cas, que plaidera quelques mois à peine plus tard Jean-Paul Sartre, en signant en septembre 1944 un texte publié par *Les Lettres françaises*, dans lequel on pouvait lire: «Les membres du Comité national des écrivains se sont engagés, nous l'avons dit dans notre dernier numéro, à refuser toute collaboration aux journaux, revues, recueils, collections, etc., qui publieraient un texte signé par un écrivain dont l'attitude ou les

---

44. Cf. Hélène Eck, «À la recherche d'un art radiophonique» *in* Jean-Pierre Rioux (dir.), *La Vie culturelle sous Vichy*, Bruxelles, Complexe, 1990, pp. 269-292, citations p. 290.

écrits pendant l'Occupation ont apporté une aide morale ou matérielle à l'oppresseur[45]. » Certes, le nom de Simone de Beauvoir n'apparaît pas explicitement en bas de cette pétition, mais, membre du CNE, elle en est *de facto* solidaire. Ce qui autorise à conclure que le devoir de cohérence des attitudes – que l'on est en droit d'attendre d'un intellectuel – n'est pas ici respecté, puisque, à quelques mois de distance, l'attitude de la philosophe s'inverse.

Deuxième remarque, qui vient corroborer des observations que l'on fera plus loin à propos de Jean-Paul Sartre : ni ce dernier ni Simone de Beauvoir ne sont à cette époque des parias au sein de la petite République des lettres de Paris. On ne prendra ici qu'un seul exemple. *Radio national,* l'hebdomadaire, on l'a vu, des programmes de la Radiodiffusion nationale, signale[46] dans son numéro 132 (semaine du 28 novembre au 4 décembre 1943) : « Dans son émission "Le livre de la semaine", François de Roux parlera du roman de Simone de Beauvoir, *L'Invitée,* qui vient d'attirer sur son auteur, nouvelle venue aux lettres, l'attention émerveillée du public autant que de la critique. » Il ne s'agit pas d'observer ici qu'à la même date Jean Cavaillès est en prison et qu'il va être fusillé quelques semaines plus tard, en ce premier trimestre 1944 où les émissions de Simone de Beauvoir seront diffusées à Radio-Vichy, ni de rappeler qu'après la Libération, quand l'auteur de *L'Invitée* ne souhaitera pas signer la pétition demandant la non-exécution de Robert Brasillach, c'est parce qu'elle se sentait, expliquera-t-elle plus tard dans *La Force des choses,* « solidaire » de Politzer, Desnos et... Cavaillès et qu'elle aurait mérité, en signant, que ceux-ci lui « crachent au visage ». On ne rappellera pas non plus le contraste entre un Aron

---

45. *Les Lettres françaises,* 16 septembre 1944, p. 5, et *Le Figaro,* 19 septembre 1944, p. 2. Dans le numéro de la semaine précédente (9 septembre) – premier numéro « Au grand jour de la liberté » –, un « Manifeste des écrivains français » avait, de fait, exigé « le juste châtiment des imposteurs et des traîtres ». Jean-Paul Sartre figurait parmi la soixantaine de signataires.

46. Référence aimablement donnée, comme plusieurs éléments qui précèdent, par Hélène Eck. Qu'elle soit ici chaleureusement remerciée.

écrivant dans *La France libre* et une Simone de Beauvoir élogieusement citée dans *Radio national*. Mais force est, tout de même, de noter que l'impression prévaut, en fin de compte, d'un statut d'exterritorialité historique dont auraient joui à l'époque Sartre et Beauvoir, mélange d'indifférence des sentiments, d'inconstance de l'attitude et d'incohérence, à l'échelle de plusieurs années de part et d'autre de la Libération, des analyses faites et des postures prises.

COMOEDIA OU LETTRES FRANÇAISES?

Un tel constat peut paraître abrupt. On citera, pour l'étayer, les lettres envoyées en janvier 1944 depuis Morzine par Simone de Beauvoir au «tout cher petit être». Leur légèreté n'est pas en cause ici, tant apparaît légitime le souhait de fuir topographiquement et psychologiquement les malheurs du temps. L'Histoire, à Morzine, suspend son cours, et même les «maquisards» semblent un peu d'opérette, prenant l'apéritif au bar de l'hôtel en attendant le retour d'une «jeune villégiaturante chic et antipathique» qui, «paraît-il, était membre de la Gestapo». Toute la station se trouve bientôt «en émoi» car le commando a aussi «dévalisé le grand magasin de skis[47]». L'épisode avait eu lieu le dernier mercredi de janvier, le 27 donc. C'est dans les derniers jours de janvier, semble-t-il, que Jean Cavaillès fut fusillé par les Allemands à la citadelle d'Arras. Le rapprochement peut paraître excessif, mais il est nécessaire d'y revenir pour mieux comprendre deux choses essentielles: d'une part, la très forte réticence de nombre d'intellectuels résistants à considérer Sartre et Beauvoir comme des pairs, d'autre part, probablement, dans le tréfonds des consciences des deux intéressés, une mauvaise

---

47. Simone de Beauvoir, *Lettres à Sartre*, II, Gallimard, 1990, pp. 250 et 252.

conscience taraudante – qui, au demeurant, les honore –, qui conduira Sartre à surdéterminer par la suite son rapport avec l'Histoire en train de se faire. Surdétermination qui, du reste, ne pouvait qu'accroître la réticence et l'irritation des premiers. Ainsi s'explique, au moins pour partie, cette sorte de spirale du soupçon qui, tout autant que les approximations de certains sartriens trop zélés, a contribué à rendre plus opaque le cas Sartre.

Cette opacité ne doit pas déboucher sur des analyses historiquement iniques. Faire de Simone de Beauvoir, à cause de l'épisode de Radio-Vichy, une intellectuelle située dans la mouvance des milieux collaborationnistes n'aurait assurément aucun sens. Ses sentiments germanophobes et antivichystes et ceux de Jean-Paul Sartre ne font pas de doute. Pour autant, certains points restent mal éclaircis. C'est, par exemple, on le verra, grâce à l'appui d'une personnalité collaborationniste de premier plan que Simone de Beauvoir fut recrutée à Radio-Vichy. Et c'est dans l'hebdomadaire du même homme, *Comœdia*, que Sartre a écrit deux articles.

Assurément ce dernier a également collaboré aux *Lettres françaises* clandestines, et cette participation à l'organe du Comité national des écrivains est légitimement considérée, à côté de l'épisode de « Socialisme et Liberté », comme l'autre versant de la résistance sartrienne. Dans le numéro 6 des *Lettres françaises*, qui est publié, sous une forme ronéotée, fin avril 1943, paraît en pages 3 et 4 – sur six – « Drieu La Rochelle ou la haine de soi » de Jean-Paul Sartre. Drieu La Rochelle est, à cette époque, à la tête de *La Nouvelle Revue française* et, à ce titre, il est souvent la cible de la Résistance intellectuelle. Dans les seules *Lettres françaises*, pas moins de onze articles sont consacrés à l'homme ou à sa revue[48]. Sartre choisit, pour sa part, un registre très largement psychologique et campe un Drieu « lyrique », qui n'a pas su mûrir et qui s'ennuie, à l'image de son héros *Gilles* tentant « de guérir avec le sang des autres son incurable ennui ». Dans le

---

48. Catherine Clochette, *Les Lettres françaises clandestines 1942-1944*, mémoire de maîtrise, Paris-X, 1982, 2 vol., p. 93.

numéro 14 des *Lettres françaises* (mars 1944), est annoncée la présence d'un supplément de deux pages, *L'Écran français*, « journal du Front national du cinéma ». En pages 5 et 6, de fait, se trouvera désormais ce supplément, avec notamment, dans le numéro 15 d'avril 1944, un article de Jean-Paul Sartre, « Un film pour l'après-guerre », où ce dernier attaque Vichy et la firme allemande Continental qui « jettent en pâture, comme os à ronger, les obscénités soporifiques de certaines comédies dites "parisiennes" ».

Collaboration au principal périodique clandestin du milieu intellectuel, réflexions pour l'après-guerre dans l'organe des cinéastes résistants, les deux activités sont avérées et, de surcroît, à haute charge symbolique. Mais, dans le même temps, Sartre, on l'a dit, donne deux articles à l'un des fleurons de la presse collaborationniste et, à travers cette double polarité, se glisse à nouveau la question de l'opacité, voire de l'ambiguïté. Le premier, quelques semaines à peine après son retour à Paris, publié dans le numéro du 21 juin 1941, est consacré à *Moby Dick* de Herman Melville. On n'y décèle aucune tentation collaborationniste ; bien au contraire, le texte pourrait, au second degré, s'interpréter comme un message contre l'oppression. Le second article, publié le 5 février 1944, est un hommage à Jean Giraudoux. En outre, on trouve dans le numéro du 24 avril 1943 une interview donnée à propos des *Mouches*. Certes, Simone de Beauvoir, là encore, a précisé que le CNE avait autorisé l'article de février 1944. Il reste que *Les Lettres françaises*, organe du CNE, avaient rappelé dans le numéro de novembre 1943 : « Chacun sait que *Comœdia* concède chaque semaine à la propagande nazie une page européenne. » Bien plus, dès le numéro de décembre 1942, Claude Morgan, à propos d'un article sur la Bourgogne que Colette avait donné à une revue pro-allemande, avait rappelé que même un article totalement apolitique – c'était le cas – pouvait servir de caution et avoir une influence indirecte néfaste[49].

---

49. Claude Morgan, « Colette, la Bourgogne et M. Goebbels », *Les Lettres françaises*, n° 4, p. 3.

De surcroît, *Comœdia*, qui se disait un journal sans affinités politiques définies, avait en fait un profil politique incontestablement typé, par certains de ses articles comme par la personnalité de son directeur. En une époque où Picasso est, à Paris, « tout juste toléré et trop connu pour ses sympathies politiques [50] », c'est, par exemple, dans *Comœdia* que le peintre Vlaminck s'était livré à une attaque en règle contre lui, quelques semaines après l'ouverture de l'exposition Breker à l'Orangerie [51] : ce Catalan à « figure de moine aux yeux d'inquisiteur » a conduit la peinture française, « de 1900 à 1930, à la négation, à l'impuissance, à la mort ». L'attaque est à mesurer à l'aune de la situation de Picasso, dont la carte de résidence en France n'était plus valable [52]. Quant au directeur du journal, René Delange, ses liens avec l'autorité allemande sont, par exemple, attestés par sa présence au comité d'honneur de l'exposition Breker en 1942 [53].

On notera, du reste, que même si, dans *La Force de l'âge*, Simone de Beauvoir a tendance à minimiser les liens qu'elle-même et Sartre entretinrent avec René Delange [54], ceux-ci furent très étroits durant l'Occupation, à tel point que Pierre Assouline a pu le présenter comme leur « bienfaiteur [55] » durant cette période. C'est bien lui, en tout cas, qui fit entrer Simone de Beauvoir à Radio-Vichy, après que celle-ci eut été contrainte, pour des raisons d'ordre privé, de quitter sa chaire de lycée. Elle reçoit le jeudi 8 juillet 1943 une lettre de Sartre qui la rassure : « Delange, qui est décidément une perle, m'a dit ce matin qu'il

---

50. Laurence Bertrand Dorléac, *L'Art de la défaite, op. cit.*, p. 188.

51. Maurice de Vlaminck, « Opinions libres… sur la peinture », *Comœdia*, 6 juin 1942, pp. 1 et 6.

52. Laurence Bertrand Dorléac, *op. cit.*, p. 188. Pour une analyse globale de l'attitude de *Comœdia* durant l'Occupation, cf. Pascal Ory, *Les Collaborateurs, op. cit.*, Le Seuil, 1976, pp. 205-208.

53. Laurence Bertrand Dorléac, *op. cit.*, p. 95.

54. L'observation en a déjà été faite par Deirdre Bair, *Simone de Beauvoir*, trad. fr., Fayard, 1991, pp. 299-300.

55. Pierre Assouline, *Gaston Gallimard*, Balland, 1984, p. 318.

allait vous trouver quelque chose : douze sketches radiopho-
niques à raison d'un par mois à arranger pour l'année pro-
chaine (on vous fournit l'idée, vous faites le dialogue – ça dure
dix minutes) qui vous seraient payés de 1 500 à 2 000 balles. Ce
serait déjà fort beau. Ça vous prendrait bien quatre heures par
mois. J'ai accepté pour vous d'enthousiasme. Il va en parler
demain au directeur de la Radio. Je dîne avec lui et Cromme-
lynck demain soir [56]. »

Dans la même lettre, Sartre signale que Delange l'a « cherché
avant-hier au Flore pour [lui] proposer de faire taper » par sa
secrétaire un scénario de film qu'il vient de terminer. « Il m'a
dit, ajoute-t-il, qu'il avait revu Borderie qui semble très accroché
par le sujet. Donc il y a de fortes chances. Vraiment nous pour-
rons dire merde à l'Alma Mater. » Certes, une autre lettre, antérieure de quelques jours, montre bien que la sollicitude de
Delange est intéressée : « sa coccinelle », précise Sartre, ferait
partie de la distribution du film, si celui-ci se faisait. Cela étant,
quelques mois plus tard, Jean-Paul Sartre est engagé à compter
du 1er novembre 1943 et pour un an, avec un salaire de 25 000
francs par mois, au service manuscrits de Pathé [57]. L'année 1943,
décidément, avait été très riche : la représentation des *Mouches*,
la publication de *L'Être et le Néant*, la porte ouverte vers le
cinéma. Il y a bien là, longtemps avant la Libération, une pano-
plie de formes d'expression qui explique, au moins en partie,
l'irrésistible montée en puissance après l'été 1944.

Le fait est essentiel : délibéré ou pas, le décollage littéraire de
Sartre – et de Simone de Beauvoir – durant l'Occupation est
indéniable. À cet égard, l'année 1943 est déterminante dans la

---

56. *Lettres au Castor*, II, p. 312. Simone de Beauvoir, qui a préparé l'annota-
tion critique de ce volume de lettres, signale curieusement, à propos de la
Radio évoquée ici : « Radio-Vichy. Le CNE autorisait les émissions en zone
libre. » La zone libre, à cette date, n'existe plus depuis huit mois ! La notion
d'autorisation par le CNE en devient encore plus floue.

57. Lettre du 13 octobre 1943, adressée à Jean-Paul Sartre, Archives Pathé
(lettre exposée à la rétrospective « Pathé, premier empire du cinéma », Paris,
centre Georges-Pompidou, octobre 1994-mars 1995).

vie de Sartre. Non pas seulement, rétrospectivement, parce qu'à cette date, alors qu'il est minuit dans le siècle, il est exactement midi dans la vie de Jean-Paul Sartre : trente-sept ans et demi derrière, au seuil de l'année, trente-sept ans et quatre mois à venir. Par-delà ce rôle de bissectrice, l'année 1943 est un réel tournant, car il y a bien un avant et un après *L'Être et le Néant*. L'homme, désormais, au mitan de sa vie, pèse du poids d'une œuvre connue et reconnue. Ce livre, en effet, semble avoir été reçu avec beaucoup d'intérêt et parfois de passion dans le milieu des jeunes philosophes. Assurément, la diffusion des thèmes d'un ouvrage qui n'était guère d'accès aisé date de l'après-guerre, mais le livre suscite, par exemple, l'intérêt des jeunes norma-liens. Et dans les khâgnes, les apprentis philosophes le connais-sent et le méditent. Ainsi Jorge Semprun, second prix de philosophie au Concours général au terme de l'année scolaire 1940-1941, passée en classe de terminale au lycée Henri-IV, puis élève de classe préparatoire littéraire, écrira-t-il plus de cin-quante ans plus tard : « Nous avions dévoré en 1943 *L'Être et le Néant*[58]. » Quelques mois plus tard, le jeune apprenti philo-sophe se retrouvait à Buchenwald puis constatait au printemps 1945, rescapé de l'univers concentrationnaire, que la notoriété de Sartre s'était encore accrue entre-temps.

En tout état de cause, donc, les années de l'Occupation furent pour Sartre et Beauvoir des années d'intense création et d'in-contestable montée en puissance en termes de notoriété. Au cœur de cette période, *L'Invitée* de Simone de Beauvoir, tirée en 1943 à 4 400 exemplaires, doit être réimprimée avec un tirage identique et il s'en vend, au fil de cette année, 7 073. L'année précédente, *L'Étranger* de Camus s'était vendu à 4 046 exem-plaires[59].

---

58. Jorge Semprun, *L'Écriture ou la vie*, Gallimard, 1994, pp. 84 et 100.
59. Sources : éditions Gallimard.

Un casier vierge ?

Au bout du compte, on le voit, l'homme Sartre est difficile à saisir avec précision et équité, tant ses différentes facettes paraissent contrastées, selon l'éclairage qu'on leur donne. Il est peut-être une autre approche permettant d'y voir plus clair : comment était perçu Sartre au regard de l'Autre, en d'autres termes aux yeux du régime de Vichy ? La question peut paraître naïve et incongrue, car, par définition, les authentiques résistants ont camouflé leurs activités parallèles ou clandestines. Reste qu'il existe aussi un entre-deux où l'intellectuel en vue ou en phase de montée de notoriété, à défaut d'être percé à jour dans ses activités d'opposant s'il en a, est souvent suspect en raison même de sa capacité d'influence. Or force est de constater qu'il n'en a rien été pour Jean-Paul Sartre, comme le montre, par exemple, la façon dont il traverse l'épuration qui touche certains professeurs de khâgne parisiens à la rentrée 1943. Déjà, à la rentrée d'octobre 1941, il a été l'objet d'une brillante promotion : ayant retrouvé après les vacances de Pâques 1941 son poste au lycée Pasteur de Neuilly, il est nommé à la rentrée suivante professeur de philosophie dans la khâgne de Condorcet. Cette promotion est flatteuse et, à un moment où les classes préparatoires littéraires, pépinières de jeunes intellectuels, étaient probablement, comme le montrera la suite, l'objet d'une attention particulière, elle dénote que Sartre n'est en aucun cas un suspect à une date où « Socialisme et Liberté » existe pourtant depuis plusieurs mois. Mais ce sont des épisodes de l'année 1943 qui sont surtout révélateurs. Le 20 septembre, en effet, à quelques jours de la rentrée scolaire, un arrêté ministériel rétrograde Jean Guéhenno, professeur de khâgne à Louis-le-Grand depuis octobre 1941, dans un poste de professeur de première au lycée Buffon [60]. Priver un professeur de cinquante-trois ans

---

60. Archives Louis-le-Grand.

de sa chaire de classe supérieure est, sans conteste, une mesure vexatoire – Guéhenno récupérera cette chaire à la Libération, avant de devenir inspecteur général – et l'intéressé ne s'y trompe pas, qui note dans son Journal le 13 novembre 1943 : « Abel et ses mignons ont réussi leur coup. Il est clair que de toute l'année je ne pourrai faire que mon métier. J'ai le service d'un professeur débutant et tout ce dont mes collègues n'ont pas voulu. Dix-sept heures de cours par semaine au lieu de six, et j'ai la plus grande peine à trouver le ton qui convient à ces petits enfants dont je suis maintenant chargé. Après trois semaines, je suis déjà accablé de fatigue, et je n'en peux plus [61]. »

Jean-Paul Sartre conserva, lui, ses six heures. Il échappa au mouvement d'épuration qui toucha en cette rentrée 1943 le corps enseignant des khâgnes. Au sein de ce dernier, en effet, plusieurs professeurs furent frappés. À Louis-le-Grand, outre Guéhenno, l'historien Marcel Reinhard, professeur de khâgne depuis 1938, fut rétrogradé vers les classes secondaires du lycée Condorcet [62], probablement pour avoir exprimé son opposition au STO. L'année précédente, son proviseur notait pourtant : « Cours vraiment magistral. » Et à Henri-IV, Adrien Cart, qui enseignait en classe préparatoire depuis 1928, en hypokhâgne puis en khâgne, et qui avait été de surcroît deux fois ancien prisonnier de guerre – en novembre 1914 et juin 1940, et libéré, de ce fait, en 1941 – est « appelé à d'autres fonctions » dans le secondaire. Surtout, c'est le lycée même de Jean-Paul Sartre qui est victime des charrettes organisées par le ministre de tutelle, Abel Bonnard. À Condorcet, en effet, le proviseur André Leroy, en poste depuis 1937, est relevé de ses fonctions en avril 1944 et nommé professeur de seconde à Louis-le-Grand, tandis que la khâgne où enseignait Jean-Paul Sartre est touchée en la personne de son collègue historien, Maurice Crouzet, en classe préparatoire depuis 1937, rétrogradé en première à Louis-le-Grand.

---

61. Jean Guéhenno, *Journal des années noires*, Gallimard, 1947, rééd. Le Livre de poche, p. 421.
62. Archives Louis-le-Grand.

Il lui était reproché une « sympathie active pour la Résistance [63] ». Contrairement à une légende souvent reprise par la tradition orale, le professeur de philosophie Jean-Paul Sartre n'est pas révoqué, ni ne plonge dans la clandestinité au cours de cette même année scolaire 1943-1944 : il reste en poste dans sa khâgne de Condorcet, et met des notes trimestrielles sur les registres *ad hoc* jusqu'à la fin de l'année scolaire [64].

D'autres épisodes beaucoup plus ponctuels sont eux aussi significatifs. Durant l'année universitaire 1943-1944, quelques normaliens fraîchement entrés rue d'Ulm – ils appartiennent pour la plupart à la promotion 1943 – fondent un Cercle de philosophie scientifique. Ils y convient notamment Jean-Paul Sartre, qui vient parler de *L'Être et le Néant* et connaît un réel succès auprès de jeunes normaliens qui connaissent déjà son œuvre, y compris dans ses aspects les plus récents, *Les Mouches* et *L'Être et le Néant*[65]. Mais quand les organisateurs du Cercle songent, en cette même année, à convier Jean Guéhenno, le directeur, Jérôme Carcopino, leur oppose une fin de non-recevoir. Jean Guéhenno mentionne l'épisode dans son *Journal des années noires*, en date du 14 janvier 1944 : « Le Cercle autorisé à l'École normale depuis trois années était le cercle catholique. Des élèves ont voulu en fonder un autre qu'ils ont appelé "philosophique" et étaient venus me demander de leur faire un soir une conférence. J'avais promis. Je devais parler (nous étions d'accord pour éviter tout sujet d'une actualité trop brûlante) du

---

63. E. Bruley, *Historiens et géographes*, n° 242, avril 1973, p. 675. Pierre Renouvin donne la même interprétation dans la *Revue historique*, t. CCL, 1973, p. 7.

64. Archives Condorcet. Cela étant, mais ce n'est pas contradictoire, il semble bien que Jean-Paul Sartre, ayant le sentiment d'être menacé, ait quitté Paris en juillet – or l'année scolaire va jusqu'au 14 juillet. Le fait est mentionné par Gilbert Joseph mais évoqué en quelques lignes seulement dans les *Mémoires* de Simone de Beauvoir.

65. Le point est bien établi, témoignages à l'appui, par Stéphane Israël dans *L'École normale supérieure et la Seconde Guerre mondiale*, réf. cit., t. I, p. 248. Jorge Semprun, qui sera arrêté à l'automne 1943, se souvenait également d'être allé voir *Les Mouches* « en bande » (*op. cit.*, p. 84).

problème de la création littéraire. Mais ces jeunes garçons tout confus viennent de m'avertir que le directeur de l'École interdisait ma conférence. Je serais "un personnage trop voyant"[66]. »

Assurément, le parallèle ne peut être poussé trop loin entre un Sartre pas encore quadragénaire et sans passé politique et un Guéhenno qui a été l'une des figures de proue de la gauche intellectuelle des années 1930. L'épisode reste pourtant significatif. D'autant que Jean Guéhenno n'est pas, à cette date, en pointe dans la Résistance active, estimant que sa décision de n'être pas publié tant que durerait l'Occupation était le geste de refus le plus efficace. Dès lors, il reste en marge du combat de l'ombre. Il publiera bien *Dans la prison*, sous le pseudonyme de Cévennes, aux éditions de Minuit, mais le manuscrit en sera livré après l'épisode de la conférence avortée, et l'ouvrage ne sera publié qu'au début du mois d'août 1944. Et s'il est, comme Jean-Paul Sartre, membre du Comité national des écrivains, dans les deux cas leur rôle, au moins jusqu'à la Libération, est de second plan.

Le regard de l'Autre, c'est aussi l'accueil réservé aux *Mouches* en 1943 puis à *Huis clos* l'année suivante. Une étude a été consacrée à la réception des pièces de Jean-Paul Sartre par la critique[67]. Celle-ci est, selon l'auteur, à la fois représentative des lecteurs et constitutive de l'accueil réservé par le public. Par rapport aux intentions résistantes de Jean-Paul Sartre, « seule une élite intellectuelle initiée à la philosophie de Sartre et ayant le plus souvent le texte entre les mains était à même de [les] saisir[68] ». Avec, il est vrai, une nuance d'importance : il faut distinguer un public plus jeune et davantage intellectuel très favorable à la pièce (ce qui ne veut pas dire qu'il en perçoit forcément le message), et un « public normal » issu d'une

---

66. *Op. cit.*, p. 444.
67. Ingrid Galster, *Le Théâtre de Jean-Paul Sartre devant ses premiers critiques*, Tübingen, Gunter Narr Verlag, Jean-Michel Place, 1986.
68. *Ibid.*, p. 330.

« bourgeoisie conservatrice [69] », peu favorable et qui continuera
– l'étude de la critique le montre – à être réticent quand *Huis
clos* sera repris après la Libération. Certes – et l'auteur y insiste –,
les conditions particulières de l'Occupation, en matière de censure notamment, relativisent fortement une approche fondée
sur la réception de la critique. Retenons toutefois – car la
mémoire orale authentifie sur ce point l'analyse – le clivage
générationnel du public. Cela étant, les critiques – quand elles
sont négatives – durant l'Occupation ne sont pas forcément le
signe d'un rejet idéologique – et donc d'une perception du
message de la pièce – mais le reflet d'un « conformisme conservateur » qui se poursuit après la guerre.

La représentation des *Mouches* au cœur de l'Occupation garde
donc, au bout du compte, une partie de son ambivalence. Ou,
plus précisément, la polémique a là encore cristallisé, et la pièce
est citée à charge aussi bien qu'à décharge. Pour les uns, en
effet, accepter le principe de la censure allemande et jouer
devant un parterre où figurent éventuellement des officiers des
troupes d'occupation revenait à accepter l'inacceptable. Pour
les autres, c'était, au contraire, maintenir haut l'oriflamme de la
création française et tenter, de surcroît, de faire passer un message certes codé mais subversif sur le fond. Les travaux d'Ingrid
Galster ont montré la difficulté de trancher en pareille affaire, si
l'on se fonde sur l'approche par la critique. Et si l'on se réfère
aux travaux portant directement sur le théâtre sous
l'Occupation, il n'apparaît pas non plus que la pièce ait été perçue comme résistante par le plus grand nombre [70].

Toujours est-il que *Les Mouches* ne fut pas une pièce bien
accueillie par la critique collaborationniste. Inversement, *Les
Lettres françaises* [71] lui réservèrent un accueil favorable dans le

---

69. *Ibid.*, p. 333.

70. Serge Added, *Le Théâtre en France dans les années Vichy. 1940-1944*, Ramsay, 1992 ; « Peut-on parler d'un "théâtre résistant" ? », *Revue d'histoire moderne
et contemporaine*, janvier-mars 1990.

71. Jean Lescure, « Oreste et la cité », *Les Lettres françaises*, n° 12, pp. 1 et 3.

numéro de décembre 1943. L'auteur, Jean Lescure, est, il est vrai, un proche de Sartre à cette époque [72]. Qu'est-ce qui, dans ce cas précis, l'emporte, de l'adhésion idéologique ou de l'effet mécanique de structures de sociabilité ?

Ce qui nous renvoie, à nouveau, à la Résistance de Sartre. Si l'appartenance de ce dernier au Comité national des écrivains est indéniable, elle est surtout avérée pour la période qui suit la Libération, au moment notamment de l'épuration interne au milieu intellectuel [73] ; il est plus difficile d'en établir l'intensité militante, mis à part quelques contacts signalés par Simone de Beauvoir, pour la période qui précède. Bien plus, où commence, au bout du compte, la notion de contact ? Et sans qu'il s'agisse ici de tenter de peser au trébuchet l'attitude de Jean-Paul Sartre durant l'Occupation, on conviendra qu'il est toujours difficile pour l'historien d'analyser une activité qui n'est ni datée ni localisée. Assurément, la sécurité des membres du Comité imposait que soient limités à la fois la fréquence des réunions et le nombre de membres qui y participaient. Mais mis à part des contact épisodiques avec certains de ces membres du Comité et la participation ponctuelle aux *Lettres françaises* déjà signalée, force est de constater que, s'il y eut incontestablement « tentative de résistance [74] » de la part de Sartre, on en revient toujours à la question du seuil à partir duquel il y eut résistance, individuelle ou collective. Les adversaires de Sartre diront que la tentative avortée d'une résistance intellectuelle autour de « Socialisme et Liberté » semble avoir dispensé Jean-Paul Sartre et Simone de Beauvoir de tout autre tentative tangible, sur des registres certes moins

---

72. Cf. par exemple la lettre de Sartre à Simone de Beauvoir en date du 8 juillet 1943, *Lettres au Castor*, II, p. 314.

73. Durant l'épuration, la dignité ne fut peut-être pas la qualité première de Jean-Paul Sartre : cf. Pierre Assouline, *Gaston Gallimard*, réf. cit., pp. 384-385, et *L'Épuration des intellectuels*, Bruxelles, Complexe, 1985, p. 100.

74. Telle est la conclusion formulée par Michel Contat au colloque de juin 1993 organisé par le Groupe d'études sartriennes (cf. *Le Monde*, 2 juillet 1993, p. 31).

prestigieux que le combat de l'esprit mais qui constituèrent l'honneur d'une résistance au quotidien. Et Gilbert Joseph d'observer : « Ni Sartre ni Simone de Beauvoir n'envisagèrent un seul instant que, faute de pouvoir diriger un réseau clandestin – ce dont ils n'avaient d'ailleurs aucune idée –, ils pourraient participer au sauvetage des personnes persécutées, ce qui relevait par excellence d'une action de résistance [75]. »

Inversement, Deirdre Bair, dans son livre consacré à Simone de Beauvoir, conclut au non-lieu : « Leur casier n'est pas totalement vierge, mais il n'est pas non plus clairement entaché [76]. » Certes, on pourrait rêver défense plus vigoureuse, mais la formule, tout bien pesé, rend compte avec équité de l'attitude de Jean-Paul Sartre durant l'Occupation. Ce dernier, assurément, ne mérite ni cette réputation flatteuse de grand résistant proclamée par certains et accréditée au moins une fois, on l'a vu, par l'intéressé lui-même, ni cet excès d'opprobre affiché, en réaction, par des procureurs trop rapides. La thèse d'un cynique double jeu ne tient pas, car elle gomme l'antivichysme et l'antinazisme qui ne font aucun doute chez lui. Et en faire une sorte de bernard-l'hermite, se logeant tour à tour dans plusieurs structures éditoriales, tandis que l'océan gronde alentour, est assurément réducteur. Dans la typologie des attitudes sous l'Occupation proposée par Philippe Burrin, Sartre paraît se situer dans la rubrique de l'« accommodation contrainte ». On est certes, dans un tel cas de figure, au-delà de l'« adaptation minimale ». Parvient-on pour autant jusqu'à ce qui définit l'« accommodation d'opportunité », c'est-à-dire le fait qu'« on ne fait pas que s'accommoder de l'Occupation, on tente de s'accommoder à l'occupant [77] » ? Chacun tranchera, en conscience, à partir du dossier qui précède [78].

---

75. *Op. cit.*, p. 155.
76. *Op. cit.*, p. 342.
77. Philippe Burrin, *La France à l'heure allemande. 1940-1944*, réf. cit., *passim.*
78. Au demeurant, Philippe Burrin, pour sa part, place nettement Sartre dans une position basse dans l'échelle d'accommodation – l'œuvre était pour

Relais intragénérationnels

Quand, vingt ans après, Claude Simon sera accusé, par Sartre notamment, de produire, comme les autres auteurs du Nouveau Roman, des œuvres contre-révolutionnaires, il ne cachera pas son irritation : « Je demande à avoir l'appui d'un philosophe qui s'est battu, lui, les armes à la main contre le fascisme [79]. » De fait, c'est moins, au bout du compte, l'ampleur exacte des actions résistantes de Sartre qui comptera par la suite que leur réel contraste avec sa proclamation haut et fort, dès l'immédiat après-guerre, du devoir d'engagement. Cette posture prise le plaçait quasi automatiquement, en raison même de ce contraste, en position d'éternel accusé car sa génération, en fait, avait été lourdement frappée par la guerre.

Il faut, sur ce point, dissiper une possible erreur de perspective. À première vue, en effet, la Seconde Guerre mondiale n'a pas entraîné de saignée dans la génération normalienne de Sartre et Aron : si la plus grande partie de cette génération était encore, en 1939, en âge d'être mobilisée, les pertes militaires de la guerre furent sans commune mesure avec celles du conflit précédent, et, du coup, l'effet de choc fut atténué. Ce serait pourtant un tort que de le minimiser. D'une part, on l'a vu, pour une génération très imprégnée de pacifisme, la montée des périls puis le déclenchement de la guerre furent souvent à l'origine d'illusions fracassées et, de ce fait, de douloureux retours sur soi. D'autre part, même en s'en tenant aux seules pertes humaines, le bilan est loin d'être négligeable. Dans la promotion littéraire de 1924, trois des vingt-six camarades de Sartre et

_____

Sartre une forme d'engagement –, tout en écrivant que jusqu'en 1943 « le souci de l'œuvre et la soif de succès ont contrebalancé la sollicitation de l'action » (*ibid.*, p. 340).

79. Claude Simon, « Lettre ouverte à l'Union des étudiants communistes », *L'Express*, 7-13 décembre 1964. Quelques mois plus tôt, Sartre avait demandé dans un article du *Monde* : « Que signifie la littérature dans un monde qui a faim ? », et Claude Simon avait déjà répondu dans *L'Express* du 24 mai.

Aron – ou plutôt des vingt-quatre survivants, car deux de ces normaliens sont décédés de maladie, respectivement en 1926 et 1928 – trouvent la mort sous l'uniforme : Paul Nizan au printemps 1940, Arsène Alexandre en captivité et Charles Le Cœur en Italie, à la tête de son unité de tirailleurs marocains, en juillet 1944. En outre, un quatrième normalien de cette promotion meurt en déportation : l'angliciste Alfred Péron, professeur au lycée Buffon, avait été arrêté dès août 1942 pour faits de Résistance et déporté à Mauthausen après un emprisonnement à Fresnes. Il mourut d'épuisement en Suisse le 1er mai 1945, quelques jours après sa libération. Il sera fait chevalier de la Légion d'honneur à titre posthume avec cette citation : « A fait preuve du plus grand calme lors de son arrestation et de ses interrogatoires au cours desquels, dans la souffrance, il a conservé toute sa dignité [80]. »

Le parallèle avec un Sartre resté en coulisse saute aux yeux en quelques dates. Le 14 juillet 1938, en ces premiers mois du gouvernement Daladier durant lesquels se disloque le Front populaire porteur de tant d'espérances, le socialiste Péron est au défilé organisé par les partis de gauche. Sartre, lui, est au Dôme : il fait « gris et terriblement républicain » écrit-il à Simone de Beauvoir. Et, on l'a vu, il ajoute dans sa lettre, avec, semble-t-il, un brin d'ironie, avoir croisé Péron « revenu du défilé Front populaire, avec une petite étiquette rouge à la boutonnière "Fidélité au serment. Application du Programme. Vive l'Espagne républicaine "[81]. » Quatre ans plus tard, en plein été, le 16 août 1942, le résistant Péron est arrêté par les Allemands. En ce même été 1942, Sartre et Beauvoir effectuent un vaste périple à bicyclette, descendant au Pays basque, puis se rendant à Marseille et remontant ensuite par le Massif central. Enfin, le 1er mai

---

80. *Bulletin de la Société des amis de l'ENS*, n° 55, décembre 1947, p. 31. Alfred Péron fut aussi décoré à titre posthume de la croix de guerre avec palme, de la médaille de la Résistance et du Certificate of Service.

81. Lettres à Simone de Beauvoir, 14 juillet 1938, *Lettres au Castor et à quelques autres*, réf. cit., p. 183.

1945, Péron meurt d'épuisement dans un hôpital suisse, quelques jours après sa libération du camp de Mauthausen. Au même moment, Sartre prolongeait un séjour new-yorkais, commencé le 11 janvier, tout à son aventure avec Dolorès Vanetti. On se rappellera aussi que la France est encore en guerre à cette date.

Il ne s'agit pas ici, il faut le répéter, de solliciter les faits et les dates ou de détourner le martyre des uns pour accabler les autres. Peut-on, pour autant, éluder à travers le parallèle avec Péron la question d'un engagement longtemps différé et celle de la surdétermination du politique qui, dès lors, s'opéra chez Sartre? Bien plus, la mise en «situation» chère à ce dernier impose à l'historien de recourir à des situations concrètes. Jean-Paul Sartre, en mai 1945, n'a, bien sûr, pas de comptes à rendre aux disparus de la Résistance. On ajoutera pourtant que quelques intellectuels de son âge s'engagèrent dans une unité combattante à l'été 1944, après la libération de Paris. C'est le cas d'André Déléage, qui avait été élève de la khâgne de Louis-le-Grand en même temps que lui, mais que la tuberculose empêcha de passer le concours de la rue d'Ulm en 1924. Il avait été, quelques années plus tard, l'un des fondateurs de la revue *Esprit*. Incontestablement l'une des personnalités les plus marquantes et les plus attachantes de «l'esprit des années 1930», élève de Marc Bloch, il était devenu en octobre 1941 maître de conférences d'histoire médiévale à l'université de Nancy et s'annonçait comme un historien d'avenir. Résistant, André Déléage, pourtant plus âgé que Sartre et Aron – il est né en 1903 –, participa comme officier FFI à la campagne d'Alsace, et il tomba au combat le jour de Noël 1944.

Au sein même de la promotion normalienne de Sartre, si Alfred Péron ne survécut pas à la déportation, ce fut le cas d'un autre membre, Jean Baillou, qui revint rue d'Ulm – où il était en poste au moment de son arrestation – au printemps 1945. Un normalien se souvenait, un demi-siècle plus tard, de ce retour en ces termes: «Quand nous le vîmes entrer, encore revêtu de son ignoble pyjama rayé de bagnard, soutenu par deux de ses proches, un grand silence, à la fois respectueux et angoissé, s'établit parmi nous, tant notre émotion était grande. L'homme vif, vigoureux qui nous avait quittés au mois d'août précédent, était devenu un véritable squelette ambulant, une loque humaine : seuls ses deux yeux brillaient dans un visage émacié... Jean Baillou était alors grand fumeur de pipe et il avait retrouvé avec joie ce passe-temps dont il avait été privé trop longtemps ; mais lorsqu'il mettait sa pipe dans sa bouche, elle tombait aussitôt à terre ; il n'avait plus de dents pour la retenir[82]. »

En outre, l'animateur du groupe socialiste à l'École dans les années 1920, qu'avait alors côtoyé Raymond Aron, Georges Lefranc, lui aussi membre de la promotion de 1924, se retrouvait, pour sa part, dans les prisons de la Libération, accusé de collaborationnisme. La guerre, en effet, n'a pas seulement échancré profondément la promotion de 1924, elle a aussi entraîné parmi ses membres des engagements antagonistes qui sont venu brouiller les réseaux d'amitié et les clivages politiques. Durant le premier conflit mondial, les normaliens qui tombèrent au combat relevaient tous d'une même rubrique : tués à l'ennemi. Leurs cadets des promotions des années 1920 touchés par le conflit suivant le furent dans des conditions beaucoup plus diverses et même parfois dans des camps opposés. L'ébranlement de ces promotions fut donc, au bout du compte, moins sanglant mais plus durable et profond : non seulement, en effet, elles subirent directement les effets de la faux de la guerre, mais elles conservèrent longtemps, de surcroît, les cicatrices des dissensions de la communauté nationale entre 1940 et 1944. Ceux qui avaient été avant la guerre les figures de proue de l'engagement normalien l'ont souvent payé au prix fort durant la guerre, disparus physiquement dans les crevasses de l'Occupation ou discrédités moralement après guerre. Dans tous les cas, au sein des deux camps, l'engagement a été synonyme d'un lourd tribut versé. On comprend mieux, de ce fait, que se soit

---

82. Témoignage d'Hubert Gallet de Santerre, plaquette d'*Hommage à Jean Baillou*, Association pour la diffusion de la pensée française, 1993, p. 19.

opérée au sein de ces promotions normaliennes des années 1920 une relève intragénérationnelle à la Libération : occupent le devant de la scène les survivants de l'engagement au péril d'une vie – Georges Canguilhem, par exemple –, mais aussi des hommes maintenant quadragénaires et restés largement jusque-là en coulisse de l'engagement dans le siècle. Jean-Paul Sartre en est, à coup sûr, l'archétype. Force est de constater que les vides laissés au sein de sa génération par des engagements plus précoces que le sien et payés au prix fort ont créé un appel d'air propice.

Et l'on ferait, en fait, la même observation pour Maurice Merleau-Ponty au sein de sa promotion normalienne de 1926. Au sein de celle-ci, on compte aussi un déporté qui survécut aux camps et plusieurs morts. Le survivant est André Kaan. « Une des figures les plus pures de ma génération », écrira de lui Raymond Aron dans ses *Mémoires*, en ajoutant qu'il incarnait « le type idéal du philosophe au combat. » Ce traducteur de Hegel, père de trois enfants, prisonnier de guerre en 1940 et rapatrié sanitaire en 1942, fut un authentique résistant. Arrêté le 8 juin 1944, déporté en Allemagne par le dernier train qui gagne Buchenwald, il survit au camp de concentration : pesant trente-cinq kilos à sa libération, il sera frappé peu après par la tuberculose. Son frère aîné, le philosophe Pierre Kaan, ancien khâgneux de Louis-le-Grand, Biran dans la Résistance, n'échappa pas, pour sa part, à la mort : arrêté en décembre 1943, torturé dans les locaux de la Gestapo, avenue Foch, déporté à Buchenwald, il mourut du typhus dans un hôpital de Tchécoslovaquie quelques jours après la libération du camp.

Pierre Kaan [83] n'était pas normalien. Mais, dans la même promotion que son frère André, trois anciens élèves de la rue d'Ulm moururent aussi durant le conflit. Dans des conditions au demeurant très différentes. André Vattier, professeur au lycée

---

83. Sur Pierre Kaan, cf., par exemple, *Souvenirs inédits d'Yvon Morandat*, édition établie et présentée par Laurent Douzou, *Cahiers de l'IHTP*, n° 29, septembre 1994, p. 98.

Buffon, meurt sous l'uniforme français en 1940, au moment de l'offensive allemande. Le « cacique » de la promotion, Jean-Paul Hutter, disparaît en Courlande sous l'uniforme allemand en mars 1944[84]. Cinq mois plus tard, le philosophe Albert Lautman tombe sous les balles d'une peloton d'exécution allemand. Quatre ans plus tôt, il avait été fait prisonnier le 30 mai 1940, quelques jours après la bataille de Dunkerque au cours de laquelle il avait été décoré. Conduit en captivité en Silésie, à l'oflag IV D, il s'en était évadé, à sa deuxième tentative, le 14 octobre 1941, grâce à un tunnel creusé sous les barbelés. Après son évasion, il était revenu en France et s'était installé à Toulouse où enseignait son épouse. Il n'avait pas été question pour lui de reprendre un poste de professeur : les lois antisémites de Vichy en avaient décidé autrement. À Toulouse, il avait animé la branche locale d'un réseau de Résistance spécialisé dans les filières d'évasion vers Gibraltar. Le 15 mai 1944, le normalien devenu passeur était arrêté. À la fin du mois de juillet, il était emmené à trois reprises au camp de Souges. Les deux première fois, l'exécution fut remise au dernier moment, après une attente près des poteaux dressés et à quelques pas de cinq fosses communes déjà creusées. Ces fosses ne furent utilisées que le 1er août : à l'aube, Albert Lautman fut fusillé en compagnie d'autres résistants. Ce philosophe avait veillé, tout au long de la guerre, à se ménager « des heures de concentration intellectuelle », essayant ainsi de « renouer avec son œuvre d'avant-guerre[85] ». Au cœur de la lutte et du danger, il rédigea deux chapitres d'un ouvrage qu'il méditait, l'un sur « Symétrie et dissymétrie en mathématiques et en physique », l'autre sur « Le Problème du temps ». Avec en tête, probablement, la hantise de la destinée du mathématicien Évariste Galois, tué en duel à vingt et un ans. « Je ne sais rien de plus tragique », avait-il dit en 1928 à sa future épouse lors de leur première rencontre,

---

84. Cf. Jean-François Sirinelli, *Génération intellectuelle*, réf. cit., p. 557.

85. Témoignage de son épouse, Suzanne Lautman, dans l'*Annuaire* 1946 de l'ENS, p. 59.

« que cette aube d'avant le duel, lorsque Galois prit conscience qu'il n'avait plus le temps de donner ses démonstrations[86]. » Au fil de son combat de l'ombre, l'image d'Évariste Galois au matin de son duel, d'obsession était devenue réalité. « Tu sais, on y passera tous avant la fin », déclara-t-il en mai 1944 à son camarade de promotion le résistant Pierre Bertaux, rencontré en gare de Toulouse alors qu'il tentait d'y récupérer des aviateurs anglais tombés en France[87]. Et, destinée encore plus poignante, l'horreur de son exécution deux fois différée fit que le jeune philosophe connut trois « aubes avant le duel », et trois fois il « prit conscience qu'il n'avait plus le temps de donner ses démonstrations ».

Les deux chapitres rédigés pendant l'Occupation furent publiés en 1946, chez Hermann, dans une collection, « Essais philosophiques », dont le directeur ne vit pas non plus la publication de l'ouvrage. Il s'appelait Jean Cavaillès. De tous les philosophes ulmiens appartenant à des promotions voisines de celle de Sartre, il est celui dont, parfois, on lui oppose le destin, tant une œuvre philosophique pleine d'avenir s'est trouvée brutalement brisée par les conséquences d'un engagement assumé jusqu'au sacrifice de la vie. Le « cacique » de la promotion de 1923 s'annonçait, en effet, comme l'un des plus brillants logiciens de sa génération[88]. Professeur, au début de la guerre, à la faculté des lettres de Strasbourg repliée à Clermont-Ferrand, bientôt chargé d'une suppléance en Sorbonne, Jean Cavaillès prend une part précoce et active à la Résistance. Ce qui lui vaudra de tomber sous les balles d'un peloton d'exécution allemand : son corps sera identifié, un an après la Libération, « inconnu n° 5 » parmi douze résistants fusillés par les Allemands en janvier 1944 à la citadelle d'Arras. Compagnon de la Libération à titre posthume – ou, plus précisément, le

---

86. *Ibid*, p. 56.

87. *Bulletin de la Société des amis de l'ENS*, n° 118, juin 1970, p. 18.

88. Jean Cavaillès avait soutenu ses thèses en Sorbonne le 22 janvier 1938, quelques semaines avant Raymond Aron.

20 novembre 1944 alors que l'on est sans nouvelles précises de son sort –, il repose désormais dans la crypte de la chapelle de la Sorbonne, aux côtés des dépouilles d'autres universitaires résistants et des cendres des élèves du lycée Buffon fusillés par l'occupant. Quand on identifiera sa dépouille mortelle – à l'été de 1945 seulement ! –, Raymond Aron écrira dans *Le Monde* du 12 juillet 1945 : « Le guerrier demeurait philosophe. » De fait, l'engagement de Cavaillès découlait précisément de son œuvre. À Aron, qui l'hébergeait lors de son séjour à Londres en 1943, il avait dit que la nécessité de son engagement appartenait « au même genre que les vérités mathématiques ». Cet engagement avait été précoce. Quand il est appelé en février 1941 pour exercer une suppléance en Sorbonne, il demande à Georges Canguilhem de lui succéder à Clermont-Ferrand, en même temps qu'il lui fait part des actions de résistance qu'il est en train de mettre sur pied. Ce dernier, membre de la promotion de Sartre et futur grand résistant, est d'ailleurs présent quand, sur un banc de la faculté clermontoise, Jean Cavaillès et Emmanuel d'Astier de La Vigerie rédigent le premier tract du mouvement Libération, qui va devenir Libération-Sud. À la même époque, Jean Cavaillès participe, à Clermont-Ferrand, à une campagne d'affichage de papillons anticollaborationnistes – notamment « Lisez *Gringoire*. Vous ferez plaisir à Hitler » – touchant plusieurs villes de zone Sud [89].

Cela étant, son action ne ressortit pas seulement à la résistance intellectuelle : renseignement et sabotage sont au cœur de ses activités, pour lesquelles il fonde le réseau « Cohors-Asturies ». Sa résistance active, après un premier emprisonnement par Vichy au camp de Saint-Paul d'Eyjaux, dans la Haute-Vienne, et une évasion réussie en décembre 1942, le mènera, après une seconde arrestation, jusque devant un peloton d'exécution allemand en janvier 1944. Pendant un an et demi, on l'a

---

89. Cf. « Notes de prison de Bertrande d'Astier de La Vigerie (15 mars-4 avril 1941) », édition établie et présentée par Laurent Douzou, *Cahiers de l'Institut d'histoire du temps présent*, n° 25, octobre 1993, p. 10.

dit, on sera sans nouvelles de son sort. Au printemps 1945, le général de Gaulle avait même envoyé un avion le chercher à Mauthausen : avant d'être fusillé à Arras, il avait connu, en effet, le 21 janvier 1944, un faux départ vers les camps de la mort. Le « grand Cavaillès », comme l'appelait le chef de la France libre, ne fut identifié qu'à la fin du mois de juin 1945 : on l'a vu, il était jusque-là l'« inconnu n° 5 » de la fosse commune du cimetière d'Arras [90]. Comme on l'a écrit cinquante ans après sa mort, Cavaillès « laisse une œuvre que nous ne pouvons même pas qualifier d'incomplète ; c'est une œuvre inachevée, pour ne pas dire assassinée [91] » (Bruno Huisman).

On pourrait multiplier ainsi l'appel des morts au sein de cette génération normalienne et la recension des œuvres assassinées. De grandes figures ignorées du plus grand nombre émergeraient à cette occasion. Ainsi Jacques Monod, qui appartenait en 1923-1924 à la même khâgne de Louis-le-Grand que Jean-Paul Sartre. Reçu un an après ce dernier, il est agrégé des lettres en 1928. Quinze ans plus tard, durant l'Occupation, il est comme Sartre professeur de khâgne, pour sa part à Marseille. Résistant, recherché par la Gestapo, il abandonne sa chaire en octobre 1943 et, le 8 juin suivant, rejoint un maquis. Douze jours plus tard, il trouve la mort, les armes à la main, à Chaudesaigues, dans le Cantal : le « lieutenant Meunier » est tué alors qu'il défendait, en servant une mitrailleuse, l'accès d'un pont contre une attaque allemande. Avant son départ pour le maquis, il avait écrit, à l'intention de ses amis de la Fédération française des associations chrétiennes d'étudiants, une lettre qui se terminait par ces mots : « Je pars sans haine et convaincu que nous, chrétiens, n'avons pas le droit de laisser les seuls païens offrir leur vie, au nom d'un simple idéal politique, dans une lutte où sont

---

90. Gabrielle Ferrières, *Jean Cavaillès, un philosophe dans la guerre 1903-1944*, nouvelle édition, Le Seuil, 1982.

91. Jean Cavaillès, *Œuvres complètes de philosophie des sciences,* présentation de Bruno Huisman, suivi de *In Memoriam*, de Georges Canguilhem, Hermann, 1994.

engagés, avec le sort de la cité, le sort de l'Église et le destin spirituel de nos enfants. Je crois que, sur ce point, nous sommes presque tous d'accord[92]. » On ajoutera seulement que l'auteur des lignes qui précèdent a alors atteint la quarantaine et qu'il est père de six enfants. Il ne figure certes pas dans la galerie de portraits des normaliens les plus illustres des années 1920, notamment ceux qui seront après la guerre sur le devant de la scène, mais l'une des raisons en est précisément qu'au moment où l'engagement se payait parfois au prix de la vie il fut fauché au seuil de la maturité pour avoir mis ses actes en conformité avec ses déclarations.

À partir de là, il y aurait quelque indécence à faire de cet appel des morts une sorte de dossier à charge qui, implicitement, renverrait Sartre vers les banquettes et les poêles du Flore, au fil des jours glacés de l'Occupation. Mais doit-on, pour autant, oublier ce martyrologe au moment de faire les comptes ? Car celui-ci permet notamment, on l'a déjà souligné, de mieux comprendre l'irritation de nombre de normaliens de la génération de Sartre, après la guerre, au moment où ce dernier commença à prôner le « devoir d'engagement ».

Dénier à Sartre une authentique aversion pour Vichy et l'occupant relèverait du procès en sorcellerie. Et on laissera ici de côté les insinuations fielleuses d'un Rebatet ou d'un Céline tentant, par jet d'encre sur Sartre, de faire diversion par rapport à leurs propres engagements. Bien plus, la vue défaillante du philosophe rendait sans doute difficile un engagement direct dans l'action combattante. Mais que dire, dans ce cas, de l'engagement dans la Résistance d'un Marc Bloch qui paya un tel engagement du prix du sang ? L'homme avait dix-neuf ans de plus que Sartre et six enfants. Et plaider l'infirmité ou l'incapacité revient à faire de Sartre une sorte de héraut appelant les plus jeunes ou les plus capables à mourir, un peu à l'image de ces académiciens français qui avaient poussé à la roue au cours du conflit précédent.

---

92. Jacques Monod, « Lettre », reproduite dans *Le Semeur*, novembre 1944, 43e année, n° 1, pp. 2-3.

L'ordalie

Le 11 mars 1940, dans ses *Carnets,* Jean-Paul Sartre note : « Je constate que Gide, comme grand bourgeois, et moi comme fonctionnaire, d'une famille de fonctionnaires, nous n'étions que trop disposés à prendre le réel pour un décor. Finalement, à Gide pas plus qu'à moi, il n'est jamais rien arrivé d'irréparable[93]. » Deux mois plus tard, la France était envahie. Encore quelques semaines, et le réel prit, pour Sartre, l'apparence de la captivité. Le rapport avec l'Histoire était désormais établi. Celle-ci, longtemps, avait été un point aveugle pour le philosophe. Au contraire, à partir du second conflit mondial – et le processus, on l'a vu, s'amorce un peu avant 1939-1940 –, elle l'irradie.

Jusqu'à l'éblouir, diront ses adversaires. Ainsi formulée, l'observation est assurément polémique. Mais la piste des rapports avec l'Histoire permet précisément d'éviter le terrain polémique sans pour autant tomber dans l'angélisme. Dans une telle perspective, le surengagement politique de Sartre après 1945 et pratiquement jusqu'à sa mort doit probablement beaucoup au remords présumé d'un avant-guerre ensommeillé et d'une guerre sans éclat particulier[94], mais peut-être plus encore à une sorte de compensation après une première phase de lourd déficit dans ses rapports avec l'Histoire. Et cette compensation se fit par une révérence affichée envers elle et par une mise à son service : cette Histoire a un sens, qu'il convient d'accompagner, voire d'accélérer. La guerre joue, à cet égard, le rôle d'ordalie.

---

93. *Op. cit.,* p. 391 (p. 575 de l'édition de 1995).

94. Une telle analyse est fréquente, ainsi Roland Dumas répondant à Annie Cohen-Solal : « La guerre d'Algérie, ce fut *sa* guerre. Au fond, Sartre est passé à côté de la guerre d'Espagne, à côté du Front populaire. La Résistance ? oui mais si peu… Il aura donc manqué tous les grands événements politiques de son temps, sauf celui-là, la guerre d'Algérie. » (*Sartre,* réf. cit., p. 563.)

On saisit mieux, du coup, les rapports complexes qui débutent à cette époque avec le communisme. Puisque un intellectuel doit aider le processus historique, il se retrouve forcément, en cette période de hautes eaux de l'influence communiste sur l'intelligentsia française, dans une position de concurrence – et donc, éventuellement, de surenchère – ou d'alliance – et, de ce fait, d'allégeance, en raison des rapports de forces – avec le PCF. Sartre, on le verra, se mettra tour à tour dans les deux situations. Bien plus, c'est sur cette question des rapports avec le communisme que s'opérera la rupture idéologique avec Aron.

TROISIÈME PARTIE

LA GUERRE DE TRENTE ANS

S'il convient de nuancer la vision d'une ère de l'engagement des intellectuels qui débuterait en 1945, vision qui tend à dévaloriser le grand élan des années 1930 en ce domaine et qui relève, en fait, d'une reconstruction rétrospective surdéterminant le rôle de Jean-Paul Sartre, il n'en demeure pas moins que la Libération est bien le début d'une nouvelle phase de l'histoire des clercs en politique. Cette phase d'une trentaine d'années va courir jusqu'au milieu des années 1970, et deux traits principaux lui donnent sa spécificité. D'une part, cette période restera tout de même, dans la mémoire du milieu intellectuel, l'ère de l'engagement, car, si celui-ci s'était enclenché dès l'affaire Dreyfus et amplifié ensuite par étapes avec le saut quantitatif des années 1930, la Libération voit commencer l'époque de l'engagement proclamé – et parfois présenté comme un « devoir » consubstantiel de l'état même d'intellectuel. D'autre part, la gauche intellectuelle, dans ses variantes successives, s'est retrouvée en position dominante durant ce tiers de siècle.

Bien plus, au fil de ces trois décennies, l'intellectuel occupa une place de premier plan dans le débat civique. D'une certaine façon, ces trente années ont bien été « trente glorieuses » de l'histoire des intellectuels, denses et tumultueuses, souvent citées mais rétrospectivement controversées. Cela étant, de même que les Trente Glorieuses de l'économie et de la société françaises ont été ensuite, entre 1973 et 1979, durablement ébranlées par deux chocs pétroliers, de même, sans trop solliciter la concomitance des dates, force est de constater que la France intellectuelle a connu dans les années 1970 deux chocs... idéologiques : l'« effet Soljenitsyne » en 1974 et les désillusions chinoise et indochinoise à la fin de la même décennie. La gauche intellectuelle bascula alors dans ses « années orphelines ».

Durant cette trentaine d'années, Jean-Paul Sartre et Raymond Aron ont bien souvent incarné les deux versants opposés et bientôt antagonistes du milieu intellectuel – le premier en constituant plutôt l'adret, le second l'ubac. De ce fait, cette période aura en quelque sorte constitué, pour les deux anciens petits camarades, une guerre de trente ans.

IV

Le grand schisme

> Après cette longue séparation, nous fûmes immé
> diatement proches[1].

À l'automne 1944, les retrouvailles entre Sartre et Aron, revenu en France en septembre, sont chaleureuses. Le premier donne un article à *La France libre* de novembre 1944, revue à laquelle, de surcroît, il tresse des lauriers dans *Combat* des 6-7 janvier suivants. « *La France libre,* observe-t-il, offre l'aspect le plus pondéré et le plus calme, le mieux équilibré. Écrite avant tout dans le feu vivant d'une actualité toujours mouvante et dont le rythme même n'était pas prévisible, elle semble toujours disposer du recul de l'Histoire. Bannis, insultés en France, séparés de leur famille, comment ont-ils pu garder quatre ans cette objectivité sans passion, alors qu'ils étaient au fond d'eux-mêmes rongés d'espoir et de regrets[2] ? » Bien plus, les deux hommes vont jusqu'à envisager à la même époque de fonder un hebdomadaire[3]. Projet, bien

---

1. Raymond Aron, *Mémoires*, réf. cit., p. 198.
2. Jean-Paul Sartre, « Une grande revue française à Londres », *Combat*, 7-8 janvier 1945. L'article de Sartre dans *La France libre* (vol. IX, n° 49, pp. 9-19) était intitulé « Paris sous l'Occupation ».
3. Cf. Nicolas Baverez, *Raymon Aron*, réf. cit., pp. 206-207, qui cite une lettre très amicale de Sartre à Aron datant de l'hiver 1944-1945.

sûr, à replacer dans le contexte de la Libération, où tout apparaissait possible. À défaut de l'hebdomadaire, qui ne vit jamais le jour, Aron fut associé à la naissance des *Temps modernes*. Membre du comité de rédaction, il contribua à porter la revue sur les fonts baptismaux en donnant deux articles au premier numéro, « Les désillusions de la liberté » et « Après l'événement, avant l'histoire ».

Si les liens affectifs, peu à peu, s'étaient distendus au fil des années 1930, quelque chose subsistait donc à la Libération des affinités électives apparues exactement vingt ans plus tôt, rue d'Ulm. Et, durant quelques mois, celles-ci semblent s'être ressourcées à travers ces projets vécus en commun. Mais cette période de l'après-guerre, au bout du compte, sera celle où aura lieu le grand schisme Sartre-Aron[4]. En 1948, tout sera consommé et les deux petits camarades deviendront des ennemis de trente ans.

LA GESTATION D'« ARON », INTELLECTUEL LIBÉRAL

Dans un premier temps, pourtant, les deux hommes avaient en commun, outre leur apparente amitié renaissante, un semblable éloignement de l'Alma Mater. Certes, la maîtrise de conférences toulousaine dans laquelle Aron avait été nommé deux semaines avant la mobilisation de début septembre 1939 n'attendait que son retour. Bien plus, la faculté des lettres de

---

4. Parallèlement, on va le voir, durant cette même période, les champs d'intervention de l'un et de l'autre changent d'échelle, Jean-Paul Sartre parvenant rapidement à une grande notoriété. Cette montée en puissance doit être évoquée car non seulement elle est objet d'histoire en elle-même mais elle fait partie, de plain-pied, de l'étude qui est menée dans ce livre. Le relatif passage au second plan de Raymond Aron dans ce chapitre n'est donc pas l'effet du hasard, mais est dû à un souci de mise en perspective.

Bordeaux s'offrait à l'élire sur un poste de sociologie. Et pourtant, « atteint par le virus politique [5] », le presque quadragénaire renonça à une chaire universitaire, resta parisien et emprunta les chemins de traverse du journalisme. L'expression « virus politique » rend, au demeurant, imparfaitement compte des causes de cette bifurcation. Elle suggère, en effet, une soudaineté du virage, alors qu'il s'agit plutôt du fruit d'une évolution à triple détente.

Le premier moteur de cette évolution s'était enclenché, à Cologne au début des années 1930, lors de promenades sur les bords du Rhin. Il avait débouché sur la décision d'être un spectateur engagé, dans le sens analysé plus haut. À cet égard, on l'a vu, la période de la guerre marque un second temps de l'évolution. Durant ses cinquante mois londoniens, en effet, une seconde mue s'est opérée chez Raymond Aron. L'observation de l'actualité s'est faite à travers un genre précis, l'article de presse périodique, *La France libre* en l'occurrence. L'universitaire s'est fait chroniqueur, avec des traits fixés pour l'avenir : le refus du messianisme, et, de ce fait, le rejet de la tentation du manichéisme – rejet qui l'a placé dans une forme de marginalisation délibérée par rapport aux cercles dirigeants de la France libre. On l'a déjà souligné, ces articles ont joué le rôle de sas pour Raymond Aron : abandonnant momentanément le livre et l'article de revue scientifique ou académique privilégiés par l'universitaire, il opte pour l'heure pour l'article de quelques feuillets et pour l'analyse à chaud. Mais la césure est, en fait, encore plus marquée : c'est la hiérarchie même des formes d'expression qui s'est alors, au moins pour un temps, inversée. C'est en ce sens, probablement, qu'il faut interpréter la notion de « virus politique » : il s'agit bien de l'alliage entre une volonté d'action, pour un quadragénaire qui a connu l'engagement dense du combat londonien en même temps que l'épreuve de l'exil et qui répugne à l'idée de revenir dans

---

5. *Mémoires*, p. 196.

le giron douillet de l'Université, et le sentiment de la nécessité du combat idéologique, pour un intellectuel qui a désormais terminé son involution.

C'est là, du reste, le troisième aspect de la mue aronienne qui s'opère alors: «Aron», le clerc libéral, est en train de percer sous Raymond Aron. Dans un texte écrit l'année de sa mort, l'intéressé observait que sa «carrière se divise en deux périodes, apparemment hétérogènes», de part et d'autre de la guerre[6]. La bifurcation, précise-t-il, s'opéra certes dans les années d'avant-guerre avec l'amorce d'une «critique des religions séculières» mais fut surtout matérialisée durant le conflit par ses deux articles explicitant ces religions séculières: l'objet en était «les mouvements politiques qui aboutiront tous deux à un État totalitaire». L'usage de ce dernier mot dans la note de 1983 n'est pas une remise en perspective opérée *a posteriori*. Dès 1936, Raymond Aron utilise l'adjectif. Sa réflexion en ce domaine s'amorça, on l'a vu, à propos de l'Allemagne nazie. À tel point, du reste, que le regret le taraudera par la suite non pas, bien sûr, de cette réflexion précoce à propos du nazisme mais du retard qu'il mit à analyser en profondeur le phénomène soviétique. Mais, par-delà cette vitesse différente de découverte de l'ampleur et de la réalité des États totalitaires, l'insertion en leur sein de l'Union soviétique est antérieure à la guerre, et les textes réunis en 1993 sous le titre *Machiavel et les tyrannies modernes* sont essentiels pour jalonner cette évolution.

En novembre 1936, après un exposé d'Élie Halévy devant la Société française de philosophie faisant un parallèle entre les régimes allemand, italien et soviétique, Raymond Aron, tout en donnant globalement acte à l'auteur de la pertinence de son analyse, émet toutefois de nettes réserves. Mais autant que la teneur de l'argumentation c'est sa tonalité qui importe. «Sans aucun doute, observe Raymond Aron, il y a entre tous les régimes totalitaires des points communs; le fait même qu'ils

---

6. Note rédigée le 6 janvier 1983, sans précision de destination, reproduite dans *Commentaire*, février 1985, pp. 517-519.

sont totalitaires et tyranniques implique certaines analogies. Mais celles-ci, décisives pour le libéral qui réagit sentimentalement contre la perte des libertés formelles et des libertés démocratiques, sont moins importantes pour le sociologue qui analyse l'ensemble. » Et de préciser un peu plus loin : « La lutte des classes constitue donc, même et surtout dans les pays démocratiques, le problème décisif, beaucoup plus que celui du libéralisme, auquel on s'intéresse moins[7]. » À cette date, le glissement du socialisme vers le libéralisme était loin, on le voit, de s'être amorcé chez Raymond Aron. Et trois ans plus tard, dans « L'Ère des tyrannies d'É. Halévy », article publié dans le numéro de la *Revue de métaphysique et de morale* de mai 1939, les « préjugés de gauche » – comme Aron les appellera par la suite – apparaissent encore clairement pour ce qui est de la comparaison entre nazisme et communisme, car, écrit-il, « il serait injuste de négliger entièrement la doctrine, la volonté, le but communistes[8] ».

Mais, dans le même temps, cette volonté apparente de contact étroit avec l'œuvre – l'homme, lui, est mort en 1937, et, dans un texte de 1970, Raymond Aron rappellera qu'il l'a connu « tard dans sa vie[9] » – d'Élie Halévy montre que, par cette manière de dialogue jusqu'au-delà de la mort Raymond Aron est sur ce point en attente et donc en phase d'évolution. Au demeurant, dans l'exposé qu'il prononce le 17 juin 1939 devant la Société française de philosophie, il appelle, on l'a vu, dans le face-à-face entre États démocratiques et États totalitaires, à la défense de « valeurs ». Encore faut-il, précise-t-il, que ces valeurs se réforment. Et d'ajouter que « le conservatisme démocratique », qui apparemment fait partie de ces valeurs, « n'est susceptible de se sauver qu'en se renouvelant[10] ». Le contexte du paragraphe indique qu'il s'agit bien ici de la pensée libérale. Celle-ci n'est

---

7. *Op. cit.*, p. 307-308.
8. Repris dans *Commentaire*, n°s 28-29, février 1985, p. 339.
9. *Ibid.*, p. 327.
10. Raymond Aron, *Machiavel et les tyrannies modernes*, réf. cit., p. 179.

donc plus sous la plume de Raymond Aron automatiquement renvoyée vers le cimetière de pensées dépassées. Et l'évolution est d'autant plus perceptible en cette année 1939 que, dans le texte sur « L'Ère des tyrannies » publié par la *Revue de métaphysique et de morale,* surgit au détour d'une phrase la notion de « religion de salut » : « Le communisme est la transposition, la caricature d'une religion de salut, les fascismes ne connaissent plus l'Humanité [11]. »

Déjà, donc, s'amorçait l'enrichissement de la réflexion sur les « tyrannies » par le thème des « religions séculières ». On a vu plus haut l'importance que Raymond Aron accordait rétrospectivement à ce tournant. Et, de fait, les deux livraisons, à l'été de 1944, de « L'avenir des religions séculières [12] » montrent une nette évolution. Certes, le Raymond Aron libéral n'est encore qu'à moitié ébauché à ce moment-là et l'auteur place son propos sous le signe du dirigisme qui est dans l'air du temps et que lui-même vient d'observer en Grande-Bretagne : sur le plan économique, en effet, il faut partir du constat que, « aujourd'hui, les régimes, quels qu'ils soient, doivent garantir à tous les individus un minimum de sécurité économique (et en premier lieu de sécurité de l'emploi), ce qui implique que l'État accepte la responsabilité d'une direction, directe ou indirecte, de l'ensemble de l'économie ». En précisant, il est vrai : « Les régimes qui ont souci de sauvegarder le pluralisme et les libertés doivent donc, tout à la fois, assumer les responsabilités que les masses ne leur pardonneraient pas de refuser, et laisser une part aux mécanismes automatiques du marché, considérés comme la méthode conforme à l'intérêt général dans les limites données. » En foi de quoi, Raymond Aron écrit : « Qu'un régime intermédiaire,

---

11. Réf. cit., p. 339.
12. Raymond Aron, « L'avenir des religions séculières », I et II, *La France libre,* vol. VIII, n°s 45 et 46, 15 juillet et 15 août 1944. Ces deux articles sont naturellement souvent cités par les spécialistes de la pensée aronienne et placés à leur juste place : cf., par exemple, Ariane Chebel d'Appollonia, *op. cit.,* pp. 465-467.

étranger aux dogmatismes rivaux, soit économiquement, socialement, viable, nous en sommes convaincu. » L'expérience britannique est citée en exemple, mais « l'aveuglement réactionnaire des anciennes classes dirigeantes » serait en France un frein à son application.

En même temps, dans l'ordre politique, Raymond Aron met en avant « le sens des valeurs universelles » et constate qu'il faudrait « reconstruire une doctrine » qui s'appuierait « sur ces sentiments, droits des individus, patriotisme, exigence de liberté[13] ». La pensée aronienne se trouve alors à la croisée des chemins, ce qui lui confère momentanément un aspect ambivalent. Au demeurant, un an plus tard encore, en novembre 1945, dans un article des *Temps modernes* consacré aux « chances du socialisme », on retrouve cette ambivalence : se réjouissant des bons résultats électoraux de la SFIO aux élections de la première Constituante, il constate que « l'ascension du Parti socialiste a peut-être une signification plus large encore. [...] Il a pour mission d'introduire dans la société française les éléments du socialisme, direction de l'économie par l'État sous l'influence des masses populaires, qu'elle peut assimiler tout en recueillant le libéralisme intellectuel et personnel que la France ne se résigne pas à sacrifier[14]. » Raymond Aron a beau rétrospectivement qualifier son article de « bien pauvre » dans ses *Mémoires*[15], celui-ci est doublement significatif. D'une part, l'ambivalence vis-à-vis du libéralisme demeure ; d'autre part, l'article relève bien de la chronique à chaud, genre vers lequel progressivement il est en train de s'acheminer.

De fait, on l'a vu, le « virus politique » eut pour principal effet l'entrée en journalisme. Certes, il y eut, entre-temps, l'intermède, de fin novembre 1945 à janvier 1946, de la direction du cabinet d'André Malraux, ministre de l'Information.

---

13. Art. cit., II, pp. 275-276.

14. Raymond Aron, « Les chances du socialisme », *Les Temps modernes*, n° 2, novembre 1945, pp. 233-234.

15. *Op. cit.*, p. 48.

L'expérience ne marqua pas, semble-t-il, Raymond Aron, même si elle lui fut précieuse comme occasion d'avoir une vue directe sur la salle des machines. Mais pour lui l'action, décidément, devait passer par l'analyse et le commentaire, et, plus que de la salle des machines, c'est de la jetée qu'il entendait agir. Les tempêtes de l'Histoire, il est vrai, y sont également perceptibles.

C'est grâce à André Malraux que Raymond Aron put entrer à *Combat*. Sur ses conseils, il rendit visite à Pascal Pia, alors cheville ouvrière, avec Albert Ollivier, de ce quotidien. Celui-ci, à cette époque, tirait à 150 000 exemplaires[16] et connaissait ses très riches heures. Le rayonnement de Camus ajoutait encore à ce prestige dans le Paris intellectuel de l'après-guerre. Raymond Aron y avait écrit dès le 25 octobre 1944 un article intitulé « Les conditions de la grandeur française ». D'autres avaient suivi, par exemple « Une autre Allemagne » le 7 février 1945. En mars 1946, il s'agrège à l'équipe, au sein de laquelle il restera un peu plus d'un an, jusqu'au début du mois de juin 1947. En avril 1946, il rédige une série de sept articles qui, sous le titre « La scène politique », analyse les grands partis politiques français (14-23 avril). « Albert Ollivier et beaucoup d'autres m'en félicitèrent, non sans une ombre de surprise. Dans le petit milieu de la presse, [ces articles] m'assurèrent d'un coup une position que mes livres d'avant-guerre, ignorés par la plupart des journalistes, ne me promettaient nullement. Je devins éditorialiste, au sens propre du terme, et non plus seulement columnist[17]. » Cette activité fut très dense puisque, en quatorze mois, il rédige cent quarante articles, soit en moyenne un article tous les trois jours.

---

16. Cf. Yves-Marc Ajchenbaum, *À la vie, à la mort. Histoire du journal « Combat », 1941-1974*, Le Monde Édition, 1995. Cf. aussi le colloque de mai 1987 sur Camus et *Combat*, sous la direction de Jeanyves Guérin, Éditions de l'espace européen, 1990.

17. *Mémoires*, réf. cit., pp. 209-210.

La prise de pouvoir de Jean-Paul Sartre

En ce même printemps 1946 où il entre à *Combat*, Raymond Aron s'apprête à quitter *Les Temps modernes*. Le premier numéro de cette revue avait paru le 1er octobre 1945, après une gestation de près de dix mois. À la séance du conseil d'administration des éditions Gallimard du 14 décembre 1944, en effet, Gaston Gallimard avait informé ses membres « du projet qui lui a été soumis par M. Jean-Paul Sartre de créer une revue mensuelle devant s'intituler *Les Temps modernes* ». Et d'annoncer aussi la composition prévue du comité de rédaction : Simone de Beauvoir, Maurice Merleau-Ponty, Raymond Aron, Michel Leiris, Brice Parain, Jean Paulhan et, bien sûr, Jean-Paul Sartre[18]. Ce projet, approuvé par le conseil, subira en dix mois peu de modifications pour ce qui concerne le comité de rédaction annoncé : Brice Parain n'en sera pas, et Albert Ollivier est présent au sein de l'organigramme annoncé dans le premier numéro.

Désormais, le titre aux lettres rouge et noir aura pignon sur rue intellectuelle. Sur sa naissance, tout a été dit, ou presque. Fut-elle préméditée, fruit d'une stratégie consciente de conquête du pouvoir intellectuel par Sartre et d'une habile mise en batterie de son capital, notamment de notoriété, comme l'a écrit, au terme d'une brillante analyse inspirée par les travaux de Pierre Bourdieu, la sociologue Anna Boschetti ? Celle-ci observe[19] que la montée en puissance de Sartre dans les années de l'immédiat après-guerre tient notamment au fait qu'il a réuni sur sa personne les atouts de deux types d'intellectuels jusque-là antithétiques, le « professeur » et le « créateur ». Et il est bien vrai que, à la fois Bergson et Gide, Sartre voit sa force de frappe intellectuelle faire un saut quantitatif. Pour autant, peut-on totalement suivre l'auteur quand elle fait de cette situation

---

18. Source : éditions Gallimard.
19. Anna Boschetti, *Sartre et les « Temps modernes ». Une entreprise intellectuelle*, Minuit, 1985.

dominante acquise par le philosophe le produit de la seule combinaison réussie de « stratégies » ? On laissera de côté ici le débat ouvert par Gilbert Joseph et déjà évoqué au chapitre précédent : Sartre a-t-il consacré son énergie durant l'Occupation à promouvoir sa carrière littéraire et s'est-il prévalu à la Libération du titre de résistant pour poursuivre une telle montée en puissance ? Sur ce point, on l'a vu, l'historien ne peut apporter une réponse scientifiquement sans appel. Et ce pour deux raisons au moins. D'une part, une telle réponse est, pour partie, affaire de conscience, et il ne peut se prévaloir en pareil domaine d'une compétence ou d'une autorité spécifiques. D'autre part, et surtout, cette question vient se greffer sur celle, plus générale, du problème du « silence de la mer » sous l'Occupation. Les écrivains français devaient-ils choisir de suspendre délibérément leur œuvre créatrice, puisque toute expression de leur part devait subir préalablement la censure allemande et pouvait apparaître, dès lors, comme l'acceptation du fait accompli ? En d'autres termes, devaient-ils pratiquer la politique de la terre brûlée intellectuelle et faire de la France de l'Occupation un désert de l'esprit, ou bien, au contraire, était-il de leur devoir de maintenir haut le pavillon de la pensée et de l'art français ? Bien des indices montrent, il est vrai, que c'est surtout après la Libération que cette question prit une acuité particulière, dans le contexte de l'épuration. Et force est de reconnaître que, sur le moment, il y eut une création culturelle brillante, et riche d'avenir. De surcroît, s'il y eut une littérature et un théâtre stipendiés, la plus grande partie de la production des écrivains ne fut certes pas résistante – et pour cause ! –, mais pas non plus collaboratrice.

La question de l'œuvre écrite ou jouée sous l'Occupation ne peut donc être résolue en quelques mots, et surtout en termes collectifs. L'approche la plus réaliste est bien plutôt l'analyse de cas individuels, par l'examen des processus et des intensités d'accommodation par rapport à l'occupant. Ce fut le parti adopté au chapitre précédent, et l'on n'y reviendra pas ici. Sauf pour rappeler que, de fait, l'ascension de Sartre s'était amorcée durant l'Occupation. Au demeurant, déjà avant la guerre, on l'a vu, *La Nausée* avait obtenu, parallèlement à une très forte résonance dans les milieux de la critique, un réel écho dans le lectorat. Au moment de la mobilisation, Sartre n'est certes pas encore un membre éminent de la république des lettres – et l'ascension des années suivantes est à juger à cette aune –, mais il en est déjà partie intégrante. Il appartient bien au microcosme littéraire parisien, ce qui permet, du reste, à Simone de Beauvoir de lui écrire dans les termes suivants durant sa captivité, sans qu'il faille y voir seulement un message d'encouragement face à la situation d'éloignement dans laquelle il se trouve alors : « Paris ne vous oublie pas – il y a çà et là des entrefilets sur vous. *La Gerbe* disait l'autre jour : "On nous annonce que M. Sartre prépare un roman appelé *L'Âge de raison* ; espérons qu'il y arrivera lui-même"[20]... »

Cette notoriété à feux doux va s'amplifier après le retour de Sartre à Paris, surtout à partir de 1943. À partir de là, on l'a vu, la production sartrienne champignonne, et de surcroît sur des registres très différents : ainsi, en cette année 1943, aussi bien *Les Mouches* que *L'Être et le Néant,* mais aussi, à partir du 1er novembre, un travail payé 25 000 francs de collaborateur du service manuscrits de Pathé[21] ; et, en 1944, *Huis clos* mais aussi la série d'articles pour *Combat* sur la libération de Paris. Avant même la percée « médiatique » de 1945 et des années suivantes, il existe bien déjà un capital de notoriété de l'écrivain et philosophe Sartre, d'autant que l'œuvre littéraire du premier contribue à vulgariser et, de ce fait, à faire plus aisément connaître la pensée du second. Le trait, on l'a vu, s'enracine dans un passé déjà lointain, celui des premiers écrits de Sartre.

Ce capital de notoriété va donner de très rapides dividendes. Dans Paris libéré, Jean-Paul Sartre est en première ligne car en première page. Première page, par exemple, des *Lettres françaises* du 9 septembre 1944, avec l'article « La République du silence »

---

20. Lettre datée du 14 mars 1941, *Lettres à Sartre,* réf. cit., t. II, p. 239.
21. Cf. note 57, page 180.

que sa première phrase a rendu célèbre : « Jamais nous n'avons été plus libres que sous l'occupation allemande. » Première page aussi, sept semaines plus tard, quand les mêmes *Lettres françaises* publient le 28 octobre un extrait du *Sursis* (« Le 23 septembre 38 ») encore inédit. Et, comme aux derniers mois de l'Occupation, Sartre songe au cinéma. Par une lettre du 29 septembre 1944, la société Pathé lui accuse réception de « son scénario sur la Résistance ». Lettre à laquelle il répond le 1er décembre en précisant qu'il continue alors à travailler sur ce projet mais aussi sur un... « scénario comique [22] ». Si la grande percée date de l'année suivante, la capacité d'écho et de résonance est déjà là en cette fin de 1944. Les mois de séjour aux États-Unis au premier semestre 1945 vont à peine différer l'accès à la notoriété qui caractérise les mois suivants, et dont l'effervescence autour de la célèbre conférence sur l'existentialisme le 29 octobre 1945 apparaît rétrospectivement comme l'indicateur d'intensité. Au milieu de l'année 1945, déjà, cette célébrité était au rendez-vous et l'on songe, face au Sartre tout juste âgé de quarante ans, à cette phrase d'Auguste Anglès décrivant, dans son étude sur les premiers pas de la *NRF* [23], le Gide de la maturité : « En ce cœur de l'été, c'est l'heure de midi pour Gide, au milieu de son âge et de son œuvre. » Certes, la notoriété sartrienne, on le verra, montera encore d'un cran au cours des années suivantes, en acquérant vite une dimension internationale, mais la métamorphose a déjà eu lieu en France.

Le parallèle avec Gide est, du reste, fait explicitement dans un article non signé – par Raymond Aron ? – de *La France libre* du 15 janvier 1945 qui constate que Sartre jouit alors « du même prestige que Barrès vers 1890 et Gide vers 1905 ». Et ce parallèle est, pour nous, précieux à un autre égard. Comme Gide en d'autres temps, c'est Sartre désormais qui sent le soufre. Ainsi, Paul Claudel, dans une lettre à Gaston Gallimard datée du

---

22. Archives Pathé.

23. Auguste Anglès, *André Gide et le premier groupe de « La Nouvelle Revue française », l'âge critique, 1911-1912*, Gallimard, « Bibliothèque des idées », 1986.

17 janvier 1946, se plaint de voir l'éditeur publier des « inepties à la douzaine ». Car « on ne lira plus Gide, ou Sartre, ou Camus, mais on lira toujours du Paul Claudel ». Ce sont, en fait, les « ignominies existentialistes » qui sont à l'origine de l'ire de l'écrivain : « Cela ne me plaît pas du tout, car je considère l'existentialisme comme une entreprise systématique d'empoisonnement, et malheureusement elle rencontre auprès de la jeunesse française le même succès qu'a obtenu jadis le malheureux Gide. Le voisinage de ces scélérats et de ces malfaiteurs dont vous vous êtes fait le propagateur officiel ne m'est nullement agréable[24]. » Cet hommage de la vertu au vice est révélateur : Sartre existe, puisque Claudel a rencontré l'existentialisme.

Il faut ici revenir à la question posée plus haut. La situation vite dominante acquise par le philosophe n'est-elle que le fruit de « stratégies » réussies ? La réponse est complexe, car faire de la prise de pouvoir intellectuel de Jean-Paul Sartre le seul résultat d'une mécanique aux rouages bien huilés serait assurément réducteur. L'étude des réseaux et des hommes ne peut se ramener à leurs seuls effets microsociaux supposés. Sauf à admettre que l'on puisse faire l'impasse sur ce qui reste le cœur de l'acte d'intelligence : cette alchimie complexe qui engendre la création et nourrit le talent. Sauf aussi à considérer, sur un autre registre, que l'on puisse éluder, plutôt qu'élucider, cette question essentielle : comment un microclimat intellectuel, à un moment donné, parvient-il à se transformer en zone de hautes pressions intellectuelles ? Ou, plus prosaïquement, comment une revue impose-t-elle sa loi à la république des lettres ? Ce fut le cas, par périodes, de la *NRF*. Ce sera le cas, au moins dans la première phase de leur existence, des *Temps modernes*.

Pour autant, le fait est que l'on assiste à une montée en puissance sinon programmée en tout cas menée avec constance et qui n'est pas seulement le fruit du hasard. Les indices abondent

---

24. *Correspondance 1911-1954 de Paul Claudel et Gaston Gallimard*, édition établie, présentée et annotée par Bernard Delvaille, Gallimard, 1995, lettre en date du 17 janvier 1946.

d'appuis sollicités par le philosophe à tous les stades de sa carrière, depuis Charles Dullin écrivant à Gaston Gallimard pour
lui recommander Sartre et *Melancholia* – la future *Nausée*[25] – jusqu'au directeur de *Comœdia* René Delange, qui n'est pas seulement, s'il faut en croire la correspondance Sartre-Beauvoir, un
bienfaiteur de la seconde durant la guerre. Bien plus, il apparaît
maintenant que, malgré sa constante ironie épistolaire vis-à-vis
de l'Alma Mater, Sartre a longtemps caressé le projet de faire
une thèse de doctorat et de conserver ainsi la possibilité d'embrasser une carrière universitaire. Le 13 mars 1940, par
exemple, le « soldat Sartre, aux armées » signale à Brice Parain
qu'il envisage de faire de *L'Imaginaire* une thèse. Deux ans plus
tard, alors que la publication de *L'Être et le Néant* commence à se
profiler, il signale là encore l'éventualité d'en faire une thèse[26].

Que Sartre ait donc ainsi nourri des ambitions et préservé
des choix n'a rien, au bout du compte, que de très normal. Le
problème est moins, dès lors, d'établir s'il y a eu intention
consciente et délibérée de tenter de se placer en situation d'hégémonie intellectuelle que de constater que volonté d'influence
intellectuelle il y eut, et qu'à partir de là la question de la fondation d'une revue se posait forcément. Car, dans le jeu de l'oie
des clercs, la revue est assurément une case stratégique. Certes,
en ce début d'automne 1945, Jean-Paul Sartre, fort d'une notoriété récente – au printemps précédent, il s'est mêlé « de bon
cœur au "tout-Paris"[27] » – mais déjà établie, existe sans *Les Temps
modernes*. Mais la revue va lui permettre d'incarner un type d'intellectuel et d'inséminer des idées. Car tel est bien, généralement, l'autre atout que confère le contrôle d'une revue : celle-ci,

---

25. Cf. la réponse, en date du 27 février 1937, où Gaston Gallimard déclare
qu'il va lire le manuscrit de Sartre (source : éditions Gallimard). On sait le
rôle joué, en définitive, par Gaston Gallimard, jusque dans le choix du titre
La Nausée. Dans une lettre du 12 octobre 1937, Brice Parain écrit à Sartre :
« Gaston Gallimard propose pour ton livre un titre que je trouve excellent :
La Nausée » (*ibid.*).

26. *Ibid.*

27. Simone de Beauvoir, *La Force des choses*, réf. cit., p. 46.

en raison de la souplesse que lui confère sa périodicité, et de « l'homogénéité de [sa] rédaction », constitue assurément « l'outil le mieux adapté à l'intervention dans les domaines de la culture et de l'idéologie [28] ».

Les revues, de fait, constituent bien à la fois le cœur et les poumons du milieu intellectuel, où parfois s'élaborent et, en tout cas, se diffusent les modes intellectuelles et les phénomènes idéologiques plus durables. Du coup, elles sont pour une classe d'âge la porte d'entrée dans ce milieu intellectuel et la possibilité d'y compter. La mise sur orbite peut revêtir deux aspects différents. Soit la lente progression au sein d'une revue déjà existante – les jeunes clercs font ainsi leurs gammes en alimentant en notules certaines rubriques, tandis que les aînés conservent la mainmise sur l'ensemble –, soit la maîtrise immédiate de la partition, par la fondation d'une nouvelle revue. Dans un cas, donc, il y aura adoubement par les aînés, dans l'autre cas il s'agira de la création d'un nouveau fief. C'est à quoi parvint Sartre, sans coup férir. Les circonstances de la Libération et la notoriété aidant, il créa un fief sans passer par l'adoubement des aînés.

Cependant, Sartre n'a pas été seulement une sorte de petit rentier devenu riche après avoir eu l'astuce de faire fructifier simultanément son capital intellectuel à des guichets différents : l'Université en même temps que l'édition. Sa revue a rencontré un écho immédiat parce qu'elle revêtait une quadruple signification, et c'est ce cumul qui a lesté *Les Temps modernes*. Car la question essentielle pour l'historien, moins que celle des motivations de Sartre, est bien celle des raisons de sa réussite. Pourquoi lui et pas d'autres ? L'intelligentsia ne manque pourtant pas de boursicoteurs doués. Et, surtout, pourquoi une telle longévité ? Les fortunes intellectuelles, comme les autres, ne se jouent pas sur un seul coup de Bourse. Ce serait déployer une vision téléologique de l'histoire intellectuelle que de ne voir au

---

28. Jean-Marie Domenach, « Entre le prophétique et le clérical », *La Revue des revues*, n° 1, mars 1986, pp. 21-30.

bout du compte dans l'envol de Sartre après la Libération que le produit d'une « stratégie ». Sans même invoquer la part en histoire de la contingence, de l'inattendu, du fortuit, soulignons que plusieurs facteurs ont été nécessaires pour rendre possible un tel envol. Facteurs qui nous permettent d'éclairer cette quadruple signification historique des *Temps modernes*.

Changement d'échelle

Il y a, d'abord, un phénomène de génération, amplifié par la Libération. Mais ce phénomène, on l'a souligné plus haut, présente la particularité d'être intragénérationnel et non intergénérationnel. Un tel cas de figure est rare et demande, de ce fait, qu'on s'y arrête.

Les jeunes gens qui entraient rue d'Ulm aux alentours de 1925 sont devenus quadragénaires et leur génération pacifiste a été ballottée par l'Histoire. Cette confrontation avec l'Histoire a été, on l'a vu, une confrontation dramatique. La génération de 1905 est, à la Libération, une génération dispersée : la prégnance du pacifisme a entraîné des choix différents face à la montée des périls tout au long des années 1930 puis dans la tempête du second conflit mondial. Ainsi, à la Libération, les deux principales figures de proue des groupes socialiste et chartiériste de l'école à l'époque où Raymond Aron les fréquenta, Georges Lefranc et René Château, se retrouvent emprisonnés. D'autres anciens membres de ces deux groupes figurent, au contraire, en cet automne de 1944, parmi les martyrs de la Résistance ou parmi les déportés dont on est encore à cette date sans nouvelles. Dès lors, s'éclaire ce point essentiel : l'arrivée sur le devant de la scène intellectuelle de quasi-quadragénaires comme Jean-Paul Sartre ou Maurice Merleau-Ponty participe certes d'un phénomène classique de relève intergénérationnelle – une génération commençant à « parvenir » une vingtaine d'années environ après avoir eu vingt ans –, mais aussi et surtout

d'une passation du relais intragénérationnel. L'originalité de
la « génération de 1905 » est bien là : s'est opérée en son sein,
du fait de la Seconde Guerre mondiale, une telle passation
de relais. Les premiers de cordée, qui s'étaient largement engagés dès l'entre-deux-guerres, ont parfois disparu politiquement
– pour ceux qui en sortiront discrédités – ou physiquement
– pour ceux qui y laissèrent la vie, pour prix de leur engagement – dans les crevasses de l'Histoire.

D'autant que ce choc historique a pu aussi conduire certains
membres de cette génération de 1905, à partir de positions initialement politiquement marquées, à un adieu à l'engagement
et donc à un rapport avec l'Histoire relevant désormais de la
sphère du privé, de l'intime, sans implication publique. Ainsi en
va-t-il, par exemple, de Claude Lévi-Strauss qui, on l'a vu, déclarait en 1980 : « J'ai été pacifiste dans ma jeunesse et puis j'ai vécu
la débâcle de l'armée française, depuis la frontière belgo-luxem-
bourgeoise jusqu'à Montpellier, en passant par la Sarthe, Tulle,
Rodez et Béziers. De m'être si lourdement trompé m'a inspiré
une défiance définitive envers mes jugements politiques[29]. » Et
le caractère récurrent[30] des déclarations de l'ethnologue en ce
sens montre bien que ce passage de l'engagement à l'abstention
– au moins publique – a été décisif dans sa vie.

Il y a bien là un véritable chassé-croisé dans les rapports entre
la génération de 1905 et l'Histoire. Certains ont été éliminés ou

---

29. « Ce que je suis », *Le Nouvel Observateur,* 5 juillet 1980, p. 18.
30. Ainsi l'année précédente, Claude Lévi-Strauss déclarait-il à Jean-
Marie Benoist : « Vers les années 1930-1935, j'étais pacifiste, et puis j'ai
vécu la drôle de guerre, la débâcle et j'ai compris que c'était un grand
tort d'enfermer les réalités politiques dans le cadre d'idées formelles »
(*Le Monde,* 21-22 janvier 1979, p. 14). Surtout, en mai 1984, il déclarait aussi
au *Nouvel Observateur :* « J'ai été pacifiste dans les années qui ont précédé la
guerre. Puis j'ai vécu la drôle de guerre et la débâcle, et j'ai perdu toute
confiance dans mes jugements politiques » (« Claude Lévi-Strauss êtes-vous
surréaliste ? », *Le Nouvel Observateur,* n° 1017, vendredi 4 mai 1984, pp. 94-97,
citation p. 96). Et le même jour, évoquant à l'émission de télévision *Apostrophes* son pacifisme de l'avant-guerre, il parle de « grosses erreurs » de jeunesse (Antenne 2, 4 mai 1984).

discrédités, d'autres ont choisi les chemins de traverse, d'autres au contraire surdétermineront à l'avenir leurs rapports avec cette Histoire. En tout état de cause, *Les Temps modernes* sont donc fils d'un deuxième rameau de la génération de 1905, ayant été dans un premier temps passablement moins « en situation dans son époque » que le premier rameau. Plus que de relais entre générations, il s'agit donc de relève. Par un surprenant raccourci du raisonnement, Sartre et Beauvoir tireront d'ailleurs argument de leur contact jusque-là très distant avec l'Histoire pour justifier cette relève : « Peu d'intellectuels, avant-guerre, avaient tenté de comprendre leur époque ; tous – ou presque – y avaient échoué et celui que nous estimions le plus, Alain, s'était déconsidéré : nous devions assurer la relève [31]. »

Cela étant, ce phénomène intragénérationnel n'est pas propre à Sartre. Il ne suffit donc pas à lui seul à expliquer que *Les Temps modernes* aient joué pour lui le rôle de cheval de Troie, l'introduisant de plain-pied au cœur de la république des lettres. Il faut donc chercher des paramètres plus spécifiques. Et c'est là que nous retrouvons la notoriété de Sartre à la Libération. Cette notoriété, et sa soudaineté, apparaissent comme le produit de deux phénomènes : une production littéraire très dense et un phénomène d'amplification par amalgame.

La densité et la diversité de la production sartrienne entre 1943 et 1945 ont déjà été analysées plus haut. La presse intellectuelle en prendra rapidement la mesure. Ainsi, *Les Lettres françaises* publient à partir du 24 novembre 1945 une enquête de Dominique Aury intitulée « Qu'est-ce que l'existentialisme ? ». Le premier article a un titre significatif : « Bilan d'une offensive ». Car, pour l'auteur, « cela ressemble bien à une offensive. En trois semaines, ou à peu près, ont paru les deux premiers volumes des *Chemins de la liberté (L'Âge de Raison* et *Le Sursis)* de Jean-Paul Sartre, un roman, *Le Sang des autres,* et une pièce de théâtre, *Les Bouches inutiles,* de Simone de Beauvoir, enfin la

---

31. Simone de Beauvoir, *La Force des choses*, réf. cit., I, p. 15.

revue des *Temps modernes,* qui réunit les tenants de la jeune
école. Sans compter une conférence de Jean-Paul Sartre au club
Maintenant sur l'existentialisme et l'humanisme ». Tir groupé,
donc, et, aux yeux de l'auteur de l'article, prémédité. Bien plus,
Les Lettres françaises contribuent à enraciner un poncif que
reprendra par la suite une presse moins intellectuelle : « Allons
donc voir ce chef d'école. On le trouve du côté de Saint-Germain-des-Prés. » Jean-Paul Sartre, de son côté, popularise l'existentialisme en répondant en ces termes à la première question
qui lui est posée : « C'est une doctrine selon laquelle l'existence
précède et crée perpétuellement l'essence. L'homme existe
d'abord, et en se choisissant il se crée, en agissant il se fait. »
    L'amplification par amalgame ne s'opéra que dans un second
temps. Ce n'est, en effet, qu'au cours des années suivantes
qu'une sorte de notoriété médiatique – l'anachronisme, de la
formule entend rendre compte du caractère singulier, pour
l'époque, de cette célébrité si vite acquise – s'est emparée de
Sartre, par assimilation avec le mouvement de Saint-Germain-
des-Prés. L'article en quelque sorte fondateur de ce processus a
souvent été évoqué : dans *Samedi-Soir* du 3 mai 1947, un article
de Jacques Robert attire l'attention sur « les caves de Saint-Germain-des-Prés ». Au Tabou – ouvert quelques semaines plus tôt –,
on trouvait – ou on ne trouvait peut-être pas, car l'article, par sa
teneur et son ton, relevait largement du canular – cette formule
sur les murs des toilettes : « Un existentialiste est un homme qui
a du Sartre sur les dents. » Par mode ou par paresse, par conformisme en tout cas, la presse de l'époque assimilera désormais
la production sartrienne avec le « village existentialiste » autour
de l'église Saint-Germain-des-Prés, devenue « la cathédrale de
Sartre ». Le fait est suffisamment connu pour que l'on n'ait pas
à y revenir ici. Et il n'est nul besoin de rappeler que la plupart
des jeunes gens qui s'entassaient alors au Tabou, rue Dauphine,
ou au Lorientais, rue des Carmes avaient une attitude « existentialiste » qui provenait sans doute davantage d'un besoin de
défoulement caractéristique des après-guerres que d'une lecture assidue de *L'Être et le Néant.* Et le film de Jacques Becker,

Rendez-vous de juillet, a mieux rendu compte, quelques années plus tard, de leur sensibilité que les articles à sensation sur les « caves » de Saint-Germain-des-Prés. Sartre, du reste, a été très explicite sur ce point, et jamais dupe. Ainsi, à l'émission radiophonique « La Tribune des Temps modernes » du 3 novembre 1947, il signale : « Je me rappelle. On m'a envoyé un coup de téléphone en Suède : "Que pensez-vous de la fermeture du Tabou ?" » Et il précise à l'antenne : « Mais je n'y ai jamais mis les pieds. Je m'en moque complètement [32]. »

Jean Cocteau pourra noter avec humour dans son *Journal* quelques années plus tard : « *Les existentialistes.* Jamais on ne vit un terme s'éloigner davantage de ce qu'il exprime. Ne rien faire et boire dans de petites caves, c'est être existentialiste. C'est comme s'il existait à New York des *relativistes* qui dansent dans des caves et qu'on croie que Einstein y danse avec eux. » (16 juillet 1951.) Il n'empêche ! L'« existentialisme » entra rapidement dans le légendaire des Français de l'après-guerre et Jean-Paul Sartre se trouva tiré de la glèbe des intellectuels inconnus de leurs concitoyens. D'autant que, de façon quasi concomitante, l'existentialisme devint un produit d'exportation. En février 1947, quand Simone de Beauvoir vient faire une conférence à Vassar, collège de jeunes filles à deux heures de train de New York, elle signale dans une lettre à Jean-Paul Sartre que l'on est en train d'y monter *Les Mouches* [33]. En quelques années à peine, Sartre, au tournant de la quarantaine, était passé du microcosme parisien, au sein duquel l'immédiat avant-guerre et la période de l'Occupation avaient vu sa percée, à la notoriété sur les campus américains. Désormais, la mise en parallèle avec Aron doit prendre en considération la différence d'échelle qui s'est instaurée. Certes, quelques années plus tard, Aron sera lu sur certains campus d'outre-Atlantique et y exercera parfois une influence en profondeur, mais il est clair qu'à présent les deux hommes sont, et pour

---

32. Archives sonores de l'INA, cf. références précises *infra*.
33. Simone de Beauvoir, *Lettres à Sartre*, réf. cit., t. II, p. 293 (lettre du 7 février 1947).

longtemps, sur des champs différents d'intervention. La notoriété de Sartre le place à partir de cette date dans d'autres parties du jeu que son ancien petit camarade. Jusqu'au cinéma américain qui, quelques années plus tard, s'empare indirectement de lui. En 1956, dans *Drôle de frimousse (Funny Face),* Stanley Donen met en scène le personnage de Jo Stockton – interprétée par Audrey Hepburn –, jeune libraire à Greenwich Village qui se dit « ampathicaliste » et vient en France à Saint-Germain-des-Prés rencontrer le grand maître de cette philosophie, Émile Flostre, joué par Michel Auclair. L'existentialisme est donc devenu non seulement, on l'a vu, un produit français d'exportation – au même titre que diverses industries de luxe [34], le reste du film se déroulant dans les milieux de la photographie ! – mais, de surcroît, une sorte de mythe relayé par les médias culturels de masse.

Culturel. Le mot est utilisé ici à dessein : l'écho rapide rencontré par *Les Temps modernes* est aussi un phénomène d'histoire culturelle. Et les grandes percées récentes de l'historiographie française en matière d'histoire culturelle appellent à replacer de tels phénomènes dans plusieurs temporalités qui enrichissent leur compréhension et dégagent encore davantage leur signification historique. Dans le cas des *Temps modernes,* la montée en puissance de cette revue est à la fois à replacer dans le temps court du biographique et de l'événementiel et dans la respiration plus ample de l'histoire intellectuelle et des intellectuels. Le temps court, on l'a vu, c'est à la fois la relève intragénérationnelle, elle-même produit de l'événement Seconde Guerre mondiale, et l'envol de Sartre, qui vient d'être étudié. Mais cet envol ne prend signification que si on le replace dans une double perspective beaucoup plus large : l'avènement de la philosophie comme discipline majeure – au moment même où Raymond Aron, peu à peu, vogue vers d'autres rivages – et la proclamation des débuts de l'ère de l'engagement des intellectuels.

---

34. Remarque, au demeurant, que fera plus tard Simone de Beauvoir dans *La Force des choses,* soulignant que l'existentialisme était devenu une sorte de produit de terroir au même titre que... la haute couture.

Le sacre de la philosophie

On aurait tort, assurément, d'user d'images trompeuses qui opposeraient, par exemple, au seuil de l'été de 1945, les funérailles nationales de Paul Valéry – qui, sans être cette « sorte de haut fonctionnaire de la littérature française » dûment estampillée par Paul Nizan en 1939, incarnait bien une certaine culture française de l'entre-deux-guerres – et, au début de l'automne de la même année, le lancement des *Temps modernes* par Jean-Paul Sartre. La réalité de cet après-guerre culturel est singulièrement plus complexe. De même convient-il de ne pas exagérer l'ampleur du chassé-croisé qui conduit à une nouvelle hiérarchie des genres. La translation qui s'opère alors entre littérature et philosophie n'est assurément que partielle. Cela étant, un certain nombre d'indices ne trompent pas. Signe des temps, notamment, la philosophie à cette date colonise parfois la littérature. Ainsi le roman servira-t-il à plusieurs reprises de support à des théories philosophiques, et pas seulement chez Sartre et Camus. De même le théâtre devient-il – et là encore les deux susdits en sont quasiment des archétypes – un moyen d'expression et de vulgarisation de visions du monde proposées par des philosophes.

Avec le recul, de fait, il apparaît bien qu'a lieu à l'époque de la Seconde Guerre mondiale, en termes de grandes masses en tout cas, un changement de climat intellectuel, avec le passage de l'ère littéraire à l'ère philosophique. Il faudrait assurément un livre entier pour en inventorier les causes et en recenser les manifestations. On se contentera ici de remarquer, par exemple, que, dans ces serres à l'abri des modes qu'étaient les khâgnes de l'époque, le phénomène est indéniable. Peu avant la guerre, André Gide demeurait le maître à penser de la khâgne d'Henri-IV, où Jean Touchard et Maurice Clavel, parmi d'autres, préparaient Normale[35]. Et pendant l'Occupation, à Louis-le-Grand, Jean-François Lyotard et Alain Touraine débattaient

---

35. Jean Touchard, *Littérature et politique*, Institut d'études politiques de Paris, s.d., dact., t. II, p. 43.

interminablement des mérites comparés de Montherlant et de Gide [36]. Pourtant, dès cette époque, on l'a vu, la philosophie est de plus en plus présente dans ces conversations khâgneuses : *L'Être et le Néant* en 1943 y trouve même, dans un premier temps, sa principale caisse de résonance. Et dans les classes préparatoires littéraires de l'après-guerre, jusque-là largement placées sous le signe de la littérature, s'opère une manière de révolution copernicienne. C'est la philosophie qui, désormais, va constituer la voûte intellectuelle et fournir les points de repère culturels. Et parmi les professeurs qui, maîtres ou éveilleurs, marquent alors leurs élèves, les philosophes ravissent la place aux littéraires. Sur ce plan, le temps d'un Jean Guéhenno est en train de passer, et désormais ce sont Jean Hyppolite, Ferdinand Alquié, Étienne Borne, Jean Beaufret et d'autres encore qui exerceront une influence décisive sur certains de leurs khâgneux. La relève d'âge aidant, peu à peu Husserl, Heidegger, Hegel et Marx investiront les khâgnes qui devaient peu jusque-là – Kant exclu – à la philosophie d'outre-Rhin. Dans l'entre-deux-guerres, Alain faisait un peu figure d'électron libre dans ce monde khâgnal. Ses cadets, professeurs de philosophie de l'après-guerre, en deviendront au contraire des éléments constitutifs et, d'une certaine façon, des figures de proue.

Certes, viendront par la suite les « années » Lévi-Strauss, Lacan et bientôt Foucault. Mais avant ce *nouveau* changement de dynastie et le sacre des sciences humaines, commence en 1945 le règne de la philosophie. D'autant que, même quand le milieu intellectuel français entrera progressivement dans une nouvelle phase, les phénomènes de forte rétention intellectuelle joueront en faveur du maintien de la philosophie en position haute : les khâgnes tiendront leur rôle de conservatoire des mots et des idées et resteront très largement, de ce fait, un archipel philosophique. Bien plus, les élèves qui en sortiront, devenus professeurs à leur tour, seront dans l'enseignement secondaire comme la traîne de cette époque où la philosophie fut reine.

---

36. Alain Touraine, *Un désir d'histoire*, Stock, 1977, p. 21.

LA GLOIRE DE SARTRE

Cela étant, Jean-Paul Sartre, malgré l'emballement de sa notoriété, n'était pas le seul philosophe célèbre à la Libération. Cette entrée dans l'ère philosophique n'aurait pas suffi à elle seule à expliquer que se déploient les « années Sartre » (Annie Cohen-Solal). Et l'écho suscité par *Les Temps modernes* n'est pas seulement le résultat de l'ombre portée de la gloire naissante de Jean-Paul Sartre. L'influence de l'un et la résonance de l'autre frappent aussi les trois coups de l'entrée du milieu intellectuel dans l'ère de l'engagement.

Au moment de la Libération et de l'épuration, la question de l'influence et donc de la responsabilité de l'intellectuel est dans l'air du temps. Jusqu'à l'opinion publique qui semble considérer que cette responsabilité existe. Quand l'IFOP effectue un sondage du 11 au 16 septembre 1944 sur le fait de savoir si l'« on a bien fait d'arrêter Sacha Guitry », 56 % des Français répondent oui, contre 12 % non. Le même numéro du *Bulletin d'informations de l'Institut français d'opinion publique* qui publie ces chiffres donne aussi les résultats d'un autre sondage où 32 % des Français, en cette fin d'été 1944, souhaitent que l'on « inflige une peine au maréchal Pétain », contre 58 % qui répondent par la négative [37]. Même sévérité envers les intellectuels quelques mois plus tard, après la condamnation à mort de Robert Brasillach le 19 janvier 1945 par la cour de justice de Paris. À la question : « Avez-vous approuvé la condamnation à mort de Robert Brasillach, rédacteur en chef de *Je suis partout* ? », 52 % répondent oui et 12 % non [38]. Certes, nombre d'observateurs auront beau jeu de faire remarquer la part d'injustice que comportaient de tels contrastes entre intellectuels et autres catégories. Et dans *Qu'est-ce que la littérature ?*, Jean-Paul Sartre remarquera par la suite : « Nos charges et nos devoirs, c'est la société qui vient de

---

37. *Op. cit.*, n° 2, 16 octobre 1944, pp. 6 et 8.
38. *Ibid.*, n° 12, 16 mars 1945, p. 70.

nous les mettre sur le dos. Il faut croire qu'elle nous estime bien redoutables, puisqu'elle a condamné à mort ceux d'entre nous qui ont collaboré avec l'ennemi quand elle laissait en liberté les industriels coupables du même crime. On dit aujourd'hui qu'il valait mieux construire le mur de l'Atlantique qu'en parler [39]. »

Reste que, précisément, ceux qui ont « parlé » – ou écrit, le plus souvent – ont eu une influence et que la période de l'épuration place l'intellectuel « en situation ». En 1944-1945, tribunes, enquêtes – ainsi celle de *Carrefour* en février 1945 – et débats se multiplient sur ce thème. Jusqu'au général de Gaulle qui, une quinzaine d'années plus tard, dans le tome III de ses *Mémoires de guerre,* évoquera cette question de la responsabilité de l'intellectuel : « Les écrivains, en particulier, du fait de leur vocation de connaître et d'exprimer l'homme, s'étaient trouvés au premier chef sollicités par cette guerre où se heurtaient doctrines et passions. [...] Dans les lettres, comme en tout, le talent est un titre de responsabilité [40]. » Dans ce contexte, la « Présentation » du premier numéro des *Temps modernes* en octobre 1945, texte où Sartre prononce le devoir d'engagement et en énumère les attendus, n'a été sur le moment qu'une contribution parmi d'autres au débat. Et pourtant c'est bien ce texte que la postérité a retenu. Il y a, du reste, une sorte de spirale en abîme entre les textes de Sartre à cette époque et la montée en puissance de celui-ci : ces écrits contribuent à asseoir encore davantage la notoriété de leur auteur mais ils ne sortent du lot qu'en raison même de la réalité, déjà, de cette notoriété.

Cette « Présentation » est trop connue pour qu'on y revienne longuement. Sa genèse a bien été reconstituée, qui montre que ce texte est largement antérieur à octobre 1945 et qu'une version abrégée avait été publiée dans une revue anglaise dès le mois de mai précédent. On se contentera ici d'observer qu'il apparaît bien, avec le recul, que c'est par cette « Présentation » que Sartre marquait sa volonté d'être désormais acteur de

---

39. *Op. cit.,* p. 281.
40. *Op. cit.,* t. III, *Le Salut,* Plon, 1959, p. 141.

l'Histoire. Les écrivains, en effet, quoi qu'ils fassent, sont « dans le coup », « en situation dans [leur] époque ». Et « puisque nous agissons sur notre temps par notre existence même, nous décidons que cette action sera volontaire ». Dès lors, la conclusion est claire pour l'homme de plume : « Nous voulons qu'il embrasse étroitement son époque. » Le « temps », l'« époque », autrement dit l'Histoire en train de se faire. Le rapport avec l'Histoire, pour Sartre, devient consubstantiel du statut d'intellectuel. La littérature se veut désormais engagée et revendique un lien étroit avec son temps, qu'elle proclame du reste à double sens : la littérature est insérée dans son temps, elle est donc miroir ; l'écrivain est engagé, il est donc acteur.

Certes, ainsi conçu, l'engagement n'est plus seulement une mobilisation de cas d'urgence, il découle de la qualité d'écrivain ou d'artiste. Mais il y a tout de même quelque paradoxe, pour l'historien, à observer que Sartre, en fait, se contentait, par ses attendus du devoir d'engagement, de mettre en musique une tradition déjà bien établie depuis les années 1930 : l'engagement de nombre d'intellectuels dans le débat civique. De ce point de vue, le but assigné à l'intellectuel par Jean-Paul Sartre en octobre 1945 est bien davantage un point d'arrivée qu'une percée novatrice : la réalité historique avait largement précédé la théorie, avant et pendant la guerre. À cet égard, 1945 est déjà dans 1936 ou 1940, et pour les clercs les fortes houles de l'époque du Front populaire ou les tempêtes de l'Occupation annonçaient les grandes marées idéologiques de la Libération et de la guerre froide. Sartre, il est vrai, n'avait pas baigné dans les premières.

Cela dit, s'il convient donc de nuancer la vision d'une ère de l'engagement qui débuterait en 1945, reconstruction rétrospective largement nourrie par une surdétermination du rôle de Sartre, et si la date de naissance des *Temps modernes* n'est perçue comme la date fondatrice de cette ère que par une sorte de mémoire mythique d'une partie du milieu intellectuel, cette période, sans que ce soit contradictoire, est bien le début d'une nouvelle phase d'une trentaine d'années qui court de la

Libération au milieu des années 1970 et durant laquelle l'engagement se fit très dense, au point que le principe du « devoir » d'engagement, proclamé comme seule attitude possible du clerc, semble alors admis du plus grand nombre. D'autre part, la gauche intellectuelle, dans ses variantes successives, régnera presque sans partage trois décennies durant. Au discrédit de la droite politique qui caractérise ces années[41] s'ajoute, en effet, une délégitimation de la droite idéologique. Les mécanismes en sont complexes : amalgame avec le collaborationnisme des « ultras » parisiens, identification avec les clercs proches de Vichy, remise en cause, plus largement, du libéralisme économique et politique qui paraît – c'est, tout au moins, alors la perception qu'en ont nombre de contemporains – avoir vacillé durant la crise des années 1930 et qui semble n'avoir pu vaincre les fascismes qu'avec l'aide décisive de l'Union soviétique. Le résultat, en tout cas, est patent : alors que la droite politique mettra quelques années à peine pour relever la tête – en mars 1952, l'investiture d'Antoine Pinay démontre que l'ardoise politique est effacée –, au contraire s'installe au-dessus de la droite idéologique, pour une bonne trentaine d'années, une zone de dépression.

Durant toute la période qui va suivre, la météorologie intellectuelle sera tributaire de cette zone. Dans un milieu touché massivement par l'engagement théorisé et non plus seulement par l'intervention raisonnée pour temps de crise, le centre de gravité est désormais nettement à gauche. Faire l'histoire de l'intelligentsia française de 1945 au milieu des années 1970, durant ces « Trente Glorieuses » de l'intellectuel engagé, c'est bien d'abord, au moins à l'échelle macrohistorique, évoquer des classes d'âge qui, tout armées d'une culture politique de gauche, se sont éveillées tour à tour à la politique : la génération communiste de l'après-guerre, celle de la guerre d'Algérie puis

---

41. Cf. Jean-Luc Pinol, « La Libération : vers l'élimination des droites ? » *in* Jean-François Sirinelli (dir.), *Histoire des droites en France,* t. I, *Politique,* Gallimard, 1992, pp. 337 sqq.

les cadets des années 1960. La société intellectuelle de 1995 présente, de ce fait, une stratigraphie particulière, avec des couches contrastées mais toutes colorées à gauche : les « ex » – car, depuis 1945, écaille après écaille, il y a eu desquamation de la mouvance intellectuelle communiste de l'après-guerre – qui ont largement atteint la soixantaine, leurs cadets qui s'en approchent et sont, eux, venus à la politique sous le signe de l'Algérie, et la génération suivante, aux abords de la cinquantaine, dont la conscience de génération s'est forgée dans l'effervescence « gauchiste » autour de 1968.

Or chacune de ces générations a eu, à un moment ou à un autre, à se situer par rapport à Sartre. Car celui-ci n'est pas seulement après la Libération l'un des théoriciens du devoir d'engagement. Rapidement, il va en devenir, d'une certaine façon, « l'incarnateur », et son influence en quelques années deviendra considérable. Douze ans à peine après la publication du premier numéro des *Temps modernes,* les jeunes gens de 1957, interrogés par *L'Express* à l'occasion de la célèbre enquête sur la « Nouvelle Vague », à la question : « Si vous deviez désigner l'un des auteurs suivants comme ayant plus spécialement marqué l'esprit des gens de votre âge, qui choisiriez-vous ? », répondaient en plaçant Jean-Paul Sartre largement en tête, avec, loin derrière, André Gide et François Mauriac.

Sartre est bien devenu, quelque part entre ces deux dates, la figure emblématique de l'ère des intellectuels qui s'est ouverte dans l'immédiat après-guerre. Il y aura bien désormais un modèle sartrien de l'engagement, et Sartre va devenir l'éponyme de ces « années Sartre » qui commençaient, comme l'avaient été avant lui quelques écrivains. Voltaire avait fondé « un principat de grand écrivain "éclairé" » et « avait habitué les Français à attendre du génie littéraire autre chose que des divertissements : une direction de conscience [42] » ; Zola, à la fin du siècle suivant, est resté dans la mémoire collective comme l'homme du « J'accuse... » de l'affaire Dreyfus, Sartre, pour le meilleur ou pour le pire, allait

---

42. René Pomeau, *Voltaire par lui-même,* Le Seuil, 1955, p. 34.

devenir le symbole des «Trente Glorieuses» des intellectuels. Bien plus, et pour cette raison même, il allait accéder de son vivant au statut de mythe, au même titre précisément que Voltaire ou Zola. Le processus qui, à chaque époque, donne naissance à ces mythes vivants est toujours mystérieux, car si les ingrédients – comme plus haut pour Sartre – peuvent être comptabilisés, l'alchimie en demeure toujours singulière. D'où ce qui n'est qu'en apparence un paradoxe: Sartre, en 1945, se contente certes de mettre en forme un sentiment dominant – l'intellectuel se doit d'être engagé –, mais va lui conférer bien plus de poids et d'audience. D'une certaine façon, l'historicisation du clerc est à cette date mise au carré par Sartre.

Et le résultat est bien là: sans jamais avoir été, dans les années 1930, le prototype de l'intellectuel engagé, Jean-Paul Sartre en devient rapidement l'archétype après la Libération. Vient dès lors le temps de la «gloire» de Sartre. On utilise ici le mot gloire au sens où l'entendait Jean Touchard à propos de Béranger, poète du XIXe siècle encensé de son vivant[43]. S'attachant à étudier le reflet d'un écrivain dans l'imagination ou dans la sensibilité de ses lecteurs, Jean Touchard pratiquait ainsi une véritable coupe dans le tuf culturel de la période étudiée. À la fin du XIXe siècle, la «gloire» – ou plus précisément son versant posthume – de Victor Hugo correspond à l'avènement de l'école primaire et au règne de l'instituteur; un demi-siècle plus tard la «gloire» de Sartre est, entre autres, le reflet à la fois de la montée en puissance de l'enseignement secondaire, et, en son sein, du rayonnement du professeur de philosophie, et du sacre de l'intellectuel engagé. La «gloire» de Lévi-Strauss, Foucault, Lacan et d'autres tenants des sciences dites humaines dans les années 1960 correspondra à l'explosion des effectifs étudiants au fil de cette décennie et au rôle concomitant des pages culturelles des grands hebdomadaires d'opinion.

---

43. Jean Touchard, *La Gloire de Béranger,* Presses de la Fondation nationale des sciences politiques, 1968, 2 vol.

Pour l'heure, force est à nouveau de constater que les deux petits camarades, progressivement, n'évoluent plus dans les mêmes univers, et il faut désormais pratiquer la géométrie variable pour continuer à observer leurs traversées du siècle. D'autant que ces années d'après-guerre sont aussi celles où bientôt vient le temps de la brouille.

Vers la « séparation »

En 1974, Jean-Paul Sartre déclarera à Simone de Beauvoir : « Aron, je le voyais depuis son retour de Londres, mais, petit à petit, nous sentions qu'il n'était pas du tout de notre côté. » Et, évoquant la « brouille » intervenue à l'automne 1947, il précisait : « Depuis un certain temps, nous n'étions pas du tout d'accord avec lui dans les conversations. Il fallait une séparation [44]. » Dans un premier temps, pourtant, Raymond Aron s'était impliqué dans l'aventure des *Temps modernes*. Il avait donné, on l'a vu, deux articles au premier numéro [45]. Bien plus, la quatrième page de couverture annonçait pour « les prochains numéros » des « chroniques politiques » de Raymond Aron et un article au titre prometteur : « Contre la mode de l'existentialisme. » À défaut de cette collaboration régulière, Raymond Aron était intervenu encore deux fois dans la revue : en novembre, on l'a dit, il s'était interrogé sur « les chances du socialisme » et, en juin 1946, il écrit sur « une Constitution provisoire ». Le bilan, donc, n'est pas mince, quatre contributions en neuf numéros, Sartre étant entre-temps intervenu six fois, Simone de Beauvoir, Maurice Merleau-Ponty et Michel Leiris cinq fois.

Mais la rupture était imminente : dans le numéro 10 du 1ᵉʳ juillet 1946 ne figurait plus, pour tout organigramme, que le

---

44. Simone de Beauvoir, *La Cérémonie des adieux,* suivi de *Entretiens avec Jean-Paul Sartre,* réf. cit., p. 354.
45. *Op. cit.,* pp. 76-105 et 153-162.

nom du directeur. En fait, Albert Ollivier et Raymond Aron avaient quitté la revue. Il semble bien que ce soit à propos de l'Union soviétique que le fossé se fit dès cette époque trop large pour qu'une cohabitation au sein de la même revue apparaisse plus longtemps envisageable. Simone de Beauvoir a raconté dans *La Force des choses,* sans bien en préciser le moment, que « l'anticommunisme d'Aron s'accusait ». Et de rappeler un déjeuner à Golfe-Juan : « Aron dit qu'il n'aimait ni les USA ni l'URSS mais qu'en cas de guerre il se rallierait à l'Occident ; Sartre répondit qu'il n'avait de goût ni pour le stalinisme ni pour l'Amérique, mais que si une guerre éclatait il se rangerait du côté des communistes[46]. » Par-delà l'incertitude sur la date précise de ce débat entre commensaux, l'anecdote est révélatrice. D'autant que Simone de Beauvoir ajoute que, pour elle et Sartre, une telle opposition était « fondamentale ».

Raymond Aron, au demeurant, n'est pas le seul à prendre la mesure à cette époque des conséquences de la guerre froide qui se profile à l'horizon. Camus également prend acte de la probable fracture géopolitique, sur laquelle, comme Aron, il anticipe. Mais dans son cas l'évolution est encore plus profonde, car sa position à l'automne de 1944 était très favorable à un rapprochement avec les communistes. Pour lui, l'anticommunisme était même alors « le commencement de la dictature[47] ». Or deux ans plus tard, dans une série de huit articles publiée dans *Combat* entre le 19 et le 30 novembre 1946 et intitulée « Ni victimes ni bourreaux », il « appelle […] à mi-mot la révocation des ministres communistes six mois avant que Paul Ramadier passe à l'acte », et « dès 1946, la rupture est donc totale[48] ». Il y a, du reste, en cette fin de 1946, une similitude frappante entre les positions de Camus et celles d'Aron. Celui-ci, quelques jours à peine avant la publication de « Ni victimes ni bourreaux »,

---

46. *Op. cit.*, pp. 93-94.
47. *Combat*, 7 octobre 1944.
48. Jeanyves Guérin, *Albert Camus. Portrait de l'artiste en citoyen*, François Bourin, 1993, p. 116.

écrivait en effet dans un article de *Combat* du 6 novembre 1946 intitulé « L'illusion du progrès » : « À la longue, la distance entre le mythe et la réalité éclatera à tous les yeux. Quand le système socialiste prend la forme d'un credo impératif, d'une discipline impitoyable (la grève ou l'opposition est un crime), d'une police partout présente, d'une inégalité qui n'a rien à envier à celle du régime capitaliste, entre les travailleurs et la bureaucratie, le moins qu'on puisse dire est que cette libération n'accomplit pas le rêve des humanistes. »

À cet égard, les articles de Camus de novembre 1946 servent un peu de réactif chimique pour rendre compte du fossé qui sépare désormais les deux anciens petits camarades. Car si Aron est à cette date sinon sur les mêmes analyses – car les cultures politiques des deux hommes ne sont pas les mêmes –, en tout cas sur les mêmes conclusions que Camus concernant l'Union soviétique, il en va différemment de Sartre. On le sent bien, par exemple, dans la passe d'armes qui a lieu un an plus tard. En novembre 1947, la revue de Jean Daniel, *Caliban*[49], réédite dans son numéro 11 « Ni victimes ni bourreaux ». Ces textes, il faut y revenir, sont essentiels. Il ne s'agit pas, en effet, d'articles de circonstance mais d'une série où Albert Camus exprimait déjà quelques-unes des idées-forces auxquelles *L'Homme révolté* donnera résonance : rejet du marxisme, interrogation sur la justification des finalités révolutionnaires sans attention portée aux effets dévastateurs des moyens utilisés, dénonciation d'une hémiplégie du regard, qui passe sous silence les crimes commis à l'Est – « Vous ne devez pas parler de l'épuration des artistes en Russie parce que cela profiterait à la réaction » –, remise en cause, au bout du compte, du caractère absolu de l'aspiration révolutionnaire au profit d'une utopie « relative », « plus modeste et moins ruineuse ». Dans la même revue, quelques numéros après, Jean-Paul Sartre s'en prend au capitalisme mais aussi à la démocratie, et le titre de son article est déjà une

---

49. Corinne Renou, « *Caliban*, une revue de vulgarisation culturelle ? », *Vingtième siècle. Revue d'histoire*, n° 40, oct.-déc. 1993, pp. 75-85.

dénonciation : « Avoir faim c'est déjà vouloir être libre[50] ».
Albert Camus plaide au contraire, dans le numéro suivant, pour
« la démocratie, exercice de modestie[51] ».

Une amitié réduite aux aguets

Depuis le début de l'été 1946, la méfiance politique s'était
donc installée entre Sartre et Aron, immergés dans des logiques
différentes et bientôt antagonistes. Leur amitié n'est plus
qu'une communauté réduite aux aguets, et cette défiance
débouche rapidement sur des incidents parfois navrants. Ainsi,
le 8 novembre 1946, à la générale de *Morts sans sépulture*,
Suzanne Aron, indisposée par une scène de résistants torturés,
partit à l'entracte et son mari, par prévenance, la suivit. Sartre
en fut offusqué et, malgré les excuses que fit l'intéressée, considéra que l'épisode avait une signification politique. Signification que Simone de Beauvoir résuma par la suite abruptement
dans *La Force des choses* : « Le sens de cet esclandre était clair : la
bourgeoisie se préparait à se réunifier et elle jugeait de mauvais
goût qu'on réveillât de désagréables souvenirs[52]. » L'analyse,
pour incongrue qu'elle paraisse, montre bien que sur le
moment et par la suite, Aron était déjà considéré par la mouvance sartrienne comme un fourrier du camp capitaliste[53].

Rapidement, le contentieux ne s'en tint plus à ce seul versant
affectif. Le fossé politique et idéologique qui s'était progressivement creusé depuis la Libération apparut notamment en février

---

50. *Caliban*, n° 20, pp. 11-12.
51. Corinne Renou, *art. cit.*
52. *Op. cit.*, p. 128.
53. En fait, il semble bien que cet épisode n'ait revêtu, pour les Aron,
aucune signification politique. Suzanne Aron avait été indisposée par la
scène de torture et, se sentant mal, avait dû partir avec son mari (témoignage
de Dominique Aron-Schnapper [3 mars 1986] à Deirdre Bair, *Simone de Beauvoir*, réf. cit., p. 763).

1947 à l'occasion d'une conférence d'Aron au Collège philosophique consacrée aux relations entre l'existentialisme et le
marxisme, et très critique pour l'un comme pour l'autre. Le
texte de cette conférence est doublement important. D'une
part, le désaccord, cette fois, est public, comme il est en train de
le devenir entre Sartre et Camus. D'autre part, la pensée aronienne semble cette fois assurée sur ses bases, après les hésita-
tions – inévitables en cette période de mutation accélérée – de
l'immédiat après-guerre. Bien plus, la thématique de *L'Opium
des intellectuels,* qui ne sera publié qu'en 1955, est déjà bien là. Et
l'Histoire, naturellement, est au centre du débat : « En ce qui
concerne les marxistes, le recours au mythe matérialiste ne me
paraît pas avoir seulement les raisons que Sartre en donne. Le
mythe matérialiste implique un déterminisme historique qui
conduirait nécessairement au régime de la société sans classe.
On imagine une nécessité historique qui réalise d'elle-même le
sens de l'Histoire [54]. »

À bien y regarder, cette conférence de février 1947 est un
texte charnière, à la fois inventaire après décès d'une amitié et
point fixe avant guerre froide. Car l'Histoire, précisément, en
cette fin d'hiver 1947, se remettait de nouveau en marche. La
guerre froide, qui pointait depuis l'année précédente, s'installe
en quelques mois. Dès le mois de mars, le président Truman
formule la doctrine du *containment* en proposant l'aide des États-
Unis aux pays qui veulent résister « aux tentatives d'asservissement ». Quelques semaines plus tard, l'échec de la conférence
de Moscou entre les anciens vainqueurs du Reich fait apparaître
au grand jour le fossé entre Occidentaux et Soviétiques. Et
ce fossé va se matérialiser géographiquement durant l'été,
quand tour à tour l'Union soviétique puis, sur sa pression, les
pays d'Europe centrale et orientale rejettent le plan Marshall
qui a été proposé par les États-Unis le 5 juin. Au début de

---

54. Raymond Aron, « Remarques sur les rapports entre existentialisme et
marxisme », *L'Homme, le monde, l'histoire,* Arthaud, « Cahiers du Collège philosophique », 1948, pp. 165-195, citation p. 194.

l'automne, enfin, la conférence de Szklarska-Poreba, en Pologne, vient entériner cette coupure Est-Ouest : le représentant soviétique, Jdanov, développe la théorie des deux « camps » et quelques jours plus tard le Kominform est créé. À partir de ce moment, les communistes français, exclus du gouvernement Ramadier depuis le 5 mai précédent, deviennent des adversaires irréductibles de la IVᵉ République, qu'ils avaient pourtant contribué à fonder.

Entre-temps, dès le début du printemps 1947, Raymond Aron était entré au Rassemblement du peuple français (RPF) que le général de Gaulle venait de créer. La mouvance intellectuelle du RPF a connu un destin singulier : elle est tombée, par la suite, dans une sorte de trou de mémoire. Or elle exista bel et bien et se constitua rapidement après la naissance du Rassemblement gaulliste lors du discours de Strasbourg le 7 avril 1947. Au début de l'année 1948, Louis Pasteur Vallery-Radot pouvait présenter au comité exécutif du RPF un premier bilan sur les comités d'intellectuels qu'il est alors en train de constituer[55]. Le 5 mars suivant, salle Pleyel, André Malraux lançait un « Appel aux intellectuels ». Onze mois plus tard, il fonde *Liberté de l'esprit,* que dirigera Claude Mauriac. Certes, les clercs n'affluèrent pas autant qu'il l'avait escompté[56]. Mais le bilan n'est pas mince. On commencera ici par évoquer le cas de Paul Claudel. De Gaulle rencontra ce dernier le 30 avril 1947, quelques jours à peine après la création du RPF. Les deux hommes se revirent le 31 octobre 1947 et surtout le 5 mai 1948, où proposition fut faite à Claudel de siéger au conseil national du RPF, de Gaulle précisant qu'il songeait à lui confier « le commandement du secteur intellectuel[57] ». S'il déclina cette dernière proposition, Claudel accepta d'entrer au conseil national. Et il est loin d'être le seul clerc qui sauta ainsi le pas et rejoignit les rangs du RPF : Jacques

---

55. Jean Charlot, *Le Gaullisme d'opposition, 1946-1958,* Fayard, 1983, p. 143.
56. Janine Mossuz-Lavau, *André Malraux et le gaullisme,* 1ʳᵉ éd., 1970, Armand Colin, 2ᵉ éd., PFNSP, 1982, pp. 70 et 89.
57. Gérald Antoine, *Paul Claudel ou l'Enfer du génie,* Laffont, 1988, p. 333.

Soustelle, Maurice Clavel, Marcel Prélot, Marcel Waline, par exemple, firent de même. Et d'autres intellectuels, gaullistes ou non, collaborèrent à *Liberté de l'esprit :* Jean Amrouche, Pierre de Boisdeffre, Max-Pol Fouchet, Stanislas Fumet, Roger Nimier, Gaëtan Picon, Francis Ponge, Denis de Rougemont, Léopold Sédar Senghor.

Ces noms, toutefois, ne doivent pas abuser : si certains clercs devinrent des compagnons, au sens gaulliste du terme, il n'y eut pas, autour de ce noyau central, constitution, comme au PCF, d'une large mouvance sur les flancs. En d'autres termes, le phénomène compagnons de route ne prit jamais, au RPF, une extension significative. Bien plus – et, là encore, à la différence du PCF –, le RPF ne mordit pas largement sur la jeunesse étudiante. À l'École normale supérieure de la rue d'Ulm, pépinière à l'époque de jeunes clercs communistes, le gaullisme était réduit à la portion congrue : les normaliens gaullistes ne formaient qu'un groupuscule, animé par Robert Poujade et Jean Charbonnel[58].

Toujours est-il que Raymond Aron rejoignit rapidement le RPF. Son entrée y fut même précoce, dans les jours qui suivirent le discours de Strasbourg. Cette entrée, du reste, hâta son départ de *Combat* quelques semaines plus tard, le 3 juin 1947[59]. Rien pourtant ne le prédisposait à rejoindre le RPF. Ses années londoniennes ne s'étaient pas déroulées, loin s'en faut, dans la mouvance gaulliste. Et la mue qui, peu à peu, était en train de faire de lui un intellectuel libéral ne le poussait pas non plus, *a priori*, dans cette direction. Et pourtant son passage au RPF fut loin d'être fugace. D'une part, il est difficile d'imaginer, chez le Aron de la maturité, une sorte de moment d'égarement politique qui l'aurait poussé, à son corps défendant, loin de ses bases : à coup sûr, la décision de rejoindre les rangs du RPF fut

58. Jean-François Sirinelli, « Les normaliens de la rue d'Ulm après 1945 : une génération communiste ? », *Revue d'histoire moderne et contemporaine*, 4, 1986.

59. Nicolas Baverez, *Raymond Aron*, réf. cit., pp. 221 et 228.

pesée et méditée. D'autre part, même si cette expérience lui a laissé, par la suite, un souvenir balancé – ni « honte », ni fierté particulière, telle est, en substance, l'analyse rétrospective qu'il en propose dans ses *Mémoires* [60] –, elle était le fait d'un intellectuel dans la force de l'âge, pleinement maître de ses choix, et, de surcroît, elle dura au moins six années.

Là est bien, tout compte fait, l'essentiel. Si Raymond Aron, dans ses *Mémoires,* ne situe pas précisément le début de cette « parenthèse de militantisme » – « en 1947 ou 1948 » –, il reconnaît être resté ensuite au RPF jusqu'au moment où « celui-ci cessa d'exister [61] ». La mort clinique du RPF étant située en 1953 ou en 1954 selon les auteurs, il est difficile de préciser la date de fin de cette phase de « militantisme ». Un article de Raymond Aron dans l'organe du RPF, *Le Rassemblement,* fournit cependant un point de repère. Cet article, en effet, est publié dans le numéro du 25 juin 1953 et il s'agit d'un extrait d'une conférence, à teneur économique, prononcée le 23 juin 1953 dans le cadre de l'« Action-cadres » du RPF [62]. La publication en première page de ce texte et la participation de Raymond Aron à cette session des activités du RPF, autant d'indices qui le situent encore de plain-pied dans la mouvance gaulliste à cette date. Comme l'entrée au RPF se fit, on l'a vu, dès le printemps 1947, la « parenthèse » dura donc au moins six années, et cette durée même montre bien qu'un tel engagement n'était pas le fait du hasard.

D'autant que la participation de Raymond Aron ne se limita pas à des réunions d'intellectuels – à la Mutualité, par exemple, avec Pascal Pia, Jules Monnerot, Jacques Soustelle et André Malraux [63]. Il appartint aussi au Conseil national du RPF, ainsi

---

60. *Op. cit.*, p. 237.
61. *Op. cit.*, pp. 226 et 234.
62. Raymond Aron, « La menace de la décadence », *Le Rassemblement,* n° 306, 25 juin-1er juillet 1953, pp. 1-6.
63. Il participe, entre autres, à un meeting « pour la liberté de l'Esprit » le 18 novembre 1948. Outre les noms déjà cités assistaient aussi à la réunion, notamment, Gaëtan Picon et Maurice Clavel (cf. *Le Rassemblement,* n° 9, 27 novembre 1948).

qu'à son comité d'études. De surcroît, il participa régulièrement au mensuel *Liberté de l'esprit*. Il rapporta même sur le thème de l'association du travail et du capital aux Assises du RPF à Lille en 1949 et envisagea un instant d'être candidat aux élections législatives de juin 1951 à Paris [64]. Assurément, on le voit, les *Mémoires* de 1983, sans jamais travestir rétrospectivement les modalités de l'adhésion aronienne au RPF, ne restituent pas la plénitude d'un engagement qui dura plus d'un lustre.

Les causes de ce long ralliement n'en sont donc que plus intéressantes à analyser. Ces causes sont maintenant bien connues : réticence face aux institutions de la IVe République – même si Raymond Aron vota « oui » au référendum qui leur donna naissance –, « mauvaise conscience persistante que ressentait Aron à cause de son hostilité excessive envers de Gaulle après 1942 [65] », mais aussi sentiment que le RPF était le plus ferme rempart contre le communisme. Peu importe de savoir, au bout du compte, quel fut, dans le secret de sa conscience, le principal moteur de l'engagement de Raymond Aron. L'aspect essentiel est bien qu'en cette première année de guerre froide, il choisit un parti qui se situe dans une pleine et explicite opposition au communisme et qui constitue du reste avec lui, on y reviendra, un couple de forces antagonistes contribuant à structurer les débats de l'intelligentsia de guerre froide.

VERS LE POINT DE NON-RETOUR

De surcroît, en ce même printemps 1947, on l'a vu, Raymond Aron passe de *Combat* au *Figaro*. Le directeur de ce quotidien, Pierre Brisson, écrit, en effet, en première page le 19 juin 1947 : « Je suis heureux d'annoncer aux lecteurs que l'équipe du *Figaro*

---

64. Nicolas Baverez, *Raymond Aron*, réf. cit. p. 232.
65. *Op. cit.*, p. 228.

va s'enrichir d'un nouveau collaborateur : Raymond Aron dont les articles de *Combat* ont eu tant de retentissement. Raymond Aron appartient à cette génération de l'entre-deux-guerres qui vit remettre en question et chavirer peu à peu les notions essentielles que les aînés, dans les fanfares de la victoire, croyaient avoir sauvées. Sorti de l'École normale en 1928, il prit très vite une place remarquable parmi les jeunes philosophes. Dans le temps où nous vivons, cette philosophie de l'Histoire à laquelle il se consacrait ramène invinciblement et à tout instant vers les problèmes du monde encore informe surgi de nos malheurs. Raymond Aron apporte à leur examen une lucidité, un savoir qui lui ont rapidement valu une autorité exceptionnelle. Il y apporte surtout une indépendance qui nous est chère. Ennemi de toutes les oppressions : sociales, politiques ou capitalistes, il est de ceux pour qui la démocratie est autre chose qu'un appât électoral, un mensonge asiatique ou une commodité pour l'oligarchie des affaires. Son premier article paraîtra dans quelques jours. » De fait, trois jours plus tard, le 22 juin 1947, commençait une collaboration de trente ans avec *Le Figaro*. Collaboration très dense, puisque Raymond Aron, jusqu'au 27 mai 1977, y écrivit 2 299 articles[66]. L'intéressé a expliqué à plusieurs reprises les raisons de son passage au *Figaro*[67], et l'on n'y reviendra pas ici. Sauf pour constater qu'un tel choix ne pouvait que le couper encore davantage du monde selon Sartre.

De fait, avec ce dernier, la dégradation des rapports s'accéléra encore au fil de cette année 1947. La conférence d'Aron, en février, avait déjà dessiné le champ clos de l'affrontement intellectuel, manquait encore le point de non-retour. Celui-ci allait apparaître à l'automne. Avec, entre-temps, au mois de mars 1947, une sorte de chant du cygne, la pétition en faveur de Nizan, diffamé à titre posthume par les communistes. De fait, à cette occasion, le trio Sartre-Aron-Nizan, comme en écho de la

---

66. Valérie Hannon, *Raymond Aron et « Le Figaro »*, mémoire de DEA, université de Lille-III, 1988, *passim*.

67. Cf. notamment les *Mémoires*, réf. cit., pp. 218 sqq.

cérémonie de mariage du troisième en présence des deux premiers le 24 décembre 1927 et par-delà sa mort au printemps 1940, allait alors se trouver reconstitué une dernière fois. Mais, loin d'être l'occasion de ressouder l'amitié érodée entre les petits camarades, « le cas Nizan » – tel était le titre de la pétition – apparaît rétrospectivement comme la dernière fois où Sartre et Aron se retrouvèrent côte à côte pour défendre une cause commune. Ou plutôt comme l'avant-dernière fois, avant la rencontre crépusculaire en faveur des *boat-people*, vingt-deux ans plus tard, en juin 1979.

« Le cas Nizan », pétition rédigée par Jean-Paul Sartre, entendait défendre la mémoire de Paul Nizan, entachée par les calomnies venues de la mouvance communiste. Ces calomnies ne dataient pas de la veille. Paul Nizan, en effet, s'était détaché du Parti communiste, dont il était membre et dont il avait été un écrivain et journaliste de talent, à l'automne 1939, quelques semaines après la signature du pacte germano-soviétique. Puis il avait trouvé la mort, sous l'uniforme, le 23 mai 1940 en Flandre. Mais, de son vivant même et après son apostasie, une campagne de calomnies s'était enclenchée[68]. Maurice Thorez, notamment, l'avait qualifié en mars 1940 d'« agent de la police ». Et, durant l'Occupation, un texte clandestin parla du « policier » Nizan. Mais l'initiative de Sartre fut suscitée par la reprise et l'amplification de cette campagne après la Libération. En juin 1945, par exemple, Aragon écarte les livres de Nizan d'une vente organisée par le CNE pour honorer les écrivains « morts pour la France » et s'en prend souvent à lui dans des conversations privées, l'accusant de double jeu. L'année suivante, Henri Lefebvre lance une attaque explicite dans son livre *L'Existentialisme*, évoquant la prégnance de « l'idée de trahison » chez Nizan, qui aurait inspiré « tous ses livres ». Informé par la veuve de l'écrivain de ses tentatives infructueuses pour rétablir la vérité – lettres à Aragon et Thorez, entrevue avec Laurent Casanova –,

---

68. Cf. Annie Cohen-Solal, *Paul Nizan, communiste impossible*, réf. cit., pp. 252 sqq., et Pascal Ory, *Nizan. Destin d'un révolté*, réf. cit., pp. 237 sqq.

Jean-Paul Sartre rédigea donc « Le cas Nizan », pétition d'abord publiée par *Le Figaro littéraire* du 29 mars 1947 puis par *Combat* du 4 avril : « On nous rappelle de temps en temps que Jacques Decour, que Jean Prévost, que Vernet sont morts pour nous, et c'est fort bien. Mais sur le nom de Nizan, un des écrivains les plus doués de sa génération et qui a été tué en 40 par les Allemands, on fait le silence ; personne n'ose parler de lui, il semble qu'on veuille l'enterrer une seconde fois. Cependant, dans certains milieux politiques, on chuchote qu'il était un traître. À l'un d'entre nous, Aragon a affirmé que Nizan fournissait des renseignements au ministère de l'Intérieur sur l'activité du Parti communiste. Si vous demandez des preuves, on ne vous en fournit jamais : on vous dit que c'est de notoriété publique, que Politzer l'a dit peu de temps avant de mourir, que d'ailleurs il suffit de lire les livres de Nizan pour voir qu'il était un traître. Dans son dernier livre, *De l'existentialisme,* M. Lefebvre écrit : "Paul Nizan avait peu d'amis et nous nous demandions quel était son secret. Nous le savons aujourd'hui : tous ses livres tournent autour de l'idée de trahison" et "il venait des milieux réactionnaires et même fascistes. Peut-être même en faisait-il encore partie puisqu'il prétendait les espionner". Or, à notre connaissance, les communistes ne peuvent reprocher à Nizan que d'avoir quitté le Parti communiste en 39, au moment du pacte germano-soviétique. De cela, chacun pensera selon ses principes ce qu'il veut : c'est une affaire strictement politique et il n'entre pas dans nos intentions de l'apprécier. Mais lorsqu'on l'accuse, sans donner de preuve, de mouchardage, nous ne pouvons oublier que c'est un écrivain, qu'il est mort au combat et que c'est notre devoir d'écrivains de défendre sa mémoire. Nous nous adressons donc à M. Lefebvre (et à tous ceux qui colportent, avec lui, ces accusations infamantes) et nous leur posons la question suivante : "Lorsque vous dites que Nizan est un traître, voulez-vous dire simplement qu'il a quitté le Parti communiste en 1939 ? En ce cas, dites-le clairement, chacun jugera selon ses principes. Ou voulez-vous insinuer qu'il a, bien avant la guerre, accepté pour de l'argent de renseigner le gouvernement anticommuniste sur votre parti ? En ce cas, prouvez-le. Si nous restons sans réponse ou si nous ne recevons pas les preuves demandées, nous prendrons acte de votre silence et nous publierons un deuxième communiqué confirmant l'innocence de Nizan." R. Aron, G. Adam, S. de Beauvoir, J.-L. Bost, A. Billy, A. Breton, J. Benda, P. Brisson, P. Bost, R. Caillois, A. Camus, M. Fombeure, J. Guéhenno, H. Jeanson, M. Leiris, J. Lemarchand, J. Lescure, R. Maheu, F. Mauriac, M. Merleau-Ponty, J. Paulhan, B. Parain, J.-P. Sartre, J. Schlumberger, P. Soupault, J. Texcier [69]. »

Si l'équipe des *Temps modernes* est largement représentée dans la liste des signataires [70], ce n'est, bien sûr, pas à ce titre que Raymond Aron y figure lui aussi. Plusieurs cercles de sociabilité se croisent dans cette liste, et notamment celui des « archicubes » – les anciens élèves de l'École normale supérieure – qui ont côtoyé Paul Nizan rue d'Ulm : Sartre, Merleau-Ponty, donc, mais aussi René Maheu et Raymond Aron. La pétition en faveur de Nizan est précieuse aussi pour nous à un autre égard. Elle nous montre à cette date un Jean-Paul Sartre encore tout à fait extérieur à la mouvance des communistes et compagnons de route, et n'hésitant pas de surcroît à affronter le Parti communiste français. Et ce dans un contexte où les fissures au sein du CNE deviennent apparentes. D'anciennes figures de proue de ce CNE dont les relations avec lui s'étaient progressivement dégradées – Paulhan, Mauriac, Schlumberger – sont parmi les signataires. Inversement, Louis Martin-Chauffier, président en exercice du CNE, explique dans *Combat* du 4 avril puis dans *Caliban* du 15 mai les raisons pour lesquelles il a refusé de signer : « Mes rapports avec ceux de mes amis communistes qu'il concerne ne comportent pas que je m'adresse à eux sur ce ton », pour une initiative qui « révélait une intention provocante » et

---

69. Le texte reproduit ici est celui publié par *Combat*, et la liste des signataires est une synthèse des différentes listes publiées, qui présentaient deux ou trois légères variantes.

70. La pétition est, du reste, reproduite également dans *Les Temps modernes*, t. XXIV, n° 22, juillet 1947, pp. 181 sqq.

« visait à l'éclat ». Le président du CNE donnait probablement là un avis largement partagé par ses pairs. Car, au bout du compte, la mobilisation de moins d'une trentaine d'intellectuels en faveur de l'un d'entre eux touché par la calomnie – cas de figure qui, en général, entraîne de plus amples solidarités – est bien le reflet de la position dominante alors occupée par le parti communiste français. Ce qui ne pousse pas pour autant celui-ci à ignorer ses contradicteurs. Dès le 4 avril, un article de *L'Humanité* avait repris ouvertement le thème du Nizan « traître » en 1939 – « Traître à son parti, il a été du même coup traître à la France » – et dont on pouvait dès lors se demander si « cette attitude ne prolongeait pas une activité antérieure ». À Sartre et aux autres signataires, il était rappelé, pour finir, que « cinq années de souffrance ont suffisamment révélé quelle marchandise recouvre l'anticommunisme pour que cette manœuvre juge à la fois ceux qui la font et celui qu'elle vise à défendre ». Phrase proche de celles que Sartre, quelques années plus tard, proférera à l'occasion.

Mais, pour l'heure, ce dernier ne semble guère impressionné par ces accusations d'anticommunisme. Et quand *Les Lettres françaises* du 11 avril 1947 publient une déclaration du comité directeur du CNE s'en prenant aux signataires du « manifeste prétendant défendre la mémoire de Paul Nizan », signataires au demeurant « inégalement qualifiés pour s'insurger au nom de la morale », le journal s'attire une réponse cinglante dans une des livraisons suivantes des *Temps modernes*. Sartre y écrit en effet[71] : « Puisque le CNE se montre si soucieux de défendre l'honneur de ses membres, je tiens à déclarer d'abord que je suis encore membre de ce comité et que je ne me rappelle pas qu'il m'ait défendu contre les attaques communistes dont j'ai été l'objet. En second lieu, c'est à moi que M. Aragon a fait les déclarations citées plus haut. Estime-t-il donc qu'elles étaient de telle nature que leur pure et simple reproduction puisse jeter le discrédit sur leur auteur ? Ou bien nie-t-il les avoir faites ? En ce cas, c'est sa parole contre la mienne. Qu'il le dise et chacun jugera. »

---

71. *Les Temps modernes,* n° 22, juillet 1947, p. 183.

« CHACUN EST PARTI DE SON CÔTÉ »

Il faudra garder en tête cette attitude sartrienne du printemps 1947 vis-à-vis du Parti communiste pour mesurer le chemin parcouru vers lui par la suite. Pour l'heure, cette distance ouvertement affichée n'empêchera pas la tension de continuer à monter avec Aron. Car, sur les relations internationales, on l'a vu, l'analyse est désormais divergente. Et la guerre froide apparue en cette année 1947 ne pouvait qu'ouvrir encore davantage la faille, bientôt accrue par le neutralisme puis par le compagnonnage de route de Sartre. Mais, en cet automne de 1947, c'est sur la question du RPF que le point de non-retour allait être atteint. À cette date, Jean-Paul Sartre et ses amis animent une tribune hebdomadaire enregistrée dans les studios du Programme parisien, intitulée « Les Temps modernes » et diffusée à 20 heures. À Louis Pauwels, quelques jours avant la première émission, Jean-Paul Sartre avait déclaré dans *Combat* : « Si l'on interdit ces émissions, nous serons fixés. Cela prouvera que la liberté est gravement menacée et que notre action est plus que jamais nécessaire. » L'affirmation était en partie prémonitoire puisque seules six émissions de cette tribune seront diffusées, du 20 octobre au 24 novembre, avant une brutale interruption. En même temps, elle peut faire sourire car l'on sait maintenant que c'est la présidence du Conseil – à laquelle était alors rattachée la Radiodiffusion – qui avait poussé à la création de la tribune « Les Temps modernes », contre l'avis du directeur de la radio, Wladimir Porché, sans que l'on puisse, en l'état des archives, démêler précisément les motivations des uns et des autres[72]. Toujours est-il que

---

72. Le point est maintenant bien établi grâce aux travaux – pour l'instant inédits – d'Hélène Eck sur la radio sous la IVᵉ République. Qu'elle soit ici remerciée de m'avoir indiqué cet élément important, pour lequel les archives sont concordantes. Celles-ci, en revanche, ne permettent pas de reconstituer les motivations du président du Conseil Paul Ramadier et de son cabinet. Dans *La Force des choses*, Simone de Beauvoir se contente d'indiquer que l'« un des anciens collègues [de Sartre], Bonaffé, connaissait bien Ramadier et lui suggéra de nous confier une tribune à la radio ».

Jean-Paul Sartre, hostile au gaullisme mais aussi en mauvais termes à cette date avec les communistes, n'avait rien pour déplaire au socialiste Paul Ramadier. Le gouvernement de ce dernier s'était privé des communistes depuis le 5 mai précédent et la montée en puissance du RPF est aussi pour lui un souci lancinant en cet automne de 1947.

Au demeurant, pour ce qui est de l'antigaullisme, il n'allait pas être déçu par l'émission de Sartre, et c'est précisément de cet aspect qu'allait découler indirectement la cause de la rupture Sartre-Aron. Et ce, dès la première émission. Les participants y font le point sur la vie politique française après les élections municipales. À un moment de l'émission, de Gaulle est évoqué, l'on se gausse de «l'homme providentiel» et une double comparaison est explicitement formulée, entre l'homme du 18 Juin et le maréchal Pétain, et entre le RPF et le PPF. Décrivant une affiche du général de Gaulle, Alain Bonafé, ancien collègue de Sartre au lycée du Havre, déclare même : «À part la mèche sur le front, tout y est[73].» Le lendemain de l'émission, l'affaire fit grand bruit dans la presse, mais surtout il fut immédiatement envisagé d'enregistrer un droit de réponse, tant les gaullistes s'étaient déclarés choqués. Dans le studio, deux gaullistes, le général de Bénouville et Henri Torrès, prirent vivement Sartre à partie. Aron, qui était présent, se tut, partagé entre l'amitié écornée mais pas encore défunte pour Sartre et ses sentiments gaullistes, et l'ancien petit camarade ressentit ce silence comme une trahison. Le souvenir en était encore vif en 1974 : «Aron n'a pas fait mine de me voir ; il s'est joint aux autres ; je concevais qu'il voie les autres mais non qu'il me laissât tomber. C'est à partir de là que j'ai compris qu'Aron était contre moi, sur le plan politique. J'ai considéré comme une rupture sa solidarité avec les gaullistes contre moi. Il y a toujours eu une forte raison qui a provoqué mes brouilles, mais, finalement, c'est toujours

---

73. *Jean-Paul Sartre. La tribune des Temps modernes*, Archives sonores INA, collection «Voix de l'histoire», 2 coffrets, 4 cassettes, coédition INA-Radio France, 1989 (enregistrements réalisés en octobre et novembre 1947).

moi qui ai pris la décision de me brouiller [74]. » Raymond Aron a donné lui aussi, en 1983, sa version de l'incident. Si le détail du récit et l'attribution des responsabilités peuvent être différents, le constat reste identique : « Chacun est parti de son côté [75]. »

Sauf pour les deux intéressés, l'incident était mineur, et il convient de le ramener à ses véritables proportions. L'émission « La tribune de Paris » organisait presque tous les jours des débats sur le Programme parisien, et notamment, depuis février 1946, l'hebdomadaire « Tribune des journalistes parlementaires ». Celle-ci avait rapidement rencontré un réel succès mais s'était trouvée suspendue à deux reprises en 1947, en mars puis en octobre, les émissions étant devenues trop houleuses [76]. Raymond Aron, du reste, en sera un fidèle et régulier participant : en deux ans, de 1947 à l'automne 1949, il y intervient plus de vingt fois, et sur des sujets divers : par exemple « Le pacte atlantique », « Le plan Marshall », « Sur Auguste Comte » et... « Y a-t-il des leçons de l'Histoire [77] ? ». L'audience de ce Programme parisien était importante : contrairement à son appellation, il acquit rapidement une large couverture nationale, devenue totale à l'automne 1948.

Replacé dans son contexte, l'incident du 20 octobre 1947 à la tribune des « Temps modernes » est donc mince. Bien plus, l'émission de Jean-Paul Sartre se poursuivit encore pendant plus d'un mois et c'est, en fait, après le remplacement du socialiste Ramadier par le MRP Robert Schuman à la présidence du Conseil le 24 novembre que l'émission, qui avait fait grincer bien des dents, fut supprimée. Malgré sa réticence initiale, Wladimir Porché semblait pourtant avoir pris son parti de l'existence de cette tribune hebdomadaire, et Fernand Pouey,

---

74. Simone de Beauvoir, *La Cérémonie des adieux*, suivi de *Entretiens avec Jean-Paul Sartre*, réf. cit., p. 354.

75. Raymond Aron, *Mémoires*, réf. cit., p. 317.

76. Cf. Hélène Eck, « Radio, culture et démocratie en France : une ambition mort-née (1944-1949) », *Vingtième siècle. Revue d'histoire*, n° 30, avril-juin 1991, pp. 55 sqq.

77. Hélène Eck, *art. cit.*, p. 63.

directeur des émissions littéraires et artistiques, paraît avoir «couvert» l'émission. Il écrivit, en tout cas, deux ans après l'épisode: «À Jean-Paul Sartre, on ne propose pas le micro sous condition. On le lui donne ou on le lui refuse. On le lui avait donné. [...] Que tout cela dérangeât la tranquillité radiophonique, oui. Mais je n'y avais rien vu de scandaleux[78]. »

Il reste que l'émission du 24 novembre – le jour même de l'investiture de Schuman – sera la dernière et que trois autres émissions enregistrées quelques jours plus tard et programmées pour les 1er, 8 et 15 décembre ne furent jamais diffusées[79]. Et Jean-Paul Sartre, dès lors, aura beau jeu de prononcer lui-même l'éloge funèbre de son émission dans *Combat* du 3 décembre: «Lorsque cette tribune m'a été offerte, j'avais demandé, avant de l'accepter, que l'on m'accordât le droit de discuter en toute liberté sur les événements. Je n'entendais par là ni imposer mon avis, ni servir un parti. Je n'appartiens, en effet, à aucune formation politique, je voulais seulement contribuer à rétablir le goût de la libre discussion qui, comme l'on sait, tend à se perdre et à céder la place au conformisme et à la passion. »

Dans un tel contexte, la brouille Sartre-Aron était bien sûr secondaire. Mais elle est révélatrice des tensions et des clivages qui commencent en cet automne 1947, premier automne de guerre froide, à restructurer le milieu intellectuel français. Et cette redistribution se fait notamment autour de deux pôles, communiste et gaulliste. Même si le second n'a jamais atteint la force de frappe intellectuelle du premier, il existe bien, en effet, malgré ce déséquilibre indéniable, une sorte de couple de forces antagonistes constitué des clercs communistes et gaullistes, qui contribue à articuler les débats de l'intelligentsia de guerre froide. D'autant que, à l'intérieur de leurs «camps»

---

78. Fernand Pouey, *Un ingénu à la radio*, Domat, 1949, p. 249, cité par Hélène Eck, *loc. cit.*, p. 66.

79. Elles ont été diffusées pour la première fois en août 1989, sur France Culture. Elles ont été reprises depuis dans la 4e cassette des archives de l'INA, signalées plus haut.

respectifs, le pouvoir d'influence et la force d'intimidation du communisme et du gaullisme sont tels qu'il est nécessaire de se situer par rapport à eux. Même si, de fait, la polarisation est plus accentuée autour du communisme [80]. Les indices abondent de ce jeu de miroirs, sorte de reconnaissance tacite et réciproque des deux protagonistes. D'autant que gaullistes et communistes tiennent les uns et les autres le rôle de repoussoir de l'autre camp. Ainsi, si le Parti communiste concentre sur lui l'hostilité des clercs de droite et notamment des clercs gaullistes, ceux-ci deviennent vite la cible privilégiée des intellectuels de gauche. Ce statut d'adversaire de premier rang est manifeste à travers la guérilla constante menée contre de Gaulle et le RPF. Ainsi le numéro d'*Esprit* d'octobre 1948 proclame-t-il, sous la plume d'Albert Béguin, que Malraux est, « en un sens, le seul authentique fasciste français ». Et les clercs communistes ne demeurent pas en reste. Pierre Hervé s'en prend lui aussi à Malraux dans *Action,* appelant à ne pas omettre l'« essentiel » à propos du RPF : « Le fascisme et sa terreur, ses camps de concentration et ses tueurs. »

Ce couple de forces antagonistes va bientôt aimanter le milieu intellectuel. Et en attendant de rejoindre leurs camps respectifs, Sartre et Aron se seront situés *contre.* Contre l'Union soviétique, avant même le déclenchement de la guerre froide, dans le cas d'Aron, qui quitte pour cette raison *Les Temps modernes* dès la fin du printemps 1946. Contre le gaullisme dans le cas de la mouvance sartrienne, bien avant qu'elle se rapproche des communistes. Telle est bien, au bout du compte, la signification de l'incident – ou vécu ainsi – entre Sartre et Aron. Ce dernier, en effet, commençait à cette date son compagnonnage de route avec le RPF. L'épisode radiophonique prenait, dès lors, la signification d'un incident naval entre puissances maritimes. Les

---

80. J'ai déjà eu l'occasion de développer cette analyse dans « Les intellectuels français au temps de la guerre froide : entre communisme et gaullisme ? » *in* Stéphane Courtois et Marc Lazar (dir.), *Cinquante ans d'une passion française. De Gaulle et les communistes,* Balland, 1991, pp. 257-268.

amis de Sartre avaient tiré en connaissance de cause sur un pavillon déployé. Il y avait là un *casus belli* et, de fait, en cet automne de 1947, non seulement la rupture était consommée entre les deux hommes, mais de la paix armée qui régnait depuis l'année précédente, on passait aux première salves de l'un des camps. En 1974, évoquant devant Simone de Beauvoir cette « affaire de la radio », Jean-Paul Sartre admit que, parvenu à ce stade, « il fallait une séparation » et que celle-ci « s'est faite par une brouille[81] ». La brouille inaugurait une guerre de plus de trente ans.

---

81. Simone de Beauvoir, *La Cérémonie des adieux,* suivi de *Entretiens avec Jean-Paul Sartre,* réf. cit., p. 354.

V

Au cœur de la guerre froide

Après leur rupture, Jean-Paul Sartre et Raymond Aron allaient rapidement incarner les deux versants opposés du paysage idéologique français, mais aussi la dissymétrie de celui-ci. Sartre va subir l'attraction de plus en plus grande du PCF au cœur de la guerre froide, à un moment où ce parti exerce une forte influence sur le milieu intellectuel français. Aron se retrouve au contraire, dans sa bataille avec les communistes et leurs compagnons de route, passablement isolé.

Sur la scène du combat idéologique, en fait, l'un est en pleine lumière, sorte de statue du Commandeur vite incontournable, l'autre se tient presque en coulisse, considéré par les uns désormais à contre-courant de l'Histoire sans en saisir le sens profond, par les autres au contraire comme une Cassandre aux oracles toujours confirmés par cette même Histoire. Car c'est toujours du rapport à l'Histoire qu'il s'agit ici. Et c'est son interprétation qui, au bout du compte, a fait voler en éclats l'amitié entre les deux hommes : l'un, « incarnateur » du devoir d'engagement, se fait donneur de sens, un sens à tout prendre assez proche de celui diffusé par le marxisme-léninisme ; l'autre, inversement, se pose en procureur d'une telle vulgate et en dénonce rapidement les griseries idéologiques.

Il faut aussi, pour replacer ces débats entre Sartre et Aron dans un contexte historique complet, rappeler qu'ils eurent lieu au sein d'une République, quatrième du nom, qui eut fort à faire avec le mouvement de l'Histoire. Celui-ci, du reste, la fit périr de mort violente au printemps 1958. Depuis ce décès, bien des autopsies du régime défunt ont été faites, par des médecins qui n'étaient pas toujours sans arrière-pensées. Diagnostiquer, par exemple, une déficience des institutions revenait à légitimer le traitement de choc que fut, d'une certaine manière, le changement de régime. Même pour les tenants d'un tel diagnostic de déficience institutionnelle, force est d'admettre que des jours paisibles auraient probablement permis à ce régime de survivre. Son drame, au bout du compte, est qu'une cure de repos lui fut interdite : il fut attaqué dès l'enfance sur deux fronts, et son adolescence fut soumise au choc conjugué de deux secousses mondiales.

Dès 1947, en effet, le Parti communiste, exclu du pouvoir et placé en porte à faux par l'apparition de la guerre froide, devint un adversaire irréductible de la IVe République. À la même date, la naissance du RPF la soumit à une autre opposition résolue. C'était déjà beaucoup pour un régime qui eut vite, en outre, à affronter de plein fouet les deux ondes de choc de la guerre froide et de la décolonisation. Là est probablement l'essentiel, dans ce double ébranlement qu'aucune autre démocratie occidentale n'eut à subir avec la même ampleur. Certes, l'Italie, comme la France, avait alors un Parti communiste fort, et, de ce fait, pour les deux pays la guerre froide ne fut pas seulement, comme ailleurs, un problème – au demeurant crucial – de politique étrangère et de défense nationale. Mais l'Italie, elle, privée de territoires outre-mer, n'eut pas de surcroît à faire face aux soubresauts de la décolonisation. Inversement, si le Royaume-Uni eut à affronter cette dernière, l'inexistence d'un communisme consistant à l'intérieur de ses frontières ne fit guère de la guerre froide un problème endogène, mis à part les débats au sein du Parti travailliste à propos de l'armement nucléaire.

Il faut donc garder cette situation particulière en tête au moment où Sartre et Aron entrent en guerre froide. Le milieu intellectuel français dans lequel ils se meuvent n'est pas seulement une sorte de village italien de la plaine du Pô décrit par Giovanni Guareschi, dont les deux hommes seraient, *mutatis mutandis,* les Peppone et Don Camillo. C'est un milieu qui va se trouver ouvert à tous les vents de l'Histoire, avec plus particulièrement les deux bourrasques de la décolonisation et de la guerre froide. Pour l'heure, il est vrai, c'est celle-ci qui devient la toile de fond du nouvel acte des rapports Sartre-Aron [1].

Les adieux

On peut dater précisément l'annonce publique de la rupture de l'amitié entre les deux hommes. La pièce notariée se trouve au détour de la rubrique «correspondance» du numéro des *Temps modernes* de novembre 1948, sous le titre «Une lettre de Raymond Aron». Cette lettre était elle-même une réaction d'Aron au long entretien Sartre-Rousset daté du 18 juin 1948 et publié dans *Les Temps modernes* de septembre suivant [2]. Cet entretien est, bien sûr, à replacer dans le contexte du Rassemblement démocratique révolutionnaire (RDR) auquel Sartre participe à l'époque et sur lequel il faudra revenir. Mais l'important, ici, est que Sartre y attaque le RPF – «la classe bourgeoise avait besoin

---

1. Cette période de la guerre froide, si dense en actes et en écrits des deux hommes, aurait pu à elle seule fournir la matière d'un livre entier. Le chapitre qui suit, de ce fait, ne pouvait prétendre à une étude exhaustive. On a adopté ici le parti de mettre plus particulièrement en avant les éléments propres à éclairer les positions de Sartre et Aron l'une par rapport à l'autre.

2. «Entretien sur la politique», *Les Temps modernes*, septembre 1948, n° 36, pp. 385-428.

– besoin tactique, besoin politique immédiat – du regroupement qu'a opéré le RPF » – et va jusqu'à assimiler explicitement à Vichy et au fascisme. Bien plus, dans le même entretien, il s'en prend directement et nommément à Raymond Aron [3].

C'est donc en réaction à ces attaques que Raymond Aron adresse à « Monsieur le directeur » des *Temps modernes* une lettre datée du 22 octobre 1948 et qui sera publiée à la fin du numéro de novembre 1948 : « Je n'ai pas l'intention de répondre dans vos colonnes aux attaques de M. Jean-Paul Sartre. Je voudrais seulement mettre en garde vos lecteurs contre un malentendu. Les opinions que M. Sartre me prête ne sont pas celles que j'ai exprimées dans mes articles et dans mes livres, les propos mis entre guillemets n'ont pas été tenus par moi. M. Sartre les regarde probablement comme caractéristiques de ma pensée intime, telle qu'il croit la dégager de conversations naguère amicales. Malheureusement, qu'il s'agisse du blocage des salaires ou des conséquences sociales du progrès technique, il déforme grossièrement ma pensée.

« Vos lecteurs n'auraient qu'à se reporter à mon dernier livre, *Le Grand Schisme,* pour s'en assurer.

« Je vous serais obligé de bien vouloir publier cette lettre et vous prie de croire à l'assurance de mes sentiments distingués. Raymond Aron. »

La revue assortit la publication de cette lettre d'un commentaire signé « J.-P. S. » : « Raymond Aron m'a tenu très exactement les propos que je rapporte dans l'*Entretien sur la politique.* Comme je ne puis douter de sa bonne foi, je suppose qu'il avait simplifié sa pensée pour la mettre à ma portée, et qu'il a depuis lors oublié cette simplification provisoire. Il me reproche d'avoir fait état d'une conversation "amicale". Je réponds que depuis longtemps nos conversations n'étaient plus vraiment amicales, parce que ses actes avaient cessé de l'être. »

Quatre ans plus tard, une autre grande rupture intellectuelle s'opérait par une « Lettre au directeur des *Temps modernes* », celle

---

3. *Ibid.,* pp. 388, 390 et 406.

adressée par Albert Camus à Jean-Paul Sartre. Le premier, excédé par l'éreintement de *L'Homme révolté* dans *Les Temps modernes* de mai 1952, se dira « un peu fatigué de se voir, et de voir surtout de vieux militants qui n'ont jamais rien refusé des luttes de leur temps, recevoir sans trêve leurs leçons d'efficacité de la part de censeurs qui n'ont jamais placé que leur fauteuil dans le sens de l'histoire ». À quoi le second répondra : « Un mélange de suffisance sombre et de vulnérabilité a toujours découragé de vous dire des vérités entières. Le résultat, c'est que vous êtes devenu la proie d'une morne démesure qui masque vos difficultés intérieures et que vous nommez, je crois, mesure méditerranéenne. Tôt ou tard, quelqu'un vous l'eût dit ; autant que ce soit moi [4]. »

Certes, la brouille Sartre-Aron de 1948 ne défraya pas la chronique comme la rupture Sartre-Camus de 1952. *France-Soir* du 6 septembre 1952 titrera à cette occasion : « La rupture Sartre-Camus est consommée [5]. » Ce contraste même montre que le parallélisme s'arrête là entre les deux situations, la notoriété d'Aron en 1948 étant à cent coudées au-dessous de celle de Camus à la même date aussi bien qu'en 1952. Retenons pourtant qu'il y eut un tour public donné à la fin de l'amitié entre les deux petits camarades, et qu'au bout du compte cette querelle portée sur le forum inaugure une longue série de brouilles et de ruptures dans le milieu intellectuel.

Elle ne l'inaugure pas totalement, en fait, dans la mesure où, avant de rompre avec Aron, Sartre s'était déjà brouillé avec Arthur Koestler. Publié en France chez Calmann-Lévy en décembre 1945, *Le Zéro et l'Infini* s'était attiré l'hostilité immédiate du PCF, dont une délégation conduite par Jacques Duclos s'était rendue chez l'éditeur Robert Calmann [6]. Maurice

---

4. *Les Temps modernes*, août 1952, pp. 332 et 334.
5. Cf. également, par exemple, l'article de Pierre de Boisdeffre dans *Le Monde* du 24 septembre 1952.
6. Thierry Cottour, « *Le Zéro et l'Infini (Darkness at noon)*. Les vicissitudes et la postérité du roman d'un apostat », dans *Histoire et politique. Mélanges offerts à M.E. Monange*, Brest, 1994, pp. 285-295.

Merleau-Ponty en avait, de son côté, entrepris la réfutation dans *Humanisme et Terreur* en 1947. À la fin de l'année précédente, Arthur Koestler ayant publié *Le Yogi et le Commissaire,* le même Merleau-Ponty était également monté en ligne dans un article des *Temps modernes,* « Le yogi et le prolétaire ». Quant à Sartre, il rompit alors avec Koestler, que Simone de Beauvoir, dans *La Force des choses,* décrira admettant, fataliste, qu'il était « impossible d'être des amis quand on ne s'entend pas politiquement ». La même Simone de Beauvoir en brossera, du reste, un portrait chargé en 1954 dans *Les Mandarins.*

L'intervention de Maurice Merleau-Ponty est, à cet égard, révélatrice. Comme l'a souligné récemment Pierre Grémion, « un point d'histoire des idées paraît aujourd'hui définitivement acquis : à l'origine, c'est Merleau-Ponty qui joue le rôle moteur dans l'élaboration de la ligne politique de la revue et c'est lui qui exerce une vigilance sourcilleuse, y compris à l'égard de Sartre, pour éviter que le concept de totalitarisme ne soit appliqué au système soviétique [7] ».

L'EFFET FULTON

Que la rupture définitive entre Sartre et Aron soit intervenue à l'automne de 1948 n'est en aucun cas une coïncidence. Il y a concomitance avec la publication par le second du *Grand Schisme,* sorti au début de l'été. Ce livre est bien le reflet du Aron-Janus de la guerre froide, à la fois analyste reconnu et intellectuel engagé.

Les deux premières parties de l'ouvrage, en effet, sur les schismes diplomatique et idéologique, analysent en profondeur

---

7. Cf. le beau livre, essentiel pour la compréhension de cette période, de Pierre Grémion, *Intelligence de l'anticommunisme. Le Congrès pour la liberté de la culture à Paris. 1950-1975,* Fayard, 1995, citation p. 300.

la fracture géopolitique et la situation diplomatique et militaire qui en découlait. À cet égard, il s'agit bien d'une des premières formalisations de la guerre froide, que résume la formule passée à la postérité : « Paix impossible, guerre improbable. » Mais sur le théoricien, que son livre impose comme l'un des grands analystes de la guerre froide et de ses implications, vient se superposer l'intellectuel engagé, à cette date membre du RPF : les deux autres parties du livre sont bien davantage ancrées dans les querelles franco-françaises de l'époque, vues notamment à travers le prisme de l'engagement. La « réforme intellectuelle et morale » passe par « la reconnaissance du réel et l'effort, ingrat et lent, pour améliorer la condition des hommes[8] ». Le Raymond Aron que nous avions vu encore en recherche au cours des années précédentes apparaît désormais intellectuellement stabilisé et idéologiquement armé, en cette année de parution du *Grand Schisme*. Et il prend acte d'un monde coupé en deux, dans lequel il faut choisir son camp : « Face à une secte à la fois militaire et religieuse, qui applique en toute rigueur le principe : qui n'est pas avec moi est contre moi, la seule attitude honorable est l'assentiment total ou le refus absolu. Il n'y a pas de demi-mesure. »

Le Grand Schisme, sorti en juillet 1948, est attaqué par *Les Temps modernes* dans l'une des livraisons du second semestre – celle précisément qui suit la publication de la lettre d'Aron –, sous la plume de Jean Pouillon [9]. La revue est en phase sur ce point avec les communistes. L'appartenance de Raymond Aron au RPF et ses analyses du *Grand Schisme* font rapidement de lui, en effet, une cible pour le Parti communiste et ses intellectuels. Il sera, par exemple, dans la ligne de mire des jeunes normaliens communistes. Le bulletin animé par ces derniers, *Rue d'Ulm,* signale ainsi [10] : « Novembre 1948 : Raymond Aron vient prêcher aux

8. Raymond Aron, *Le Grand Schisme,* Gallimard, 1948, pp. 8 et 305.

9. Jean Pouillon, « Un remède de cheval », *Les Temps modernes,* n° 39, décembre 1948-janvier 1949, pp. 139-154.

10. *Rue d'Ulm,* février 1949, conservé à l'IMEC.

étudiants le programme RPF sous ce titre prometteur : "Comment gagner la guerre froide." Les étudiants communistes lui ferment la bouche. » Ce qui n'empêche pas Raymond Aron de revenir deux mois plus tard, comme le note le même bulletin : « Janvier 1949 : Raymond Aron, bien décidé à ne pas rester sur cet échec, refait "la conférence" que les communistes ont prétendu interdire. »

Et désormais Raymond Aron fera partie de la galerie des ennemis reconnus comme tels par le parti. À tel point que le ton restera très dur au fil des la décennie suivante. Il devient l'homme du *Figaro,* ennemi de la classe ouvrière et agent de la bourgeoisie la plus conservatrice. Jusqu'à la littérature communiste qui en fait un personnage particulièrement antipathique. En 1951, Pierre Courtade le campe dans *Jimmy* sous les traits de Bernard, qui analyse les relations internationales au *Journal.* L'homme entend certes fonder ses analyses sur la sociologie et les statistiques, mais il tire « constamment de faits en eux-mêmes exacts les conclusions les plus fumeuses et les plus désordonnées ». Bien plus, il n'est pas sans présenter une nostalgie du nazisme [11]. Thème qui affleurait déjà sous la plume de Jean Kanapa, dans *L'existentialisme n'est pas un humanisme,* où Raymond Aron était qualifié de « néo-fasciste [12] ». Sans atteindre toujours une telle teneur, les attaques communistes contre Aron conserveront au fil des années suivantes un ton que la publication en 1955 de *L'Opium des intellectuels* ne contribuera certes pas à adoucir. Ainsi Annie Besse (Kriegel) écrit-elle dans le numéro de juillet-août 1955 de *La Nouvelle Critique :* « M. Aron a fait la chose la plus vulgaire du monde : il a renié sa jeunesse. Il fut un adolescent animé de pensées généreuses. Il est devenu le collaborateur du *Figaro.* Il ne s'en console pas. »

Même si, aux yeux de ses adversaires communistes, Aron est alors l'homme du *Figaro,* il y aurait erreur de perspective à faire de ce statut d'éditorialiste sa seule activité. Certes, sa production

---

11. *Op. cit.,* pp. 240 et 243.
12. *Op. cit.,* Éditions sociales, 1947, p. 53.

en ce domaine est alors très dense : sous la IVe République, Raymond Aron publie dans *Le Figaro* en moyenne 82 articles par an [13]. Bien plus, dès le début, l'accueil du quotidien avait été confiant et en fanfare : en 1947 et 1948, tous les articles d'Aron sans exception sont publiés en première page. Pour autant, son activité d'éditorialiste ne mord que légèrement sur l'ensemble d'une journée. Dans un texte datant de 1948, et alors qu'il occupe de telles fonctions depuis quelques mois au *Figaro*, Raymond Aron remarque : « L'éditorialiste, lui, prend comme thème d'article une nouvelle arrivée au plus tard à 7 ou 8 h du soir ; par conséquent, comme il lui faut une heure pour écrire son article, il a fini avant 9 h et il est libre [14]. » Non que l'éditorial ne soit pas une activité des plus sérieuses : « Le métier de commentateur, déclarera-t-il onze ans plus tard dans une conférence, exige certaines qualités d'ordre intellectuel [15]. »

Ce point, au bout du compte, est essentiel. Le « commentateur » vulgarise et ancre dans l'actualité la réflexion de l'analyste. Et dans le contexte de l'époque, c'est le monde de guerre froide qui mobilise les deux plumes ainsi associées [16]. D'autant que Raymond Aron avait anticipé sur cette cassure du monde en deux. C'est au printemps 1946, on l'a vu, qu'il avait pris ses distances vis-à-vis des *Temps modernes*, en désaccord avec l'équipe fondatrice sur l'attitude à avoir en cas de conflit entre États-Unis et Union soviétique. D'une certaine façon, de même qu'intuitivement le jeune normalien avait senti dans le Cologne de l'année universitaire 1930-1931 puis dans le Berlin des deux années suivantes que l'Histoire se remettait en marche, de

---

13. Moyenne établie par Valérie Hannon, réf. cit.

14. Raymond Aron, « L'éditorialiste », dans *Problèmes et techniques de la presse*, Domat-Monchrestien, avril 1948, pp. 65-83.

15. Raymond Aron, « Journaliste et professeur », discours prononcé à l'Institut des hautes études de Belgique, 23 octobre 1959, *Revue de l'université de Bruxelles*, pp. 177-196.

16. Cf., à ce propos, *Les Articles du Figaro*, t. I, *La guerre froide, 1947-1955*, de Raymond Aron, présentation et notes de Georges-Henri Soutou, De Fallois, 1418 p., 1991.

même le Raymond Aron quadragénaire anticipe, prenant conscience avant la plupart des intellectuels de son temps que l'Histoire était à une nouvelle bifurcation. Il est, dans son milieu, l'un des premiers à prendre la mesure de ce que l'on pourrait appeler « l'effet Fulton ». Dans un discours prononcé à Fulton le 5 mars 1946, Winston Churchill avait en effet fait le constat de la constitution d'une « sphère soviétique » et de la présence, « à travers le monde entier », de « cinquièmes colonnes communistes ». Avec cette phrase passée à la postérité : « De Stettin, dans la Baltique, à Trieste, dans l'Adriatique, un rideau de fer est descendu à travers le continent. » C'était, déjà, prendre la mesure de la fin de la Grande Alliance.

Quelques-uns, comme Aron, en évalueront la portée sur le moment. Ainsi Bertrand d'Astorg, écrivant dans *Esprit*, à propos de la publication du *Zéro et l'Infini* d'Arthur Koestler : « C'est sur le plan politico-passionnel que l'on a situé le livre. Par rapport aux "ennemis" qu'il peut aider à combattre. Par rapport aux armes qu'il propose. Par rapport à la propagande qu'il peut alimenter. En fait, nous sommes "politicisés" jusqu'à la moelle [17]. » À partir de 1947 surtout, le « politico-passionnel » va s'emparer, pour ce qui est de la question du communisme, du milieu intellectuel. Mais cette passion est elle-même à replacer dans un contexte régi par un rapport de forces.

Dans le Paris de la guerre froide

La brouille Sartre-Aron eut lieu dans un Paris intellectuel peu à peu touché par la guerre froide. Ce milieu parisien a-t-il alors montré une inaptitude à percevoir les aspects liberticides des régimes communistes en train de s'installer dans l'est de

---

17. Bertrand d'Astorg, « Arthur Koestler, prix Nobel 1960 », *Esprit*, II, 1946, p. 379.

l'Europe, et donc à en recevoir les témoignages? Qu'il y ait eu
des obstacles à une juste perception des réalités de l'Est est indéniable: François Fejtö, par exemple, a raconté dans ses
Mémoires[18] la forte hostilité que suscita son article sur le procès
Rajk publié dans *Esprit* en novembre 1949[19], les rangs se creu-
sant autour de lui et certains amis prenant leurs distances.

Pour autant, cette réelle difficulté est-elle devenue une inaptitude quasi fonctionnelle? C'est, d'une certaine façon, l'une des
thèses qu'a défendues récemment l'historien anglo-saxon Tony
Judt[20]. Pour celui-ci, «les Français fermèrent alors leurs frontières intellectuelles. La communauté de l'intellectuel universel
fut redéfinie de manière à exclure les victimes du stalinisme,
consentantes ou non». Du coup, «l'intelligentsia de la moitié
orientale de l'Europe» se serait trouvée «désormais doublement exclue; dépouillée de sa culture nationale par les communistes et interdite d'entrée dans la culture universelle de
l'Europe par les gardiens reconnus de celle-ci». Le diagnostic
est sévère et la charge dure. L'un et l'autre, assurément, appellent discussion. Sur ce point – qui n'est, au demeurant, qu'un
aspect de son ouvrage –, Tony Judt sous-estime peut-être la
faculté d'écoute et de réception de certains microclimats intellectuels français au sein de la gauche non communiste comme
dans certains secteurs de la droite libérale. Il est réducteur, en
effet, de parler au singulier du milieu intellectuel parisien, dont
une analyse même superficielle révèle immédiatement la diversité: il s'agit, en fait, d'un milieu éclaté, tissé de sociabilités
diverses. Et c'est précisément à travers certains de ces réseaux
de sociabilité que se diffusèrent – ou pas – les informations
venues de l'Est. Nous aurons l'occasion de rencontrer plus loin
quelques-uns de ces réseaux. Mais le point devait être relevé dès

---

18. François Fejtö, *Mémoires. De Budapest à Paris*, Calmann-Lévy, 1986,
p. 215.

19. «L'affaire Rajk est une affaire Dreyfus internationale», *Esprit*,
novembre 1949.

20. Tony Judt, *Un passé imparfait. Les intellectuels en France 1944-1956*, Fayard,
1992, p. 330.

maintenant. Ne serait-ce que pour rappeler d'emblée que l'image d'un Paris intellectuel alors aveugle aux réalités au-delà du rideau de fer et muet à leur propos relève du cliché. Le point est ici d'autant plus important que son rappel suffit à relativiser aussi bien l'image d'un Aron seul clerc clairvoyant dans un milieu atteint de cécité que la thèse d'un Sartre qui, à la fin des années 1940, aurait été dans l'ignorance totale de ce qui se passait en Europe centrale et orientale.

Cela étant, si nombre de microclimats parisiens furent ainsi réceptifs aux informations venues de l'Est, demeure pourtant, en termes macrohistoriques, une réalité indéniable que le constat précédent ne fait que rehausser : la force de ces informations parvint très amortie à la société intellectuelle française. Ou, plus exactement, le témoignage venu de l'Est se perdit, au sens hydrographique du terme, dans le Paris de la guerre froide. Et la question, pour l'historien, devient dès lors de tenter d'expliquer ce phénomène de déperdition. À condition de ne pas s'en tenir à de simples jugements de valeur implicites consistant à attribuer aveuglement ou cynisme aux intellectuels communistes ou compagnons de route et lâcheté devant le pouvoir d'intimidation du PCF aux intellectuels de la gauche non communiste. Non, du reste, que de telles attitudes n'aient pas existé : on donnerait une vision aseptisée du milieu intellectuel, relevant de l'histoire pieuse, en niant l'existence de faiblesses ou d'absences de caractère. Mais une telle explication est forcément limitée et il faut en revenir, plus prosaïquement, aux rapports de forces idéologiques dans le Paris intellectuel de cette époque. Ceux-ci expliquent largement le pouvoir de réfutation et de récusation que posséda alors l'intelligentsia communiste, notamment vis-à-vis des témoignages en provenance de l'Est.

Certes, des travaux importants[21] ont conduit à nuancer rétrospectivement les affirmations du PCF s'autoproclamant parti de « l'intelligence française », par exemple dans le discours

----

21. Cf. Jeannine Verdès-Leroux, *Au service du Parti. Le Parti communiste, les intellectuels et la culture (1944-1956)*, Fayard-éditions de Minuit, 1983.

de Georges Cogniot au Xe congrès de son parti : en fait, si l'on s'en tient aux intellectuels de grande notoriété, les communistes en leur sein n'auraient constitué, comme l'a écrit Jeannine Verdès-Leroux, qu'un « cercle restreint ». Encore faut-il ajouter que ce « cercle restreint » n'est que le noyau d'une mouvance beaucoup plus étendue et constituée, d'une part, des compagnons de route, aux rangs beaucoup plus fournis que les « encartés » célèbres, d'autre part d'une intelligentsia communiste moins connue – voire anonyme – et plus jeune. Le parti recrute, en effet, beaucoup plus largement dans la jeune génération, qui s'éveille à la politique dans les années qui suivent la Libération. Certes, la plupart de ces jeunes clercs, quand ils parviennent à la notoriété scientifique, auront souvent quitté les rangs du PCF depuis longtemps, mais l'effet rétrospectif reste, sur ce plan, un effet de masse. Pour s'en tenir ici aux seuls historiens, les noms de Maurice Agulhon, Alain Besançon, Jean Bouvier, François Furet, Annie Kriegel et Emmanuel Le Roy Ladurie, par exemple, constituent bien, après inventaire, un échantillon représentatif d'une part notable de la jeunesse universitaire des années d'après-guerre alors séduite par le communisme [22].

Ce poids somme toute consistant du milieu intellectuel communiste et de ses franges permet de conclure non à une *position d'hégémonie*, qu'il n'eut jamais, mais à une *position dominante*. Cette position dominante conférait à la mouvance communiste un pouvoir de réfutation qui s'exprimait à travers deux canaux : force d'intimidation, sur la gauche, et force de frappe, contre la droite. La force d'intimidation demanderait à elle seule un livre entier, tant elle relève d'une alchimie complexe, mélange de terrorisme intellectuel et de fascination-répulsion. Les rapports compliqués, par exemple, de la revue *Esprit* avec le PCF, sa forte dose, du

---

22. Quelques-uns des témoignages de cette génération sont bien connus : ceux, par exemple, d'Emmanuel Le Roy Ladurie (*Paris-Montpellier*, Gallimard, 1982), Maurice Agulhon (*Vu des coulisses*, in *Essais d'ego-histoire*, réunis et présentés par Pierre Nora, Gallimard, 1987), Alain Besançon (*Une génération*, Julliard, 1987) et Annie Kriegel (*Ce que j'ai cru comprendre*, Laffont, 1991).

moins au début de l'après-guerre, de « philocommunisme [23] », en témoignent. Rien de surprenant, dans un tel contexte, à ce que *Les Temps modernes* aient eu également, en tant que revue engagée à gauche, à se situer par rapport à ce pôle communiste. Et à ce que Jean-Paul Sartre ait été implicitement sommé par le PCF de rendre des comptes à l'époque du RDR.

Rendre des comptes : l'expression, à vrai dire, convient moins bien que « donner des gages ». Et c'est là que l'on retrouve la force de frappe contre la droite. Contre celle-ci, en effet, ce fut souvent la gauche non communiste qui monta au créneau et qui accomplit ainsi une fonction de réfutation. Mais un tel rôle ne suffit probablement pas à expliquer la mauvaise réception des signaux venus de l'Est. S'y est ajoutée, souvent, une récusation du témoignage : celui-ci ne pouvait exister tant ce dont il était porteur était, au sens propre, inconcevable. Tout, donc, ne se ramène pas à la seule *volonté d'occultation,* elle-même fondée sur la tactique, le cynisme ou la lâcheté. Il y eut bien, également, *non-voyance* – l'expression étant moins connotée que le mot aveuglement.

Cette force de frappe intellectuelle du PCF lui permet de soumettre le milieu intellectuel de gauche à une sorte de syllogisme débouchant sur la nécessité de s'engager dans les rangs ou, pour le moins, sur les flancs du parti. Prémisses du raisonnement : il faut choisir. Ainsi Julien Benda écrit-il dans *Europe* en 1948 : « Entre ces deux blocs de classes et leurs manifestations sur son sol, le Français doit choisir [24]. » Ce qui, d'emblée, exclut l'indifférence, la tentative de compromis ou la neutralité. Le neutralisme naissant n'est donc que refus de choisir et il est, de ce fait, condamnable. Pour autant, ce choix nécessaire est en même temps un choix sans véritable alternative. Car si l'on condamne le capitalisme, on ne peut être anticommuniste. Paul Fraisse le souligne dans *Esprit* en ce premier semestre 1947 où l'Histoire

---

23. Michel Winock, *Histoire politique de la revue Esprit (1930-1950)*, Le Seuil, 1975, pp. 289-314.

24. Julien Benda, « Le dialogue est-il possible ? », *Europe*, mars 1948, p. 8.

change de cours: «Il s'est avéré que l'on ne pourra faire sauter le régime capitaliste (ou éviter qu'il se mue, pour échapper à ses contradictions, en un nouveau fascisme) tout en combattant les communistes [25].» Certes, précise le même auteur quelques mois plus tard, «le communisme et le fascisme, solutions extrêmes du même problème, ont recours l'un et l'autre aux mêmes moyens totalitaires pour supprimer la force antagoniste», et «la police devient l'arme souveraine et elle ne doit son efficacité qu'à la délation. Les prisons construites à l'échelle des droits communs ne suffisent plus et les camps de concentration s'installent par une sorte de nécessité automatique [26].» Mais, une menace autoritaire pesant sur la France, une «nouvelle résistance nous trouve comme l'ancienne dans le même camp que les communistes».

La critique anticommuniste se trouve donc neutralisée, tout comme elle l'est sous la plume de Maurice Merleau-Ponty, qui, en ces années où il considère que le marxisme est la philosophie de l'Histoire – dans *Humanisme et Terreur,* notamment, en 1947 –, ne cesse pas pour autant de critiquer certains aspects du régime soviétique, parlant de «système concentrationnaire» et de «système policier», mais pour constater aussitôt que l'anticommunisme ne propose aucune réelle solution, les «Malraux, Koestler, Thierry Maulnier, Burnham», «ligue des espoirs perdus», «intellectuels en retraite», ayant «chacun à [sa] manière consenti au chaos [27]». De fait, à cette date, l'anticommunisme est devenu chez beaucoup d'intellectuels français une sorte de «maladie honteuse [28]».

25. Paul Fraisse, «L'engagement chrétien», *Esprit,* I, 1947, p. 165.

26. Paul Fraisse, «Face au danger immédiat», *Esprit,* II, 1947, pp. 803 et 805.

27. Maurice Merleau-Ponty, «Communisme-anticommunisme», *Les Temps modernes,* II, 1948-1949, p. 188.

28. Michel Winock (dir.), «Le schisme idéologique», dans *Le Temps de la guerre froide,* Le Seuil, 1994, p. 104.

« C'EST SARTRE QUI A LES MAINS SALES »

C'est à l'aune de ces rapports de forces qu'il convient d'examiner les relations complexes entretenues par Sartre avec le PCF. Mais un tel examen est rendu encore plus difficile par le fait que ces relations sont aussi à replacer dans le contexte des offensives que mène ce parti en matière d'esthétique durant les années d'après-guerre. Dès le départ, en fait, les communistes s'étaient montrés réticents vis-à-vis de l'existentialisme. En cet automne de 1945 si important, on l'a vu, pour Jean-Paul Sartre, plusieurs intellectuels communistes montent en ligne. Lors de l'enquête de Dominique Aury publiée dans *Les Lettres françaises* du 24 novembre 1945 sur le thème « Qu'est-ce que l'existentialisme ? », Henri Lefebvre ne s'embarrasse pas de nuances et déclare qu'« il y a quelque chose qui [le] dégoûte ». Surtout, un mois plus tard, Roger Garaudy, dans son premier article publié par *Les Lettres françaises,* diagnostique : « Il s'agit tout au plus d'un prurit ou d'une fiévrette atteignant quelques intellectuels qui se croient "démobilisés" au lendemain de la Résistance [29]. » Certes, dès la fin de l'année précédente, Sartre avait senti l'hostilité des communistes à l'existentialisme, au point de publier une mise au point dans *Action* [30], mais la véritable ouverture des hostilités date bien du second semestre 1945. Et il n'y a pas là événement fortuit. Au Xe congrès du PCF tenu en juin 1945, Georges Cogniot et Roger Garaudy, membres l'un et l'autre du comité central, avaient plaidé pour la renaissance de la culture nationale et dénoncé des formes culturelles jugées antinationales et décadentes. L'existentialisme et l'art abstrait, notamment, étaient ainsi visés [31]. Dans l'article des *Lettres françaises* déjà cité, Henri

---

29. Roger Garaudy, « Sur une philosophie réactionnaire. Un faux prophète : J.-P. Sartre », *Les Lettres françaises*, 28 décembre 1945, p. 2.

30. « À propos de l'existentialisme : mise au point », *Action*, n° 17, 29 décembre 1944.

31. Cf. Marc Lazar, « Le Parti communiste français et la culture », *Les Cahiers de l'animation*, 1986, n°s 57-58, pp. 57 sqq.

Lefebvre est, du reste, tout à fait explicite : « Cette tendance me semble révélatrice de quelque chose de morbide, et me paraît témoigner d'un phénomène de pourriture qui est tout à fait dans la ligne de décomposition de la culture bourgeoise. » Quant à l'article de Roger Garaudy du 28 décembre 1945, il barre la moitié de la première page – ou plus précisément trois colonnes sur sept. L'auteur attaque Sartre, « intellectuel somnambule » réveillé par la guerre, aussi bien que l'existentialisme, qui, sacrilège, « ne complète pas le marxisme, [mais] le contredit ». Du coup, tout dialogue est impossible car « cette pensée, coupée du réel, n'a aucune prise sur la classe ouvrière, aujourd'hui gardienne de la règle d'or de la philosophie : la pensée naît de l'action, est une action, sert l'action ». Mais, on l'a vu, le danger n'apparaît pas trop grave puisqu'il ne s'agit que d'une « fiévrette ».

La fièvre, probablement, sembla trop s'étendre puisque l'offensive non seulement se poursuit, mais s'amplifie, dénonçant la « démagogie philosophique » qui a pour « fonction sociale de semer dans les rangs [des jeunes gens] le découragement et l'esprit de capitulation devant les problèmes *concrets* de l'homme [32] ». Et quand Sartre publie en 1948 le premier volume de *Situations* chez Gallimard, c'est son ancien élève Jean Kanapa qui est chargé de l'exécution. Ouvrage « mortellement ennuyeux », « d'un bout à l'autre faux », d'un auteur qui « juge toujours à côté » et pratique le « truquage philosophicailleur de la critique » et se révèle « piètre artiste » et « piètre critique ». Conclusion : « En 300 pages, M. Sartre ne dit rien. Ou dit des bêtises », tandis que, « en 90 pages, Roger Garaudy nous apporte quatre études critiques de la plus grande valeur parce qu'elles vont, elles, à l'essentiel, sur Mauriac, Malraux, Koestler et... Sartre justement [33] ».

---

32. Guy Leclerc, « L'existentialisme : une mystification », *Les Lettres françaises*, 17 janvier 1947, p. 4.

33. Jean Kanapa, « Critique de la critique », *Les Lettres françaises*, 11 mars 1948, p. 5. Le dernier numéro (n° 27) des *Temps modernes* est traité d'« ignoble » dans cet article.

Entre-temps, il est vrai, le PCF avait durci sa position en matière culturelle. Si le Xe congrès de 1945 avait marqué l'hostilité de Roger Garaudy et de Pierre Hervé à toute esthétique spécifiquement communiste, Aragon dès l'année suivante avait réussi à imposer une conception artistique fondée sur le réalisme[34], et en juin 1947 le XIe congrès avait imposé une discipline beaucoup plus dure aux intellectuels et à la presse dans la mouvance du PCF[35]. Bien plus, dans le rapport prononcé lors de ce congrès, Maurice Thorez attaqua la littérature qualifiée de « pourrie », celle, entre autres, de Koestler, Miller et Sartre. Cette littérature exprimait « la décomposition idéologique de la bourgeoisie[36] ».

Avant même la fondation du RDR, donc, Sartre était nommément attaqué par les communistes. On peut suivre la progression de cette hostilité à travers les comptes rendus que donne la presse communiste de ses pièces. Quand sont montés, en novembre 1946, au théâtre Antoine *Morts sans sépulture*[37], Jean Avran écrit dans *Ce soir* du 14 novembre : « Drame presque totalement manqué, Alain Cuny, François Vibert et Marie Olivier sont tous des existentialistes plus ou moins apparentés. » Certes, *La Putain respectueuse,* présentée en deuxième partie du même spectacle, reçoit un accueil plutôt favorable dans le même compte rendu. Mais c'est en raison des attaques contre les États-Unis : « Satire violente, pleine et sans outrance du racisme aux États-Unis et du

---

34. « Le parti communiste a une esthétique : le réalisme », *Les Lettres françaises,* 22 novembre 1946. Il faudrait aussi pouvoir mesurer la part du contentieux proprement idéologique, à cette date, entre le PCF et Jean-Paul Sartre. En cette même année 1946, par exemple, ce dernier publie dans *Les Temps modernes* « Matérialisme et révolution » (repris dans *Situations* III, Gallimard, 1949, pp. 135-225). L'article est, à coup sûr, un jalon important de la réflexion politique sartrienne. Il nous confirme aussi, si besoin était, que dès cette année 1946 Sartre et Aron ne gravitent plus dans le même univers idéologique.

35. Cf. Marc Lazar, *Maisons rouges. Les Partis communistes français et italien de la Libération à nos jours,* Aubier, 1992, pp. 60-61.

36. Maurice Thorez, *Au service du peuple de France, rapport au XIe congrès du PCF (25-28 juin 1947),* PCF, p. 42, cité par Marc Lazar, *ibid.*

37. Tandis qu'en septembre 1946 *Huis clos* est repris au théâtre de la Potinière, signe de la notoriété croissante de Jean-Paul Sartre.

tartufisme social en général. » En fait, en cet automne de 1947, les attaques redoublent contre Sartre, pris à partie par les organes intellectuels du PCF. Pour *La Pensée* de novembre-décembre 1947, sous la plume de Pol Gaillard, il est « fossoyeur et laquais ». Et *Les Lettres françaises* du 8 avril 1948 décrètent : « C'est Sartre qui a les mains sales. » Allusion à la nouvelle pièce de Sartre montée au même moment et dont l'écho est fort et immédiat.

Sartre, il est vrai, a adhéré entre-temps au RDR. Nombre de journalistes font, du reste, explicitement le rapprochement entre l'engagement public et l'œuvre du dramaturge. *L'Aurore*, par exemple, dans un article intitulé « Du Vel' d'Hiv au théâtre Antoine », interroge Sartre sur le lien entre les deux registres. Réponse de l'intéressé : « Je ne suis pas un écrivain soviétique présentant une œuvre de propagande [38]. » Le Parti communiste ne s'y est pas trompé, qui mène campagne contre la pièce. D'une part, de jeunes militants sont chargés de perturber les représentations [39]. D'autre part, la presse communiste et sympathisante monte au créneau. Dans *Action* d'avril 1948, Marguerite Duras évoque le public « bourgeois » de Jean-Paul Sartre et note que ce dernier « fait à merveille pour [y] satisfaire un appétit de voyeur ». *Les Lettres françaises*, sous la plume de Pol Gaillard, rendent un verdict sans appel : « C'est du très mauvais *Samedi-Soir.* » Le crime de lèse-majesté, en effet, est grave, puisque les communistes sont représentés comme « une bande de tueurs de Chicago ». Mais, au bout du compte, Sartre, « si sa pièce réussit, aura seulement prouvé que les anticommunistes sont de fieffés imbéciles [40] ». Et *Action* revient à la charge cinq mois plus tard, dénonçant cette « monstrueuse assimilation qui "amalgame" et condamne sous le même grief les voies et les moyens de l'hitlérisme avec les mesures terribles que nécessite le salut terrestre d'une cité révolutionnaire

---

38. *L'Aurore*, 30 mars 1948.

39. Cf. les témoignages de militants communistes recueillis par Patricia Devaux, dans sa thèse, *Le Théâtre de la guerre froide en France. 1946-1956*, 2 tomes, 1993, Institut d'études politiques de Paris, sous la direction de Pierre Milza.

40. *Les Lettres françaises*, 8 avril 1948.

humaniste [41] ». Jean Costa place explicitement son attaque sur un registre politique : « Cette pièce plaide contre une doctrine, contre une action politique, et cela avec des moyens encore plus gros que ceux du trop fameux *Zéro et l'Infini*. »

La presse de droite est, elle, souvent favorable à la pièce. Thierry Maulnier publie deux articles sur elle [42] et pronostique : « On sait depuis longtemps que qui n'est pas avec le parti est contre lui, et que ce qui est contre lui s'expose à le payer assez cher. » D'où un débat non seulement sur la pièce mais à propos des réactions qu'elle suscite. Georges Altman, dans *Franc-Tireur* du 5 mai 1948, pose le problème en termes offensés et offensifs : « Nous n'hésitons pas à dire que, consciemment ou non, les critiques réactionnaires qui tentent d'attirer à eux *Les Mains sales* se trompent aussi lourdement que certains critiques communistes quand ils veulent faire de ce drame "une pièce de droite". Nous dénions catégoriquement au monde des riches, des repus et de la contre-révolution toute compétence et toute intelligence pour discerner de quoi il s'agit dans *Les Mains sales*. » Pièce, au demeurant, réussie : « Pour nous qui ne séparons jamais la liberté de la révolution, c'est faire acte révolutionnaire que de parler comme a fait Sartre dans *Les Mains sales*. » Quitus également donné par Jacques Lemarchand dans *Combat* du 6 avril 1948 : « Dès lors que l'intelligence et l'art et le métier s'en mêlent, notre temps disgracié passe la rampe et les flèches nous atteignent [43]. »

La tension va encore monter d'un cran durant l'été 1948, à l'occasion du congrès qui se tient en Pologne, à Wroclaw, du 25 au 28 août. Ce congrès est historiquement important puisqu'il a donné naissance au Mouvement de la Paix. Il s'ouvre par un discours très violent prononcé par Aleksander Fadeïev, secrétaire général de l'Union des écrivains de l'Union soviétique, qui attaque le « camp réactionnaire » et les « imitateurs de

---

41. Jean Costa, *Action*, 31 septembre 1948.
42. *Spectateur*, 6 avril 1948 ; *Le Figaro littéraire*, 10 avril 1948.
43. J'ai emprunté une partie des citations qui précèdent à la thèse de Patricia Devaux, réf. cit.

la politique hitlérienne » puis s'en prend aux « agents littéraires de la réaction impérialiste » – Henry Miller, le « renégat » Dos Passos et T.S. Eliot – et aux « avortons qui enlèvent aux hommes la faculté de raisonner ». Et cette attaque devenue célèbre : « Si les chacals pouvaient apprendre à taper à la machine et les hyènes savaient manier le stylo, ce qu'ils "composeraient" ressemblerait sans doute aux livres des Miller, des Eliot, des Malraux et autres Sartre [44]. » Certes, l'accueil réservé à ce discours fut houleux mais, au terme du congrès, sur les 357 délégué présents, 337 votèrent la résolution finale dénonçant les « fauteurs de guerre » et posant le principe de la création d'un comité de liaison des intellectuels pour la paix. La délégation française comprenait notamment Frédéric et Irène Joliot-Curie, Picasso, Éluard, Yves Farge, Julien Benda, Marcel Prenant, Roger Vailland, Fernand Léger et Laurent Casanova.

Du neutralisme au compagnonnage de route

Malgré les attaques du PCF, Sartre, en ces dernières années de la décennie, est dans les mêmes dispositions d'esprit que nombre d'intellectuels de la gauche non communiste : l'anticommunisme est au moins une faute, peut-être un péché. On a vu plus haut le raisonnement qui conduisait à de telles conclusions. Celles-ci, dans l'appréciation des relations internationales, le conduisent au neutralisme, avec lequel, précisément, Raymond Aron rompt des lances, puisque, il l'a écrit dans *Le Grand Schisme*, « la seule attitude honorable est l'assentiment total ou le refus absolu ». Dénonçant, on l'a vu, les

---

44. *Congrès mondial des intellectuels pour la défense de la paix, Wroclaw 25-28 août 1948, compte rendu,* Varsovie, 1948, p. 4, cité par Jozef Laptos, « Le pacifisme apprivoisé : le congrès des intellectuels pour la défense de la paix en 1948 », *in* Maurice Vaïsse, *Le Pacifisme en Europe des années 1920 aux années 1950,* Bruxelles, Bruylant, 1993, pp. 325 sqq.

« demi-mesures », la condamnation du neutralisme par Aron
culminera avec la polémique, devenue célèbre, qui l'oppose à
Étienne Gilson [45]. Pour autant, l'année précédente, avant sa rupture définitive de l'automne 1948 avec Sartre, Raymond Aron
s'était montré modéré dans ses attaques contre le RDR, dont le
projet se situait pourtant à la croisée de l'aspiration socialiste et
de la sensibilité neutraliste [46]. Dans *Le Figaro* du 20 février 1948,
il avait rendu compte de la naissance en cours de ce parti sans
hostilité ouvertement affichée : « Entre le despotisme bureau-
cratique et le capitalisme », les fondateurs du RDR « tentent de
frayer la voie du romantisme révolutionnaire ». Ce n'est pas
de son camp que viennent alors les coups les plus rudes, mais du
PCF, qui attaque immédiatement cette « queue de la SFIO [47] ».

En fait, les fortes positions qu'occupa un moment le neutralisme au sein du milieu intellectuel français n'ont jamais réellement érodé la position dominante du PCF. Le constat n'est
qu'en partie paradoxal : l'un des soucis des neutralistes, formulé
explicitement, était de faire en sorte que le Parti communiste ne
se retrouve pas isolé. Cette sorte de fièvre obsidionale à l'envers
ne pouvait que servir, en termes de rapports de force, le PCF.
De toute façon, ce neutralisme allait se trouver amoindri par le
durcissement de la situation internationale à partir de 1949.

Si 1947 avait frappé les trois coups de la guerre froide, cette
date de 1949 est elle aussi décisive, dans la mesure où la naissance de l'Alliance atlantique va modifier la mise. Certes, la
détérioration des rapports Est-Ouest que cette naissance tout à
la fois reflète et amplifie peut sembler justifier et donc renforcer
la voie neutraliste. Mais elle l'affaiblit en même temps, puisque
désormais il faut choisir son camp. Le RDR neutraliste, par

---

45. Cf. notamment son article dans *Liberté de l'esprit* d'avril 1949.
46. On ne fera pas ici, bien sûr, l'historique du RDR. Pour une première
approche, et en attendant la publication de travaux en cours, on se reportera
au chapitre IV de l'ouvrage de Michel-Antoine Burnier, *Les Existentialistes et la
politique*, Gallimard, 1966.
47. Pierre Hervé, dans *L'Humanité* du 2 mars 1948.

exemple, en ressent immédiatement les contrecoups. En avril 1949, des différences d'appréciations sur l'attitude à tenir face au communisme apparaissent. David Rousset ayant organisé le 30 avril une journée internationale de résistance à la dicature et à la guerre au «Vel' d'Hiv», Camus, Aldous Huxley, Ignazo Silone s'y rendent, mais ni Merleau-Ponty ni Sartre ne se déplacent. Certes, tous les noms qui précèdent n'étaient pas membres du RDR, mais la divergence d'appréciation entre Sartre et Rousset, qui sont des figures de premier plan du Rassemblement, est révélatrice de l'effet de souffle. Dès l'été, l'échec du RDR est patent, et Jean-Paul Sartre s'en retire officiellement en octobre 1949.

De son côté, Aron, avait dès le début choisi son camp. Dans un article du *Figaro* du 21 décembre 1948, par exemple, intitulé «Le pacte de l'Atlantique», il prend position en faveur de «la grande alliance qui se prépare», d'autant qu'«à l'heure actuelle, l'Europe occidentale est, pour ainsi dire, sans défense». Situation dangereuse, en cette époque de «paix incertaine». Et de formuler ce pronostic : «Le vieux continent doit se mettre en état de vivre une génération dans un monde divisé.» Dès cette époque aussi, Raymond Aron dénonce sans ambiguïté les «camps de travail forcé» en Union soviétique [48]. Il choisit donc, quelques mois plus tard, de se ranger parmi les partisans de Kravchenko, lors de l'affaire du même nom.

L'affaire Kravchenko? On appelle ainsi le procès qui se tint durant vingt-six audiences, du 24 janvier au 4 avril 1949, devant la 17e chambre correctionnelle de la Seine entre Victor Andreïevitch Kravchenko, partie civile, et *Les Lettres françaises*. Le procès découlait de l'assignation en janvier 1948, par Kravchenko, des *Lettres françaises* pour diffamation. Assignation qui prenait sa source dans un article des *Lettres françaises* du 13 novembre 1947 intitulé «Comment fut fabriqué Kravchenko» : l'auteur de l'article – qui se dissimulait sous le pseudonyme de Sim Thomas – accusait Kravchenko de n'être qu'un faussaire. En fait, dès la

---

48. «Le grand dessein de Staline», *Le Figaro*, 15 septembre 1948.

sortie de *J'ai choisi la liberté,* la force de frappe du parti s'était tout entière déployée : il s'agissait de discréditer le témoignage en déconsidérant l'auteur. Avant même Sim Thomas, Roger Vailland avait qualifié Kravchenko d'« homme déloyal » et de « traître ».

Si Kravchenko gagna son procès – *Les Lettres françaises* furent condamnées à des dommages et intérêts –, il perdit sur l'essentiel. L'analyse de la teneur des audiences et l'examen des listes des témoins cités montrent bien qu'à la récusation pure et simple mise en œuvre par le PCF s'est ajoutée, sur ses flancs et ne provenant pas seulement des compagnons de route, la réfutation des témoignages de Kravchenko et de ceux qui tentèrent de renforcer et d'étayer les écrits et les propos de l'auteur de *J'ai choisi la liberté*[49]. À cette date, le rapport de forces en milieu intellectuel était nettement en faveur des adversaires de Kravchenko. Récusation et réfutation purent, de ce fait, s'exercer à pleine puissance. D'où cette situation paradoxale : *J'ai choisi la liberté* rencontra un énorme succès de librairie en France et dépassa les 500 000 exemplaires vendus, soit presque autant que, près de trente ans plus tard, *L'Archipel du goulag* dans sa première année d'exploitation ; mais le livre, en n'obtenant pas le blancseing du milieu intellectuel, qui seul aurait pu conférer au témoignage son rôle de bélier idéologique, n'entraîna, sur le moment, aucun ébranlement en profondeur.

Cette affaire Kravchenko est également précieuse, plus directement, pour notre propos. En cet hiver 1949, à peine quelques semaines après qu'a été rendue publique la brouille entre eux, Sartre et Aron sont indéniablement dans deux camps devenus antagonistes. *Les Temps modernes,* en effet, se dérobent[50]. Sur les

---

49. Guillaume Malaurie, *L'Affaire Kravchenko,* Robert Laffont, 1982.

50. La revue consacre au procès un bref article de trois pages, dans sa rubrique « Le cours des choses » du numéro de mai 1949 (« Le procès Kravchenko », pp. 954-956). Jean Pouillon y écrit notamment que « le tort » de Kravchenko « est d'avoir présenté son expérience sous l'éclairage habituel de l'anticommunisme, ce qui d'ailleurs se comprend, mais ne nous apprend rien ». L'année précédente, *Les Temps modernes* avaient publié un article de

atteintes aux libertés en Union soviétique, qui avaient été au cœur des débats de l'affaire Kravchenko, Jean-Paul Sartre pouvait écrire dans *Les Temps modernes,* peu de temps après après le verdict rendu par la 17ᵉ chambre correctionnelle de la Seine : « Quelle que soit la nature de la présente société soviétique, l'URSS se trouve *grosso modo* située, dans l'équilibre des forces, du côté de celles qui luttent contre les formes d'exploitation de nous connues. » On pourrait épiloguer sur le *grosso modo* : au seuil d'une guerre froide appelée à s'aggraver dès l'année suivante avec la guerre de Corée, et au moment même où la nature de l'Union soviétique s'installe au cœur du débat des intellectuels, Jean-Paul Sartre place ses analyses politiques sous le signe de l'approximation. Un tel penchant tendra rapidement, on le verra, à devenir récurrent. Mais la phrase est également intéressante à un autre égard : la « lutte » contre « les formes d'exploitation » deviendra elle aussi récurrente et trace comme un fil rouge dans l'engagement politique de Jean-Paul Sartre.

À l'automne de 1949 commence l'affaire Rousset, dans laquelle Sartre s'impliquera encore plus directement. Et, là encore, force est de constater que son intervention condamne les attaques contre l'Union soviétique plus qu'elle ne les approuve. L'affaire avait commencé avec l'article de David Rousset dans *Le Figaro littéraire* du samedi 12 novembre 1949. Le titre de cet article était explicite : « Au secours des déportés dans les camps soviétique, un appel de David Rousset aux anciens déportés des camps nazis ». David Rousset proposait la constitution d'une commission d'enquête indépendante, composée d'anciens déportés et chargée d'aller enquêter en Union soviétique. L'auteur, dans la péroraison de son appel, frappait fort et sa dénonciation était explicite : « Imaginez que nous sommes, de nouveau, réunis sur la grande

---

Claude Lefort, balancé et somme toute attentif (« Kravchenko et le problème de l'URSS », février 1948, pp. 1490-1515). Mais la rédaction avait ajouté une note précisant que l'article était volontairement placé en rubrique « Opinions », signifiant par là qu'il n'engageait que son auteur.

place de Buchenwald. Comment jugerions-nous d'autres déportés qui, au retour à la liberté, ne sauraient que dire leur souffrance
et n'auraient jamais une parole pour proclamer que nous, nous
vivons toujours dans la mort ? [...] Les autres, ceux qui ne furent
jamais concentrationnaires, peuvent plaider la pauvreté de l'imagination, l'incompétence. Nous sommes, nous, des profession-
nels, des spécialistes. C'est le prix que nous devons payer le
surplus de vie qui nous a été accordé. Nous ne pouvons ni bou-
cher les oreilles ni fermer les yeux. Il n'y a pas pour nous de
détours possibles, de faux-fuyant. [...] Le silence même nous est
interdit. »

Cinq jours plus tard, *Les Lettres françaises* du 17 novembre
publiaient un article intitulé : « Pierre Daix, matricule 59807 à
Mauthausen, répond à David Rousset. » Pierre Daix y accusait
Rousset de falsification à partir de « vulgaires transpositions de
ce qui s'est passé dans les camps nazis ». À nouveau, comme
pour Kravchenko, la querelle allait avoir un versant judiciaire,
Rousset assignant en justice Daix et Claude Morgan, directeur
des *Lettres françaises,* pour diffamation. L'assignation, lancée le
11 février 1950, déboucha sur un procès devant la 7e chambre
correctionnelle du tribunal de la Seine à partir du 25 novembre
suivant. Certes, comme Kravchenko avant lui, Rousset gagna son
procès le 12 janvier 1951. Mais, « même si le Parti communiste
perd au tribunal, l'isolement de Rousset représente une victoire
symbolique considérable pour lui car il coupe les ailes à une critique de gauche de l'URSS dans les milieux intellectuels français ». Or « ce sont *Les Temps modernes* plus qu'*Esprit* qui ont joué
le rôle déterminant pour neutraliser l'offensive de Rousset et
bloquer le passage politique de la dénonciation du système
concentrationnaire au système totalitaire soviétique [51] ».

_____

51. Pierre Grémion, *op. cit.,* pp. 296 et 300. La condamnation de l'initiative
de David Rousset était contenue dans le célèbre article intitulé « Les jours de
notre vie » et signé Maurice Merleau-Ponty et Jean-Paul Sartre – et dû en fait
au premier ; cf. *Signes,* Gallimard, 1960, pp. 330 sqq. – qui, certes, confirmait
l'existence d'une déportation de citoyens soviétiques et avançait le chiffre de
dix à quinze millions de détenus dans les camps (*Les Temps modernes,* n° 51,

Désormais, tout, ou presque, opposera Sartre et Aron. La vision qu'ils ont des États-Unis est, à cet égard, éclairante. À partir de 1947, ceux-ci vont représenter pour Sartre le « mal absolu » et pour Aron le « bien relatif[52] ». Là encore, il faut observer une sorte de chassé-croisé par rapport à l'avant-guerre, époque à laquelle, comme l'a raconté Simone de Beauvoir dans *La Force de l'âge*, elle-même et Sartre étaient « attirés par l'Amérique[53] », dont ils prisaient la musique, le cinéma et la littérature. Et cette sympathie active a perduré dans l'immédiat après-guerre. Quand Sartre se rend en janvier 1945 aux États-Unis pour un séjour de plusieurs mois, il donne trente-deux articles à *Combat* et au *Figaro*. Analysant ces articles, Marie-Christine Granjon a bien montré « leur absence de manichéisme » et la réflexion sous-jacente que Sartre y mène sur conformisme et individualisme. Mais, deux ans plus tard, Simone de Beauvoir, en tournée de conférences, ramène déjà de son séjour de quatre mois (21 janvier-20 mai 1947) des impressions beaucoup plus réticentes. *L'Amérique au jour le jour,* où elle livre son sentiment, est publiée, il est vrai, en 1948. Entre-temps, la guerre froide a éclaté.

En 1946, Thierry Maulnier a taxé Sartre d'antiaméricanisme après la présentation de *La Putain respectueuse*. L'accusé s'en défendra dans le *New York Herald Tribune* du 20 novembre 1946 – « Je ne suis pas du tout antiaméricain et je ne comprends pas ce qu'antiaméricain veut dire » – et confirmera en appel deux ans plus tard, dans la préface à l'édition américaine de la même pièce : « Je ne sais même pas ce que ce mot signifie[54]. » Cela

---

janvier 1950, pp. 1153-1168, indication p. 1155), mais rompait sans appel avec Rousset accusé de « concentrer ses coups » sur l'Union soviétique et de mener une campagne de propagande (pp. 1168 et 1165).

52. Marie-Christine Granjon, « Sartre, Beauvoir, Aron : les passions ambiguës », dans *L'Amérique dans les têtes. Un siècle de fascinations et d'aversions*, sous la dir. de Denis Lacorne, Jacques Rupnik, Marie-France Toinet, Hachette, 1984, pp. 144-163.

53. *Op. cit.*, I, p. 160.

54. Michel Contat et Michel Rybalka, *Les Écrits de Sartre*, réf. cit., pp. 137 et 189.

étant, la guerre froide aidant, Jean-Paul Sartre en vient à
d'autres sentiments. Déjà, avant son compagnonnage avec le
Parti communiste, l'évolution en ce sens semble plus qu'amorcée. La guerre de Corée, en effet, cristallise les positions.
Simone de Beauvoir décrit les GI en ces termes : « Nous les
avions aimés, sept ans plus tôt, ces grands soldats kaki qui
avaient l'air si pacifiques : ils étaient notre liberté. Maintenant,
ils défendaient un pays qui d'un bout à l'autre de la terre soutenait la dictature et la corruption : Syngman Rhee, Tchang Kaï-
Chek, Franco, Salazar, Batista... Ce que signifiaient leurs
uniformes, c'était notre dépendance et une menace mortelle [55]. » Un simple calcul – la Libération plus sept ans – permet
de dater cette évocation : 1951. Le texte étant rédigé plusieurs
années plus tard, il convient de se demander si cette vision de
soldats américains et les sentiments qu'elle suscite ne sont pas
relatés à travers le prisme déformant des engagements ultérieurs, en d'autres termes le compagnonnage de route à partir
de 1952. Mais les indices sont, sur ce plan, convergents : l'hostilité montrée à l'encontre des États-Unis dès le début de la guerre
de Corée en 1950 et la responsabilité conférée à ce pays dans le
déclenchement du conflit conduisent à penser que l'évolution
était déjà amorcée dès cette date et que, précisément, le débat au
sein de l'équipe des *Temps modernes* en 1946 sur le thème : « Si une
guerre éclatait... » » – qui, quoique théorique à l'époque, avait
entraîné, on l'a vu, une scission entre Sartre et Aron – trouve à
l'occasion de la Corée un premier cas de figure concret.

Dès lors, on le verra, la thèse d'un Sartre « submergé par la
colère [56] » au moment de l'arrestation de Jacques Duclos lors des
manifestations contre le général Ridgway de mai 1952 et enta-
mant, de ce fait, sa phase de compagnonnage de route ne résiste
pas à l'examen. À partir du début de la guerre de Corée, les
prises de position de Jean-Paul Sartre ne sont déjà plus dans le
droit fil du neutralisme. Il faudrait, de ce fait, pouvoir établir si

---

55. *La Force des choses*, réf. cit., I, p. 348.
56. *La Force des choses*, réf. cit., I, p. 281.

ce n'est pas plutôt le PCF qui, en 1952, tend la main à un Sartre qui était demandeur depuis quelque temps. En tout état de cause, et en l'absence de documents précis permettant d'étayer ou d'infirmer une telle hypothèse, une chose est certaine : en ce début de décennie, le neutralisme n'est plus de saison et Sartre est sur une ligne antiaméricaine dure.

Raymond Aron, pour sa part, ne se rend pour la première fois aux États-Unis que bien après Jean-Paul Sartre, à l'automne de 1950. Mais, dès lors, les rapports se feront rapidement très denses avec ce pays. De son premier voyage, il livrera les impressions et les analyses dans une série d'articles publiée dans *Le Figaro* en décembre 1950 et intitulée « La grande épreuve des États-Unis ». Mais déjà, avant même ce voyage outre-Atlantique, Raymond Aron avait publié dans *Liberté de l'esprit* de septembre 1950 un article intitulé « Neutralité ou engagement », où il précisait : « Quand, intellectuel français, je me déclare solidaire de la lutte des États-Unis contre l'entreprise stalinienne, je n'entends pas approuver du même coup tous les traits de la civilisation américaine. Je conserve le droit de dénoncer celles des institutions ou des mœurs, la publicité ou les rapports de race, qui me déplaisent ou que je condamne. De l'autre côté, on déifie Staline. Grâce à Dieu, chacun de nous garde le droit d'exprimer son opinion sur le génie de Monsieur Truman. »

De fait, dès sa série d'articles de décembre 1950, Raymond Aron met en pratique ce principe d'indépendance de jugement. Dans le quatrième article de la série, daté du 14 décembre 1950 et intitulé « L'unité de la nation », il évoque une « frénésie anticommuniste » et une « chasse aux hérétiques ». Sur les « excès de McCarthy », la dénonciation est donc indéniable : « soupçons incessants », « accusations vagues et mal fondées » qui de surcroît font « finalement le jeu de l'ennemi ». Raymond Aron rappelle la condamnation d'Alger Hiss, membre du State Department, secrétaire général de la délégation américaine à Yalta, et accusé d'avoir livré des « papiers secrets » à un réseau d'espionnage soviétique. Et de poser le problème de fond : certes, les campagnes de McCarthy sont à dénoncer, « encore faut-il reconnaître honnêtement que personne n'a encore trouvé le moyen de combattre l'infiltration totalitaire par des procédés libéraux ». Dès lors, il est aisé pour les communistes de contraindre sciemment « les défendeurs des sociétés libérales à recourir à des moyens contraires à leurs principes ».

C'est quelques mois plus tôt, le 9 février 1950, que Joseph McCarthy, sénateur républicain du Wisconsin, avait prononcé à Wheeling un discours où il dénonçait l'activité et l'influence de communistes au département d'État. L'expression « maccarthysme » est utilisée pour la première fois le mois suivant par un caricaturiste du *Washington Post*. À l'automne de la même année, au moment de la campagne électorale pour la désignation des membres de la Chambre des représentants et du tiers du Sénat, plusieurs journaux français, et notamment *Le Monde*, avaient évoqué l'atmosphère découlant des surenchères maccarthystes. Ainsi Maurice Ferro, dans *Le Monde* du 7 novembre 1950, écrivait-il : « La bataille a été rude. Jamais les candidats ne s'étaient livrés à des attaques personnelles aussi violentes, aussi injurieuses même. […] C'est à McCarthy que pour la plus grande partie incombe la responsabilité du tour violent pris par la campagne. » Cela dit, en France, plus d'un an et demi s'écoulera avant que *Le Monde*[57] ne consacre, dans son numéro du 21 décembre 1951, sous la plume d'Henri Pierre, une analyse de fond à « l'anticommunisme démagogique du sénateur McCarthy ».

Raymond Aron n'a donc pas attendu que le débat sur le maccarthysme cristallise en France pour s'alarmer et dénoncer. En même temps, on l'a vu, il élargira dès le début l'analyse en pointant la situation contradictoire de la démocratie libérale, menacée de bafouer ses propres principes au nom même de leur défense. De surcroît, il dénoncera ce qu'il considère comme l'instrumentalisation de l'hostilité au maccarthysme. Il condamne, par exemple, à nouveau le maccarthysme dans *Le Figaro* du 13 mars 1953, où il déplore ces « excès inutiles » et

---

57. Cf. Sabine Roelandt, *Le Maccarthysme au miroir de la presse régionale et d'un quotidien national, « Le Monde » (1950-1954)*, dact., maîtrise, Lille-III, 1994.

souhaite que le président américain puisse «ramener les enragés à la raison». Mais, en même temps, il dénoncera en 1955
dans *L'Opium des intellectuels* un conformisme anti-McCarthy[58].
Idée qu'il avait déjà eu l'occasion de développer l'année précédente dans un article de la *Nouvelle revue française*[59] : «Le maccarthysme met en cause les libertés civiles, les mesures qu'une
société libre a le droit de prendre contre la conspiration et
l'infiltration[60]», mais Aron déplore que «le débat demeure
confus» et que le maccarthysme soit «transfiguré», par amalgame de ses adversaires, en un «magma énorme, sans limites
précises», l'autre camp pratiquant, du reste, le même amalgame
réducteur à propos du communisme.

UN ÉTÉ 52

À coup sûr, Jean-Paul Sartre était alors compté par Aron parmi
les responsables du «magma» par lui dénoncé. Au demeurant,
on l'a dit, Sartre en est venu progressivement à un incontestable
antiaméricanisme, encore avivé par son passage au compagnonnage de route à partir de 1952. Quelles furent les causes d'un tel
passage? Sartre lui-même a évoqué à ce propos le rôle de catalyseur joué par l'arrestation de Jacques Duclos. Celle-ci avait eu
lieu le 28 mai 1952, lors de la manifestation communiste – interdite – contre l'arrivée en France du général Ridgway, venu

---

58. *Op. cit.*, p. 316.
59. Repris dans *Polémiques*, Gallimard, 1955, pp. 235-236 (cité par Arnaud
Lafitte, *Raymond Aron, une vision des États-Unis*, maîtrise, Lille-III, 1988,
p. 111).
60. Du reste, l'équipe de *Preuves*, à laquelle appartint Raymond Aron
(cf. *infra*), n'exprima jamais de sympathie pour l'activisme de Joseph
McCarthy. François Bondy, par exemple, dénoncera en 1954 «un contrôle
public de la pensée, frappant ainsi de suspicion tous les ferments de non-
conformisme et d'esprit critique sans lesquels une société libre ne pouvait
vivre» (François Bondy, «McCarthy et la croisade rentrée», *Preuves*, n° 38,
avril 1954).

prendre le commandement du SHAPE et qui avait commandé auparavant en Corée, où la propagande communiste l'accusait d'avoir utilisé l'arme bactériologique. Lors de cette journée de lutte contre «Ridgway la peste», Jacques Duclos fut arrêté à un barrage. Certes, la direction du PCF, avertie que des arrestations de dirigeants étaient à craindre, avait pris des précautions, comme l'a raconté Auguste Lecœur quelques années plus tard : «Duclos et Lecœur quitteraient le siège du parti dès le début de l'après-midi et se rendraient dans un domicile autre que le leur pour y passer la nuit. Malgré dix interventions du responsable de la sécurité, Jacques Duclos n'appliqua pas les décisions prises. Très tard, il quitta le siège du parti déjà surveillé par la police. De là, au lieu de se rendre à l'endroit convenu, il se rendit au siège de *L'Humanité* et se fit arrêter comme un gros benêt dans les conditions que l'on sait[61].» Jacques Duclos fut conduit au commissariat de police et l'on trouva dans sa serviette un cahier d'écolier sur lequel il avait pris des notes durant les réunions du secrétariat et du bureau politique[62]. Deux heures plus tard, le ministre de l'Intérieur Charles Brune, pour justifier cette arrestation qui touchait un parlementaire et donc ne pouvait relever que d'un flagrant délit, fit une déclaration où il précisait que Jacques Duclos circulait dans une voiture armée – le garde du corps du numéro deux du PCF portait, de fait, un revolver –, et où se trouvaient, de surcroît, un poste émetteur et «deux pigeons voyageurs soigneusement dissimulés sous une couverture».

Le Parti communiste exploita immédiatement le côté incongru d'une telle déclaration[63]. Jacques Duclos, dès le 30 mai,

---

61. Auguste Lecœur, *L'Autocritique attendue,* Saint-Cloud, éditions Gérault, 1955, p. 38. Sur la manifestation du 28 mai 1952, cf. Michel Pigenet, *Au cœur de l'activisme communiste des années de guerre froide : la manifestation Ridgway,* L'Harmattan, 1992, et Pierre Milza, «Ridgway la Peste», *in* Michel Winock (dir.), *Le Temps de la guerre froide,* réf. cit., pp. 143 sqq.

62. Un extrait a été publié récemment, présenté par Claude Harmel, dans *Les Cahiers d'histoire sociale* («Deux pigeons et un cahier», *op. cit.,* printemps 1994, pp. 143 sqq).

63. *Ibid.*

déposa une plainte en forfaiture, observant, dans une déclaration reprise dans *L'Humanité* du lendemain, que l'on avait « poussé la sottise jusqu'à évoquer de possibles liaisons par pigeons voyageurs, parce qu'il y avait dans la voiture deux pigeons destinés à la casserole qui m'avaient été offerts dans la journée ». Le ministre ayant ensuite exigé... l'autopsie des pigeons, le PCF joua habilement sur le ridicule de la situation et eut désormais les rieurs de son côté. *L'Humanité* du 4 juin pouvait ironiser : « Les pigeons à l'étouffée, drôle d'histoire de poulets. »

Le point qui précède devait être rappelé, car Jean-Paul Sartre a donné rétrospectivement une grande importance à cet épisode, que la presse appela bientôt le « complot des pigeons ». Dans le texte célèbre qu'il consacra dans *Les Temps modernes* d'octobre 1961 à Maurice Merleau-Ponty qui venait de mourir, il justifia le début de son compagnonnage de route avec le PCF dans les termes suivants : « Ces enfantillages sordides me soulevèrent le cœur. [...] Ma vision fut transformée. [...] Un anticommuniste est un chien, je ne sors pas de là, je n'en sortirai plus jamais. [...] Il fallait que j'écrive ou que j'étouffe. J'écrivis, le jour et la nuit, la première partie des "Communistes et la paix"[64]. »

Simone de Beauvoir, de son côté, se contenta de reprendre l'explication : Sartre, qui se trouvait alors en Italie, apprenant l'arrestation de Duclos, « fut submergé par la colère[65] ». Cette thèse de l'effet Duclos a parfois été reprise telle quelle par les biographes de Sartre[66]. Elle laisse, en fait, perplexe. Ainsi, ce n'aurait été que cela : une grosse « colère », qui aurait réchauffé les haines recuites du philosophe contre son milieu d'origine, la bourgeoisie[67] ! Explication un peu courte pour un événement

---

64. Repris dans *Situations* IV, Gallimard, 1964, pp. 189-287, citation p. 248.
65. Simone de Beauvoir, *La Force des choses*, réf. cit., p. 281.
66. Ainsi Annie Cohen-Solal, *Sartre*, réf. cit., pp. 428-430.
67. Dans la suite de son texte de 1961, Jean-Paul Sartre évoque, en effet, sa « haine » de la bourgeoisie (*op. cit.*, p. 249).

qui, on en conviendra, n'était pas mince : au cœur de la guerre
froide, l'intellectuel français le plus célèbre rejoignait le « camp
de la paix », avec armes – si l'on peut dire ! – et bagages, *Les
Temps modernes* en l'occurrence. Une telle décision est-elle
réductible à un simple mouvement d'humeur ? Ce serait faire de
Jean-Paul Sartre une sorte de Lacombe Lucien de la plume,
dont le destin bascule parce que Jacques Duclos a ce jour-là des
pigeons dans sa voiture.

Certes, il faut ici rappeler que, depuis que Maurice Thorez a
été frappé d'hémiplégie en octobre 1950, Jacques Duclos assure
en fait l'intérim de la direction du PCF. Bien plus, il ne sera
libéré que le 1ᵉʳ juillet 1954, plus d'un mois après son arrestation : c'est à cette date seulement que la chambre des mises
en accusation conclut à l'annulation de la procédure et à la
remise en liberté de l'intéressé. La « colère » de Sartre est donc
à replacer dans un tel contexte. Il n'empêche ! Le processus de
rapprochement, on l'a vu, s'était enclenché auparavant. Au
demeurant, dès les premiers mois de 1952, Jean-Paul Sartre
s'était associé de près à la campagne que menait le PCF en
faveur du quartier-maître Henri Martin, condamné à la prison
par le tribunal militaire de Brest pour avoir distribué, après son
retour d'Indochine, des tracts dénonçant la guerre qui s'y
livrait. Mais il est vrai qu'à partir de l'été 1952 Jean-Paul Sartre
s'aligne sur les positions de l'Union soviétique en matière
géopolitique. Sa série d'articles consacrée, en cet été 1952, aux
"Communistes et la paix" en est la manifestation explicite, et le
titre, dans le contexte de la guerre froide, est une caution publiquement apportée aux thèses que défend l'Union soviétique
depuis l'automne de 1947. Le neutralisme est alors loin et,
jusqu'en 1956, Sartre fera l'ascension des différents problèmes
par la face Est. Force est de constater que cet alignement intervient en pleine « seconde glaciation stalinienne » du PCF
– pour reprendre l'expression qu'utilisera Edgar Morin dans
Autocritique quelques années plus tard –, à un moment où s'opèrent des départs ou des exclusions d'intellectuels – Marguerite
Duras, Jean Duvignaud, Clara Malraux, Dyonis Mascolo, Edgar

Morin, entre autres[68] –, et avant que commencent à intervenir, au cours des années suivantes, des «rectifications[69]» dans les rapports entre le PCF et la culture.

Naturellement, l'antiaméricanisme de Sartre se trouvera encore renforcé par ce rapprochement vis-à-vis des communistes, comme le montreront la teneur mais surtout le ton de ses prises de position au moment de l'affaire Rosenberg. Julius Rosenberg a été arrêté le 17 juillet 1950, et son épouse Ethel le 11 août suivant. Leur procès a lieu à New York, devant un tribunal fédéral, du 6 mars au 5 avril 1951. Déclarés coupables d'espionnage par le jury le 29 mars, ils sont condamnés à la peine capitale le 5 avril. Ce n'est qu'un an et demi plus tard, en novembre 1952, que la défense des Rosenberg devient une cause internationale, probablement pour neutraliser d'éventuels procès pour antisémitisme faits aux pays de l'Est au moment de l'exécution de Rudolf Slansky en Tchécoslovaquie puis de l'affaire des «blouses blanches»[70]. Le Parti communiste français se retrouve en pointe dans cette mobilisation, *L'Humanité* parlant en novembre, à propos des Rosenberg, de «boucs émissaires» pour lesquels on prépare un «meurtre rituel». En janvier 1953, c'est au Vel' d'Hiv, avec la charge émotionnelle que conserve le lieu huit ans après la Libération, que se tient un meeting en faveur des Rosenberg. Et une brochure, avec pour titre *Une nouvelle "affaire Dreyfus", l'affaire Rosenberg* est tirée à 30 000 exemplaires[71].

Une partie de la presse française emboîte le pas, et notamment la presse progressiste. Après le rejet par le président Eisenhower de la demande de grâce le 11 février 1953, Claude Bourdet écrit dans *France Observateur* le 19 février 1953 que les Rosenberg «sont offerts par un peuple en holocauste au mythe

---

68. Marc Lazar, *Maisons rouges*, réf. cit., p. 70.
69. *Ibid.*, p. 72.
70. André Kaspi, «Les Rosenberg étaient-ils coupables?», *L'Histoire*, n° 181, octobre 1994, pp. 8 sqq.
71. *Ibid.*

de la haine, comme d'autres malheureux Juifs aussi ont été ou vont être sacrifiés au mythe identique et contraire en vigueur dans l'autre moitié du monde. Ici et là, l'antisémitisme n'est peut-être pas une raison, mais une circonstance, un accessoire du crime d'État : il est certain que si les victimes n'avaient pas été juives, elles s'en seraient mieux tirées. » Dans la presse de droite, mais aussi dans la presse socialiste, l'argumentaire développé est différent – le doute doit profiter aux inculpés –, et la discussion porte aussi sur la peine de mort. Et ce sur un registre plus politique, certains observant que l'on offre ainsi des martyrs au communisme.

Julius et Ethel Rosenberg sont exécutés le 19 juin 1953. À nouveau, la presse s'enflamme, mais toujours sur des registres différents. C'est dans ce contexte que Sartre publie, dans *Libération* du 22 juin 1953, un article souvent cité et commenté depuis. Pour son auteur, l'exécution des époux Rosenberg est « un lynchage légal qui couvre de sang tout un peuple », et le philosophe parle d'un « nouveau fascisme » dans une Amérique qui a « la rage ». De ce fait, il faut trancher « tous les liens qui nous rattachent à elle, sinon nous serons à notre tour mordus et enragés ». L'article est doublement intéressant pour notre propos. D'une part, il démontre l'ampleur de l'alignement de Jean-Paul Sartre sur le PCF à cette époque. Car si, à gauche, l'émotion est grande après l'exécution, il est plusieurs façons de l'exprimer. Dans *Le Monde* daté des 21-22 juin 1953, Hubert Beuve-Méry signe, sous la plume de « Sirius », un article ironiquement intitulé « Justice est faite… ». Si cet article condamne l'exécution des Rosenberg, sa tonalité est aux antipodes de celui de Sartre. Sirius concède, par exemple : « Il est vrai que d'autres meurtres encore plus horribles se commettent chaque jour dans le monde. Il est vrai qu'ailleurs on ne s'embarrasse pas de tant de formes ni de tant de délais pour sacrifier à l'État-Moloch les réprouvés et les suspects. » Et le grief de fond formulé par Sirius, c'est que la mort de « deux êtres qui, selon toute apparence, ne le méritaient pas » risque de bafouer les « valeurs essentielles qui, seules, peuvent être la justification de l'Occident », surtout à un moment où « un monde adverse cadenassé et comme lassé de sa propre tyrannie paraissait enclin à s'entrouvrir ».

Tout autre est la tonalité de la presse communiste. Dans le Nord, par exemple, *Liberté* proclame : « L'impérialisme yankee a tué les Rosenberg », et le journal y voit « la marque du fascisme » (21 juin). Il s'agit d'« aider au développement du règne de terreur profasciste du maccarthysme aux États-Unis, pour brutaliser la population et pour l'amener à accepter sans résistance une fascisation plus étendue des États-Unis » (24 juin). Non seulement, donc, il existe une quasi-similitude entre les propos de Sartre et ceux des communistes, mais, de surcroît, ces propos sont très éloignés de ceux venus d'une matrice « neutraliste ». D'autre part, il est frappant d'observer que l'alignement public de Sartre, à partir de 1952, s'opère certes au cœur de la guerre froide, mais se poursuit, en cette fin de printemps 1953, alors que la guerre de Corée prend fin et que la mort de Staline a légèrement fait baisser la tension Est-Ouest. La dernière remarque citée d'Hubert Beuve-Méry, si elle apparaît avec le recul frappée d'un trop grand optimisme, prend acte des frémissements en cours. Sartre, pour sa part, est moins alors un grand intellectuel autonome avant tout sensible aux oscillations des relations internationales qu'un auxiliaire d'une campagne communiste qui canalise l'émotion soulevée par l'exécution des Rosenberg.

Jusqu'à la critique communiste de ses pièces qui vient confirmer indirectement cette indéniable proximité. Alors qu'en 1951 encore *L'Humanité-Dimanche* du 17 juin avait donné une critique hostile du *Diable et le Bon Dieu*, quand *Kean* est monté au théâtre Sarah-Bernhardt, en novembre 1953, *L'Humanité* applaudit : « Sous la direction de Pierre Brasseur, tous nous font revivre la meilleure tradition du mélodrame [72]. » Inversement, *Les Temps modernes* ne se contentent plus à partir de là de rompre avec certaines grandes plumes ayant pris position contre l'Union soviétique – ainsi, tour à tour, Arthur Koestler, Raymond Aron, David Rousset –, la revue se pose désormais en gardien du temple. Au

---

72. *L'Humanité*, 20 novembre 1953.

cœur de la guerre froide, ce furent successivement Albert Camus puis, dans ses rangs mêmes, Maurice Merleau-Ponty et Claude Lefort que la revue bannit pour cause d'anticommunisme.

Sartre ayant lui-même, le plus souvent, prononcé la sentence, se pose dès lors, au moins pour la période 1952-1956, la question de l'intensité de son engagement philocommuniste et de la profondeur de ses convictions. Que cherche souvent un intellectuel à travers un processus d'adhésion à une idéologie ? Deux choses, notamment : un principe d'intelligibilité du monde et un principe d'identité par l'agrégation à un groupe. En d'autres termes, des certitudes et des connivences. Ce qui rappelle, on le voit, des processus de foi religieuse. Certes, de tels parallèles ont leurs limites, et on se bornera ici à une comparaison entre engagements des intellectuels et phénomènes de croyance de type profane. Le mot d'Alain Besançon, analysant dans ses Mémoires son engagement communiste à l'époque de la guerre froide, est à cet égard éclairant : « Le communisme est une des formes modernes de l'enchantement[73]. » Pour certains intellectuels, l'adhésion communiste fut bien un phénomène de croyance par envoûtement, qui relève, au moins pour partie, des mêmes types d'approche que les phénomènes de foi religieuse. Ce qui, si l'on admet une telle approche, débouche sur la notion d'orthodoxie. Comme l'écrivait en 1938 le philosophe Jean Grenier dans son *Essai sur l'esprit d'orthodoxie*, « l'orthodoxie succède à la croyance. Un croyant en appelle à tous les hommes pour qu'ils partagent sa foi ; un orthodoxe récuse tous les hommes qui ne partagent pas sa foi[74] ». Pour l'orthodoxe, le perplexe, le réticent ou même l'indifférent sont des hérétiques en puissance. A *fortiori*, celui qui, par son témoignage, risque d'introduire des ferments de doute doit être récusé, et ce témoignage doit être discrédité. Bien plus, une telle récusation, on le voit, n'est pas seulement tactique et préméditée. Elle touche à l'identité même des intellectuels

---

73. Alain Besançon, *op. cit.*, p. 321.
74. Jean Grenier, *Essai sur l'esprit d'orthodoxie*, Gallimard, 1938, rééd. de 1967, coll. « Idées », p. 16.

communistes, dans la mesure où elle défend leur foi, et elle put
être, dans bien des cas, largement spontanée.

Pour autant, une telle grille d'analyse est-elle applicable à
Jean-Paul Sartre ? Certes, évoquant dans *Merleau-Ponty vivant* son
ralliement de 1952, Jean-Paul Sartre écrira : « Après dix ans de
ruminations, j'avais atteint le point de rupture et n'avais besoin
que d'une chiquenaude. En langage d'église, ce fut une conversion. » Mais une conversion à une foi ou à une orthodoxie ?
La question, sur ce point, reste entière. Et elle n'est pas que
formelle. Elle détermine notamment la réponse à une autre
question : quand Jean-Paul Sartre, nous le verrons, déclare à
Libération en juin 1954 après son retour d'Union soviétique : « La
liberté de critique est totale en URSS », est-il un croyant porté
par sa foi ou un orthodoxe – éventuellement non croyant –
menant un simple combat idéologique ? Ce qu'il en dira en
1974 ne rend pas forcément, loin de là, probable la première
hypothèse.

En guerre froide

Que l'au-delà politique proclamé par Sartre soit une aspiration réellement ressentie ou simplement mimée ne change rien,
en tout cas, pour ce qui est du contentieux avec Aron. Ce dernier, à la même époque, entend penser le monde tel qu'il lui
apparaît, et non tel qu'il le transfigure. Au congrès de Berlin de
juin 1950, constitutif du Congrès pour la liberté de la culture, sa
communication se place ainsi sur le registre de l'analyse raisonnée du monde de la guerre froide : « On augmente les chances
que la guerre ne devienne pas illimitée dans la mesure où l'on
remplit deux conditions : 1) ne pas laisser l'Union soviétique
s'assurer d'une supériorité, même initiale, telle que la tentation
de la grande aventure devienne irrésistible. Hitler n'a pas résisté
à cette tentation. Il serait dangereux de se fier à la sagesse du

Père des peuples. 2) Interdire à l'Union soviétique des succès dans la guerre politique qui la renforceraient à tel point que tout espoir d'équilibre s'évanouirait. Je ne crois pas que ces conditions soient suffisantes, mais je suis sûr qu'elles sont nécessaires[75]. »

L'épreuve de force, précise Raymond Aron ici comme dans d'autres de ses textes, durera peut-être une génération. Toujours est-il qu'il faudra que « les hommes du Kremlin reconnaissent leur régime non pour l'achèvement de l'histoire mais pour un entre d'autres ». Si, à la charnière entre les deux décennies, Raymond Aron constitue une sorte d'intellectuel hybride, d'authentique souche libérale depuis quelques années mais momentanément mâtiné de gaullisme, cette dernière composante rejoint en fait la première, car l'adhésion au RPF, on l'a vu, a été largement suscitée par une réaction – puisant aux sources du libéralisme – à l'idéologie communiste et à ses contrecoups géopolitiques. Certes, on l'a dit, un intellectuel recherche souvent les certitudes que confère le système global d'explication du monde fourni par les idéologies, induisant en outre un sens de l'Histoire et le souhait d'aider à l'accomplissement du devenir historique. Or l'absence, dans le gaullisme, d'un tel sens de l'Histoire – car, phénomène historique, le gaullisme n'entend pas pour autant donner sens à toute l'Histoire humaine – a peut-être été un obstacle, en ces temps de hautes pressions idéologiques, à l'adhésion en son sein de quelques clercs en quête de points d'ancrage et d'explication globale du monde, que seule une idéologie constituée pouvait leur fournir. Il n'empêche. Dans le cas d'Aron et de quelques autres intellectuels du RPF, une telle adhésion à ce parti, loin d'être un signe d'abstinence idéologique, reflétait au contraire une volonté assumée de combat idéologique, par opposition et réverbération.

De surcroît, l'observation de l'entre-deux-guerres avait conduit Raymond Aron à conclure qu'il est des périodes où les

---

75. Communication de Raymond Aron, document cité par Pierre Grémion, *op. cit.*, p. 38.

idéologies – fascisme et communisme, notamment – s'incarnent à travers des États. Or, en cette période de guerre froide naissante, le processus restera le même. Comme il l'écrira en 1951, « le choix d'une idéologie est en même temps celui d'une zone d'influence ou d'un empire[76] ». Avant 1939 aussi bien qu'après 1945, la réflexion sur l'Histoire passe donc par la prise en charge concomitante de l'idéologique et du géopolitique. Et toutes ces raisons associées font que Raymond Aron et Jean-Paul Sartre ne gravitent plus dans le même univers en ces années 1950. Ainsi, en 1954 par exemple, au moment où le premier donne en juin à *Libération* une description lyrique de l'Union soviétique poststalinienne, le second est en pleine réflexion sur la stratégie nucléaire. Un mois après le discours de Foster Dulles sur les représailles massives, par exemple, il écrit dans *Le Figaro* du 22 mars 1954 : « L'arme atomique ne répond pas à toutes les formes d'agression. »

Univers rendus différents, également, par les modes d'intervention et la résonance, naturellement beaucoup plus forte dans le cas de Jean-Paul Sartre. Sous la IVe République, celui-ci est le champion de l'activité pétitionnaire, distançant largement les autres spécialistes des pétitions et manifestes. Ainsi, si l'on analyse, par exemple, les 125 textes publiés ou affleurant dans *Le Monde* d'octobre 1946 à octobre 1958, il arrive largement en tête, avec 28 signatures, devant Claude Bourdet (22), François Mauriac (22), Jean-Marie Domenach (21) et Jean Cassou (20)[77]. En face d'un tel pouvoir d'écho, Raymond Aron n'est pas dépourvu pour autant de moyens d'expression et il est loin d'être alors l'intellectuel isolé souvent décrit. Une telle description relève du cliché pour trois raisons au moins. D'une part, on l'a vu, la mouvance gaulliste à laquelle il s'est peu ou prou

---

76. Préface à l'*Essai sur les trahisons* d'André Thérive, Calmann-Lévy, 1951, p. XXIV.

77. Notre dépouillement du *Monde* a été facilité par un mémoire de DES de science politique consacré aux manifestes d'intellectuels pendant la IVe République et fondé sur une étude du quotidien du soir (Yves Aguilar, Bordeaux, 1966).

agrégé est loin d'être aussi ténue qu'on l'a écrit par la suite. *Liberté de l'esprit* a cristallisé une nébuleuse qui, pour n'être pas communiste, n'en jouit pas moins d'un réel rayonnement. S'il faut toujours, dans les grandes batailles entre clercs, se compter pour ne pas s'en laisser conter, les listes que peuvent faire valoir cette revue et le RPF constituent tout de même une incontestable force de frappe intellectuelle. À celle-ci s'ajoute, d'autre part, l'influence de la revue *Preuves*. Certes, les attaques n'ont pas manqué contre cette revue, et la découverte, sur le tard, de sources de financement venues d'outre-Atlantique l'a entachée rétrospectivement du délit de complicité ouverte avec l'« impérialisme » américain, semblant légitimer après-coup ces attaques, paraissant justifier l'opprobre dont elle fut victime et ternissant son souvenir – et ce, de façon historiquement injuste. Une relecture attentive de ses articles montre qu'il y eut bien là le creuset d'une précoce réflexion collective sur le phénomène totalitaire. Certes, dès le milieu des années 1950, la guerre d'Algérie est venue s'installer au cœur du débat entre clercs, et, de ce fait, la poursuite de cette réflexion fut globalement différée. L'image altérée de *Preuves* et cet envol différé d'une pensée antitotalitaire ne doivent pas faire oublier qu'il y eut bien là une réflexion commune dont Raymond Aron fut l'une des figures de proue.

Enfin, on ne saurait minimiser le prestige et l'influence que conférait le statut de plume *prima inter pares* au *Figaro*. La capacité d'intervention de Raymond Aron se mesure, du reste, au fait qu'il est devenu peu à peu l'une des grandes cibles des clercs communistes et compagnons de route. On a énuméré plus haut certaines des attaques dont il fut l'objet au fil de ces années de guerre froide. Bien sûr, c'est aussi en tant que collaborateur de la revue *Preuves* qu'il est, comme les autres auteurs, dans la ligne de mire. Le premier numéro de cette revue, financée par le Congrès pour la liberté de la culture, avait été publié en mars 1951, au cœur de la guerre froide et en pleine guerre de Corée. Immédiatement, *Preuves* avait été qualifiée de « policière » par le PCF, mais aussi d'« américaine » par *Le Monde,* tandis qu'*Esprit* dénonçait sa « besogne de propagande [78] ». Quatre ans après, même si la tension internationale n'atteint plus la même ampleur, la garde n'a pas été baissée pour autant. L'accueil réservé à *L'Opium des intellectuels* est, à cet égard, révélateur. Maurice Duverger, dans *Le Monde* [79], déplore « le pathétique profond du livre de M. Aron » et conclut : « En accablant ceux qui n'ont pas suivi la même évolution, c'est lui qu'il cherche à justifier : il faut qu'ils soient pécheurs pour qu'il soit innocent. » Quant aux *Temps modernes,* la revue, sous la plume de Jean Pouillon, traitait Raymond Aron de « bouffon ». La même année, il est vrai, celui-ci écrivait dans *Preuves :* « Les déclarations révolutionnaires d'aujourd'hui, y compris celles de Jean-Paul Sartre, appartiennent à l'ordre de la comédie [80]. »

Le ton a donc encore monté d'un cran entre les deux hommes, depuis leur échange épistolaire de 1948. Mais le décor, derrière eux, peu à peu se modifiait. La force d'attraction de l'Union soviétique, tout en restant importante, n'allait plus constituer le seul pôle de référence du débat. Au milieu des années 1950, la France se retrouve à la croisée des chemins, confrontée à une double crise d'identité : l'empire commençait à se lézarder et le début de la mutation sociale enclenchée par les Trente Glorieuses allait rendre caduques ou, pour le moins, en partie dépassées la plupart des analyses politiques et sociales antérieures. Le mendésisme, dans ce contexte, allait combler un vide, assurant une véritable fonction de remblayage idéologique – et aussi, pour certains jeunes gens, de recherche d'une nouvelle forme de sociabilité politique. Sartre et Aron eurent donc, explicitement ou non, à prendre parti sur ce phénomène Mendès.

---

78. Outre son livre, déjà cité, sur le Congrès pour la liberté de la culture, cf., de Pierre Grémion, « *Preuves* dans le Paris de la guerre froide », *Vingtième siècle. Revue d'histoire,* 13, janvier-mars 1987 ; cf. également son anthologie de textes publiée aux éditions Julliard en 1989, *Preuves, une revue européenne à Paris.*
79. *Le Monde,* 27 août 1955.
80. « Les intellectuels français et l'utopie », *Preuves,* n° 50, avril 1955, p. 14.

Entre Raymond Aron et Pierre Mendès France, il y eut un indéniable choc de caractères, que résume bien l'observation passablement exaspérée du second, rapportée par Jean Daniel : « C'est curieux, Aron n'est jamais aussi heureux que lorsqu'il a cerné un bon sujet d'incertitudes[81]. » Cela étant, malgré une légende tenace, durant les 230 jours du gouvernement mendésiste, Raymond Aron ne malmena pas en permanence Mendès France dans les colonnes du *Figaro*, et, quelques semaines après sa chute, il écrivait au contraire à son propos : « Il serait lamentable qu'il n'eût plus d'autre occasion de manifester les dons exceptionnels que personne ne lui conteste[82]. »

S'il est donc excessif de présenter Raymond Aron comme accablant le gouvernement Mendès France depuis sa tribune du *Figaro*, la réticence fut évidente et forte, et surtout, loin de s'estomper par la suite, elle semble avoir augmenté en proportion du « mythe » du mendésisme. Car, si, dans *Le Spectateur engagé*, le propos reste, un quart de siècle après, modéré – Aron et Mendès France appartenaient, écrit le premier[83], à des « groupes différents » –, l'analyse se fait plus dure dans d'autres interventions, notamment de nature universitaire : ainsi, dans les entretiens menés par l'Institut d'histoire du temps présent (CNRS) dans la phase préparatoire du colloque qui se tint en décembre 1984 sur « Pierre Mendès France et le mendésisme[84] », Raymond Aron évoque un « rôle nul » de Pierre Mendès France dans la modernisation, et parle de « mythologie ». Analyse développée dans des termes à peu près identiques à la même époque dans un entretien avec la revue *Pouvoirs* : « Alors le mendésisme, c'est un mythe des intellectuels[85]. »

---

81. « Pourquoi Aron ? », *Le Nouvel Obervateur*, 21-27 octobre 1983.
82. *Le Figaro*, 5-6 mars 1955.
83. *Op. cit.*, p. 199.
84. Les actes en ont été publiés l'année suivante chez Fayard, sous la direction de François Bédarida et Jean-Pierre Rioux ; quant à ces entretiens préliminaires, ils ont été archivés à l'Institut d'histoire du temps présent.
85. *Pouvoirs*, 1984, n° 28, « Conversation avec Raymond Aron (février 1983) », par Yann Coudé du Foreste, citation p. 178.

De fait, Aron et Mendès France appartiennent, au milieu des années 1950, à des «groupes différents», et le premier, qui termine alors *L'Opium des intellectuels*, ferraille avec les intellectuels de gauche que le second, précisément, entend séduire. Cette séduction, en tout cas, fut inopérante auprès de Sartre et de ses amis. Bien plus, cette mouvance sartrienne engagea rapidement les hostilités contre Pierre Mendès France. Le 19 décembre 1954, par exemple, Simone de Beauvoir déclare à *L'Humanité-Dimanche*: «Je considère que les intellectuels de gauche doivent travailler avec les communistes.» Et comme son interlocuteur, Jacques-Francis Rolland, évoque l'attrait qu'exerce Pierre Mendès France sur certains «mandarins», la condamnation tombe, sans appel: «Ce ne peut être que par mauvaise foi ou malentendu: il faut être bien naïf pour s'imaginer qu'on peut faire une politique de gauche avec une majorité de droite. L'attitude criminelle du gouvernement en face des problèmes nord-africains, son obstination à réarmer l'Allemagne, son "programme" économique qui dissimule mal l'attentisme sous de prétendues réformes, tout cela finira par ouvrir les yeux aux gens et par révéler la vérité de ce qu'il faut bien appeler la mystification Mendès France.»

Mythe pour Aron, mystification pour Beauvoir: pour des raisons opposées, et donc avec des attendus différents, le verdict était identique. Le fait assurément mérite d'être signalé, car, peu après, on le verra, sur l'Algérie aussi, Sartre et Aron formuleront une condamnation de la politique des gouvernements français, mais là encore au terme d'analyses totalement opposées. Une question se pose, tout de même: sur Pierre Mendès France, les propos de Simone de Beauvoir reflètent-ils aussi la pensée de Sartre? Tout l'indique. Car c'est toute la mouvance sartrienne qui monte à cette date au créneau, par *Les Temps modernes* interposés. La salve contre Mendès France sera double: en janvier, Marcel Péju dénonce les «ambiguïtés» de son action, et, au printemps, un numéro double explique ce que doit être la vraie gauche[86].

---

86. M. Péju, «Pierre Mendès France ou les ambiguïtés», *Les Temps modernes*, janvier-février 1955, n°109, pp. 961-971, et «La Gauche», numéro spécial, 1955, n°s 112-113.

Si Raymond Aron, notamment dans un article du 3 février 1955, argumente quand il s'en prend à Pierre Mendès France qui va être renversé dans les jours suivants, les propos de Simone de Beauvoir, on l'a vu, étaient largement incantatoires et l'analyse des *Temps modernes* est largement déconnectée de la réalité du temps. Le point est important car il explique peut-être, au moins en partie, que Jean-Paul Sartre ait moins séduit les jeunes intellectuels de la génération montante, en ce milieu des années 1950, que leurs aînés quelques années plus tôt. L'époque du gouvernement Mendès France est celle où le directeur des *Temps modernes,* tout à son compagnonnage de route et attentif à ne pas désespérer Billancourt, désoriente le quartier des Écoles. Dans la série de cinq articles donnée à *Libération* en juin 1954 après son retour d'Union soviétique, il déclare : « La liberté de critique est totale en URSS », avant de pronostiquer que « vers 1960, avant 1965, si la France continue à stagner, le niveau de vie moyen en URSS sera de 30 à 40 % supérieur au nôtre[87] ». La date est ici importante : en cette mi-juillet 1954, qui, de l'homme politique tentant de gagner un pari difficile à Genève ou de l'intellectuel théoriquement astreint au devoir de vigilance, semble le plus à même de séduire le quartier Latin ? Sans compter que, replacée en perspective, la seconde affirmation, proférée dans une France où les effets de la croissance, pour être encore à ce moment largement souterrains, n'en sont pas moins en train de précipiter le pays dans la mutation socio-économique la plus rapide de son histoire, prend une funeste patine. De ce point de vue, si l'on admet que, pour nombre de jeunes clercs, le phénomène mendésiste sera avant tout ressenti, à tort ou à raison, comme une réaction contre le « schématisme intellectuel[88] », Sartre joua probablement le rôle de repoussoir.

En même temps, les choses sont, en fait, infiniment plus complexes car l'homme rayonne alors par son œuvre. Déjà, au début

---

87. *Libération,* 15 et 20 juillet 1954.
88. Claude Nicolet, *Pierre Mendès France ou le métier de Cassandre,* Julliard, 1959, p. 174.

des années 1950, Jean-Paul Sartre était devenu, on l'a montré, un auteur célèbre et reconnu. Plusieurs indices convergent sur ce point. Ainsi, quand est monté *Le Diable et le Bon Dieu*, la commission d'aide aux théâtres parisiens, chargée, à la Direction générale des arts et lettres, d'examiner les demandes de subvention présentées par les théâtres de Paris, accorde une avance remboursable. Le point est d'autant plus notable que la commission avait pris l'habitude de ne pas subventionner les œuvres d'auteurs réputés. Or les attendus de la décision confirment à la fois la notoriété de Sartre et « l'importance » particulière accordée à ses pièces : « Bien que le succès des œuvres dramatiques de cet auteur réduisent les risques pris par le théâtre, la commission, prenant en considération l'importance de l'ouvrage, les frais élevés des décors et des costumes, le nombre des interprètes, propose une avance remboursable de cinq cent mille francs[89]. »

Cela étant, le rayonnement éditorial de Jean-Paul Sartre après la Libération et dans les années 1950 est difficile à évaluer avec précision. Certes, les jeunes gens et les jeunes adultes – puisque l'enquête porte, en fait, sur « les moins de trente ans » – qui sont interrogés en 1957 par *L'Express* à l'occasion de la célèbre enquête sur la « nouvelle vague[90] », placent, on l'a vu, Jean-Paul Sartre largement en tête dans leur réponse à la question : « Si vous deviez désigner l'un des auteurs suivants comme ayant plus spécialement marqué l'esprit des gens de votre âge, qui choisiriez-vous ? » Bien plus, les deux auteurs cités après lui, André Gide et François Mauriac, arrivent loin derrière. Mais un tel sondage, par essence, enregistre le sentiment d'une catégorie bien typée et en rend compte à une date précise. Or ces Français de moins de trente ans ne

---

89. Archives nationales, Direction des arts et lettres (ministère de l'Éducation nationale), Commission des théâtres parisiens, procès-verbal du 23 juin 1951 (cité par Patricia Devaux, *op. cit.*, t. I, p. 35).

90. La publication de cette enquête débute dans *L'Express* n° 328 du 3 octobre 1957 et s'étire sur dix numéros jusqu'au n° 337 du 5 décembre 1957. Cf. aussi la publication quelques mois plus tard de l'enquête – qui portait, en fait, sur des Français nés entre 1927 et 1939 – par Françoise Giroud (*La Nouvelle Vague. Portraits de la jeunesse*, Gallimard, 1958).

représentent qu'une partie du lectorat potentiel et n'ont pas encore réussi à assurer, en tout cas pour la décennie qui a suivi la Libération, des tirages de tout premier plan à Sartre. Celui-ci a beau faire l'événement intellectuel dans les années qui suivent 1945, son livre le plus vendu pour la période 1944-1954 n'occupe que la cinquante et unième position des ventes. *L'Express* du 16 avril 1955 [91], s'appuyant sur une enquête menée par *Les Nouvelles littéraires,* précise, en effet, les plus grands succès de l'édition française, traductions incluses. Si *La Peste* d'Albert Camus se retrouve au septième rang, avec 360 000 exemplaires vendus, *Les Mains sales* n'apparaissent qu'au-delà de la cinquantième place, avec 140 000 livres vendus, soit deux fois moins que chacun des tomes des *Hommes en blanc* d'André Soubiran.

La guerre froide n'est pourtant pas absente de ce palmarès. C'est *Le Petit Monde de Don Camillo* de Giovanni Guareschi, traduit en français en 1951, qui arrive largement en tête (798 000, suivi du *Grand Cirque* de Pierre Clostermann, avec 527 000 exemplaires), et Victor Kravchenko est troisième, avec *J'ai choisi la liberté* (503 000). Et l'on ne peut objecter que seule une littérature d'accès aisé se faufile vers le haut de cet inventaire : *Le Zéro et l'Infini* d'Arthur Koestler se place à la quatrième place (450 000). Cela étant, le chiffre de 140 000 exemplaires pour *Les Mains sales* était tout de même, en soi, considérable. Surtout, ces adolescents et ces jeunes adultes de 1957 étaient en train d'assurer, à cette époque, une relève de génération, dans une France touchée par la hausse très forte des effectifs de l'enseignement secondaire et dans laquelle s'amorçait, en outre, l'augmentation du nombre des étudiants qui devait marquer le fil de la décennie suivante. Le résultat en est qu'en cette fin de la IVᵉ République et au cours des années suivantes Jean-Paul Sartre est en train de devenir un « classique ». *La Nausée,* initialement tirée, on l'a vu, à 4 400 exemplaires en 1938, atteindra dès la fin de 1960, toutes éditions réunies, 395 370 exemplaires [92]. Proust est à la même date, avec

---

91. « Combien en avez-vous lus ? », *L'Express,* 16 avril 1955, n° 99, p. 13.
92. Source : éditions Gallimard.

Swann publié en 1919, à 448 956 exemplaires, et Gide, avec sa *Symphonie pastorale* sortie la même année, à 584 314 exemplaires. Jean-Paul Sartre est bien devenu, quinze ans à peine après la Libération, un auteur figure de proue des éditions Gallimard et, au sein de cette maison, par *La Nausée,* le plus fort tirage de sa génération. Parmi ses aînés proches, seul Saint-Exupéry le dépasse avec 536 389 exemplaires de *Courrier Sud* en 1960, et parmi ses cadets point trop éloignés par l'âge, seul Albert Camus atteint des tirages comparables, avec *La Peste* et *L'Étranger.*

Observation qui, du reste, ne rend que plus frappante la position de Sartre en ce début des années 1960. Le philosophe, âgé de cinquante-cinq ans, incarne le tirage le plus important parmi les auteurs vivants de la maison Gallimard. Triple atout, donc, que cette force de frappe des tirages chez l'éditeur qui à l'époque confère la plus forte légitimité intellectuelle, et à un âge qui porte encore les promesses d'une œuvre à suivre. Entre-temps, il est vrai, l'ère de l'engouement pour les sciences humaines allait progressivement venir. Mais le phénomène, déjà analysé au chapitre précédent, n'est pas contradictoire avec l'accession de Sartre à ce statut de « classique », confirmé quelques années plus tard par son entrée dans le panthéon du Largarde et Michard.

Pour l'heure, en ce milieu des années 1950, la rupture avec Aron, consommée depuis longtemps, se double d'une escalade dans la formulation de l'hostilité ouvertement affichée. La plume d'Aron, le plus souvent bridée, laisse parfois passer de l'affectif ou du passionnel jusque dans des analyses qui se veulent pourtant détachées. Dans *La Revue de Paris* de juin 1954, par exemple, il écrit que Sartre, « l'invective à la bouche et la haine au cœur, se réclame d'un idéal humanitaire pour mépriser les hommes vivants et ne se sauve du nihilisme que par l'attachement à un prolétariat mythique et la foi en une révolution irréalisable [93] ». On prend aussi la mesure du fossé qui existe désormais entre les deux hommes, et leurs mouvances

---

93. Raymond Aron, « Jean-Paul Sartre et le communisme », *La Revue de Paris*, 61ᵉ année, juin 1954, p. 79.

respectives, en lisant le passage d'une lettre du « charmant Castor » à Sartre, en date du 8 juin 1954, où Simone de Beauvoir fait précisément allusion à l'article d'Aron : « Semaine passée à travailler sur les pseudo-penseurs de droite (qui ont *produit* cette semaine un article d'Aron dans *La Revue de Paris* contre "Les communistes et la paix" – nul – et l'article d'un total inconnu dans *Preuves,* où il amalgame l'affaire de l'éditorial, "Les communistes et la paix" et le papier de L. – sous-nul) [94]. »

Ce fossé et cette amitié désormais en miettes vont se trouver formalisés en 1955, de part et d'autre, dans des œuvres imprimées. Dans *Nekrassov,* pièce montée au printemps 1955 au théâtre Antoine, Sartre suggère que *Preuves* est une revue pétainiste, placée sous le signe de « Travail, Famille, Patrie ». Quant à Aron, son *Opium des intellectuels* a bien Sartre pour personnage principal, quasi archétypal. S'il en fallait une preuve supplémentaire, on la trouverait six ans plus tôt dans un article où Raymond Aron, quelques mois après la rupture, répondait avec vigueur aux attaques de Sartre dans ses *Entretiens sur la politique.* Le diagnostic était déjà sans appel : « Quand il traite de politique, il a la sentimentalité juvénile. » Et de conclure : « La Révolution, a dit Simone Weil, rectifiant la formule fameuse de Marx, est l'opium du peuple ; elle n'est plus, au niveau des *Entretiens sur la politique,* que l'opium des intellectuels [95]. »

On comprend mieux, au regard de la densité historique des années qui suivirent 1949, qu'au sein du rameau de la génération de 1905 qui s'était installé dans des lieux de pouvoir intellectuel à la Libération, et dont Sartre et Aron étaient deux des principaux fleurons, les soubresauts de la guerre froide n'aient guère laissé de chances à l'amitié. Raymond Aron en faisait, du reste, on l'a vu, le constat attristé dès 1956 : « Que, dans notre génération, aucune amitié n'ait résisté aux divergences d'opinion politique, que les amis aient dû politiquement changer ensemble

---

94. Simone de Beauvoir, *Lettres à Sartre,* t. II, réf. cit., p. 428.

95. Raymond Aron, « Réponse à Jean-Paul Sartre, *Liberté de l'esprit,* 5 juin 1949, p. 141.

pour ne pas se quitter, est à la fois explicable et triste [96]. » L'allusion renvoyait plus précisément à la rupture, récente, entre
Sartre et Merleau-Ponty. Mais sans doute Raymond Aron songeait-il également à ses propres rapports avec Jean-Paul Sartre.
Tout comme ce dernier, évoquant quelques années plus tard sa
brouille avec Camus, qui venait de mourir, pensait-il peut-être
lui aussi à son ancien petit camarade : « Nous étions brouillés, lui
et moi : une brouille, ce n'est rien – dût-on ne jamais se revoir –,
tout juste une autre manière de vivre ensemble et sans se perdre
de vue dans le petit monde étroit qui nous est donné [97]. »

---

96. Raymond Aron, «Aventures et mésaventures de la dialectique»,
Preuves, janvier 1956, p. 15.
97. *France Observateur*, 7 janvier 1960.

VI

D'Algérie en Vietnam

En ce milieu des années 1950, c'est toujours l'Histoire qu'invoquent Aron et Sartre mais, sur ce plan, la fracture entre eux est totale. Quand le premier écrit que « toute action, au milieu du xxᵉ siècle, suppose et entraîne une prise de position à l'égard de l'entreprise soviétique. Éluder cette prise de position, c'est éluder les servitudes de l'existence historique, quand bien même on évoque l'Histoire [1] », le second écrit en février 1956, on le verra, que, « porté par l'Histoire, le Parti communiste manifeste une extraordinaire intelligence objective ». Avant que la question de la guerre d'Algérie envahisse peu à peu le devant de la scène intellectuelle, celle du communisme est encore alors au cœur du débat.

---

1. Raymond Aron, *L'Opium des intellectuels*, p. 66 de l'édition « Pluriel » de 1991.

« MON ACCORD AVEC LES COMMUNISTES »

Jean-Paul Sartre, depuis la publication de la première livraison des « Communistes et la paix » en juillet 1952, était devenu, on l'a vu, une sorte de compagnon de route, même si le terme, dans son cas, compte tenu de sa totale marge d'initiative due à sa notoriété mondiale, peut appeler discussion. Certes, dans la troisième partie de la même série d'articles, il prendra soin de préciser : « Le but de cet article est de déclarer mon accord avec les communistes sur des sujets précis et limités, en raisonnant à partir de mes principes et non des leurs [2]. » Mais l'alignement est manifeste, dont on pourrait multiplier les indices. Ainsi, il se rend à Vienne en décembre 1952 au congrès du Mouvement de la paix. À son retour, il proclame : « Ce que j'ai vu à Vienne, c'est la paix [3]. » Quelques mois plus tard, Maurice Merleau-Ponty démissionnait des *Temps modernes*.

L'année suivante, le rapprochement est encore plus manifeste, et les deux parties en présence multiplient les signes de connivence. Ainsi, alors qu'une nouvelle polémique semble s'amorcer, à propos du livre de Dyonis Mascolo, *Le Communisme*, entre Jean Kanapa et Jean-Paul Sartre [4], le premier va jusqu'à préciser dans *L'Humanité* du 24 mars que le second n'est pas visé par cette polémique. On est loin de l'article du même Kanapa en novembre 1948, où il conseillait à Sartre d'aller à la mine [5]. De son côté, Sartre multiplie, en ce printemps 1954, les gestes symboliques. Au mois de mai, il proteste solennellement contre l'interdiction en France des ballets soviétiques, intervenue après la chute de Diên Biên Phu. À la fin du même mois, il se rend à Berlin pour une nouvelle réunion des instances du Mouvement

---

2. *Les Temps modernes*, n° 101, avril 1954, pp. 1731-1819.
3. *Les Lettres françaises*, 1er-8 janvier 1953.
4. « Opération Kanapa », *Les Temps modernes*, n° 100, mars 1954, pp. 1723-1728.
5. « Ces messieurs et les mineurs », *Les Lettres françaises*, 4 novembre 1948.

de la paix et y prononce un discours publié ensuite sous le titre *La Bombe H, une arme contre l'histoire*[6]. Puis c'est le fameux voyage en Union soviétique, au terme duquel il donnera ses impressions à *Libération*, dans une série de cinq articles[7].

Ces articles, déjà évoqués plus haut, ont souvent été cités, et de telles citations s'exposent au reproche d'être, par essence, tronquées et donc séparées de leur contexte. Mais certaines constituent les titres mêmes des articles : « La liberté de critique est totale en URSS et le citoyen soviétique améliore sans cesse sa condition au sein d'une société en progression continuelle » (15 juillet) ; « Ce n'est pas une sinécure d'appartenir à l'élite car elle est soumise à une critique permanente de tous les citoyens » (17-18 juillet). On l'a souligné plus haut, ce diagnostic se doublait d'un pronostic sur les niveaux de vie comparés de l'Union soviétique et de la France « vers 1960 ». À quoi Raymond Aron répondra indirectement dans un article du *Figaro* du 8 novembre 1954 : « On parle beaucoup, à l'heure présente, de la menace que ferait courir à l'Europe occidentale, d'ici à quelques années, la "prospérité soviétique". » L'article, en fait, entendait plus particulièrement répondre à Alfred Sauvy et Maurice Lauré qui avaient analysé la croissance industrielle soviétique à partir des chiffres officiels venus de l'Est[8]. Dénonçant ces chiffres officiels et la prospérité – mot mis entre guillemets – qu'ils étaient censés refléter, Aron prenait aussi, une fois de plus, le contrepied des déclarations de Sartre.

Celui-ci devient en décembre 1954 vice-président de l'association France-URSS. Plus que jamais, au cours de l'année 1955, il apparaît comme l'archétype du compagnon de route. Et pas seulement dans *L'Opium des intellectuels,* qui sort au printemps : à la même date, Maurice Merleau-Ponty publie chez

---

6. *Défense de la paix*, n° 38, juillet 1954, pp. 18-22.

7. Cf. aussi le récit qu'en donna quelques années plus tard Simone de Beauvoir dans *La Force des choses*, réf. cit, pp. 327-329.

8. « Qui sont les ennemis de la coexistence ? III. De la prétendue menace de la prospérité soviétique », *Le Figaro,* 8 novembre 1954.

Gallimard *Les Aventures de la dialectique,* dont le chapitre IV attaque nommément « Sartre et l'ultra-bolchevisme ». Diagnostic, d'une certaine façon, confirmé en février 1956, lorsque Jean-Paul Sartre attaque vertement dans *Les Temps modernes* un communiste devenu critique au sein de son parti, Pierre Hervé. Celui-ci venant de publier *La Révolution et les fétiches,* Sartre publie « Le réformisme et les fétiches[9] ». L'alignement, à cette date, est à son maximum, sur le plan idéologique – « Pour nous, le marxisme n'est pas seulement une philosophie : c'est le climat de nos idées, le milieu où elles s'alimentent » – aussi bien que politique : « Porté par l'histoire, le PC manifeste une extraordinaire intelligence objective ; il est rare qu'il se trompe. » De telles dispositions ne prédisposaient certes pas Jean-Paul Sartre à prendre la mesure du « rapport Khrouchtchev », prononcé en ce même mois de février 1956.

LE CHOC DE 1956

En fait, c'est l'année 1956 tout entière qui fut une année déterminante pour le milieu intellectuel français, car elle fut à rebond, avec deux grands ébranlements à huit mois de distance. Le premier de ces ébranlements parvint à l'Ouest de façon différée. Nikita Khrouchtchev avait prononcé à huis clos, le 25 février, lors du XXe congrès du PCUS, un rapport condamnant les crimes de Staline liés au « culte de la personnalité ». Ce rapport avait d'abord simplement filtré, en France, sans être connu – hormis de certains dirigeants communistes français – dans son intégralité : *Le Monde,* par exemple, l'évoque assez longuement le 19 avril, sous la plume d'André Fontaine. Ce n'est qu'à la fin du printemps que le Département d'État divulgua le

---

9. Publié dans le numéro de février 1956 des *Temps modernes* (pp. 1153 sq.), cet article sera repris dans *Situations* VII, Gallimard, 1965.

texte complet, le 4 juin, et que *Le Monde* le publia à partir du 6 juin
en onze livraisons, ensuite largement répercutés par l'ensemble
de la presse. Le 23 juin, la Documentation française elle-même
publie, dans sa série *Notes et études documentaires*, le texte intégral
en vingt-cinq pages. Dès le 18 juin, le bureau politique du PCF
avait allumé un contre-feu, en publiant une déclaration commençant par ces mots : « La presse bourgeoise publie un rapport attribué au camarade Khrouchtchev. » Certes, il n'y avait pas dans ce
texte de négation du rapport – la déclaration parle même
d' « erreurs » et de « fautes très graves » de Staline – mais l'ensemble restait en retrait de ce rapport lui-même et, surtout, le
XIVe congrès du PCF, tenu au Havre en juillet, n'avait pas débouché sur la discussion souhaitée par certains intellectuels ou compagnons de route : *L'Humanité* du 23 juillet avait conclu à
« l'unanimité enthousiaste à la séance de clôture ».

Il apparaît que Sartre non seulement fut surpris par le rapport
Khrouchtchev mais qu'il en désapprouva, en son for intérieur,
jusqu'au principe. Il en fera, du reste, l'aveu à l'automne : « Oui,
il fallait savoir ce qu'on voulait, jusqu'où l'on voulait aller, entre-
prendre des réformes sans les claironner d'abord, mais les faire
progressivement. De ce point de vue, la faute la plus énorme a
probablement été le rapport Khrouchtchev, car, à mon avis, la
dénonciation publique et solennelle, l'exposition détaillée de
tous les crimes d'un personnage sacré qui a représenté si longtemps le régime est une folie quand une telle franchise n'est pas
rendue possible par une élévation préalable, et considérable, du
niveau de vie de la population. [...] Mais le résultat a été de
découvrir la vérité pour des masses qui n'étaient pas prêtes à la
recevoir. Quand on voit à quel point, chez nous, en France, le
rapport a secoué les intellectuels et les ouvriers communistes, on
se rend compte combien les Hongrois, par exemple, étaient
peu préparés à comprendre cet effroyable récit de crimes et
de fautes, donné sans explication, sans analyse historique, sans
prudence [10]. » Les « masses », apparemment, échappaient par

---

10. *L'Express*, pp. 13-16, 9 novembre 1956, n° 281.

moments aux principes de physique politique du déterminisme historique, et le rapport était rendu responsable de ces mouvements browniens.

Raymond Aron, en revanche, ne fut pas surpris par la teneur du rapport Khrouchtchev. Nul doute, au contraire, que, quelques mois après la publication de *L'Opium des intellectuels* et le tumulte qui en résulta, il y avait là pour lui une belle revanche à savourer. Au reste, le titre ironique de son article du *Figaro* du 10 juillet 1956 – « Ils l'avaient toujours dit» – claquait un peu comme un étendard de victoire. Les intellectuels grisés par le marxisme se trouvaient démentis par des révélations venues du cœur de l'Union soviétique, même si, précisait-il, «le discours de N.S. Khrouchtchev ne constitue pas plus un bilan définitif de la période stalinienne que ne le faisait l'exaltation du grand homme». Les adeptes d'une troisième voie, ajoutait-il, se trouvaient eux aussi déconsidérés car « on n'était pas équitable non plus en prenant position à égale distance des communistes et des anticommunistes; quand il s'agissait des purges, des déportations de populations entières ou des aveux inventés de toutes pièces, les anticommunistes avaient entièrement raison. La vérité ne se situe pas toujours dans la juste mesure, les horreurs des tyrannies du xxᵉ siècle sont démesurées».

L'homme qui écrit ces lignes n'est plus seulement éditorialiste au *Figaro*. Il est, depuis l'automne 1955, professeur à la Sorbonne. Il vient d'y terminer une première année universitaire et, désormais, plus encore qu'à son activité journalistique, il se consacrera à ces nouvelles fonctions et à son œuvre [11]. Une œuvre à ce point imposante que la douzaine d'années qui va de l'automne 1955 à janvier 1968, date à laquelle Raymond Aron quitte la Sorbonne pour la seule VIᵉ section de l'École pratique des hautes études – où il était déjà directeur d'études cumulant depuis 1960 –, représente bien le centre de

---

11. Cf. Nicolas Baverez, *Raymond Aron*, réf. cit., chap. XI, « De la Sorbonne au Collège de France ».

gravité de sa vie d'auteur. Dès l'année 1955-1956, il avait commencé à professer le premier volet de son cours en forme de trilogie sur la société industrielle [12]. L'Union soviétique y était étudiée et les premières fuites du rapport Khrouchtchev à partir du début du printemps 1956 résonnèrent ainsi dans les amphitéâtres de la Sorbonne comme un écho venu de l'extérieur.

Écho encore amplifié par les événements hongrois de l'automne suivant. Raymond Aron signe alors la pétition du Congrès pour la liberté de la culture publiée pratiquement à chaud, le 5 novembre, dans *Le Monde* daté du lendemain. « Au nom de la conscience universelle », les signataires « conjuraient » les Nations unies de prendre « les mesures d'urgence pour sauvegarder la liberté et l'indépendance du peuple hongrois et assurer la protection de ce peuple héroïque devant la répression brutale et la terreur des armées soviétiques ». La présidence du Congrès pour la liberté de la culture était alors assurée conjointement par Karl Jaspers, Salvador de Madariaga, Jacques Maritain et Bertrand Russell. Raymond Aron se retrouvait notamment, dans cette pétition, aux côtés de Denis de Rougemont, David Rousset et Manès Sperber.

Jean-Paul Sartre eut, lui aussi, une réaction quasi immédiate. Réaction au demeurant probablement plus difficile à assumer pour lui que pour Aron, dans la mesure où les événements le touchaient plus directement dans ses engagements et ses convictions. Dès le printemps 1956 et les premières retombées du rapport Khrouchtchev, le milieu des compagnons de route s'était retrouvé en première ligne, écartelé entre sa solidarité jusque-là avec les positions communistes et son indépendance fréquemment autoproclamée. Les troubles au sein du Comité national des écrivains (CNE) sont, à cet égard, significatifs. L'écrivain Vercors en est alors le président. Quelques mois plus

---

12. Ce cours ternaire professé entre 1955 et 1958 donnera naissance à trois « classiques » de la collection « Idées » : *Dix-Huit Leçons sur la société industrielle* (1962), *La Lutte des classes* (1964) et *Démocratie et totalitarisme* (1965).

tard, il racontera ces ébranlements de l'année 1956 dans un livre au titre explicite : *P.P.C.* (pour prendre congé). Pour le rapport Khrouchtchev, il y parlera d'un « coup de tonnerre ». Le CNE, peuplé selon Vercors de « potiches d'honneur », écouta au début du mois de mai 1956 un discours de son président où celui-ci parlait notamment de « pourrissement ». Ce discours, note-t-il dans *P.P.C.*, fut écouté avec une « attention pétrifiée [13] ». Cela dit, il faudrait pouvoir évaluer avec plus de précision l'ampleur de ce premier ébranlement, probablement amplifié dans le souvenir par ce qui suivit au second semestre et, plus largement, par le tamis et la reconstrution des « ex » et des anciens compagnons de route.

Pour Sartre, en tout cas, les sentiments furent, on l'a vu, complexes. Encore en novembre, il qualifiera cette publication de « faute énorme », ayant pris le prolétariat par surprise. Force est de constater qu'à cette date ne pas désespérer ni même désorienter Billancourt restait pour lui une sorte d'impératif catégorique. Peut-être tentait-il par ses déclarations, quelques mois après la diffusion du rapport Khrouchtchev, de justifier son mutisme du printemps. Peu importent, d'ailleurs, les raisons précises de ce mutisme. Soit celui-ci était de désapprobation du rapport – comme le laissent penser les phrases prononcées à l'automne –, et nous trouvons donc un homme qui, à l'été 1956, reste, au moment des premiers craquements, sur une ligne très proche, comme les années précédentes, de celle des communistes. Soit il était un silence troublé ou perplexe, mais dans ce cas les phrases de l'automne montrent que le trouble fut limité et que Sartre trouva vite des raisons de surseoir à des prises de position publiques.

En novembre, en revanche, sa réaction fut immédiate et publique. Dès le 8 novembre 1956, il signe une pétition publiée dans *France Observateur*. Le titre était explicite, « Contre l'intervention soviétique », et la protestation était sans ambiguïté,

---

13. Vercors, *P.P.C.*, Albin Michel, 1957, pp. 31, 37, 47 et 289.

condamnant «l'emploi des canons et des chars pour briser la révolte du peuple hongrois et sa volonté d'indépendance». Plusieurs remarques s'imposent. D'une part, si Sartre n'est pas à l'origine de la pétition – dont l'initiative revint à Vercors, comme celui-ci le dévoila l'année suivante dans *P.P.C.* –, il est bien au cœur de son dispositif. Son nom est le premier de la liste des signataires, et plusieurs membres de son entourage et collaborateurs des *Temps modernes* sont à ses côtés. D'autre part, certes, Sartre se retrouvait apparemment, dans sa condamnation de l'intervention, du même côté qu'Aron, et, pour la première fois, *Les Temps modernes* et *Preuves* semblaient se placer dans le même camp.

Mais, en réalité, il n'en était rien. Quand Aron et ses amis se réclamaient de la «conscience universelle», Sartre et les siens parlaient au nom du «socialisme». Et, à ce titre, leur pétition, autant qu'une condamnation des Soviétiques, apparaît bien, à la lecture, comme une dénonciation des «hypocrites qui osent s'indigner aujourd'hui». Les lignes suivantes de la pétition montrent bien qu'il s'agit avant tout, sous la plume des signataires, des intellectuels libéraux. Il faut, bien sûr, faire ici la part du balancement dialectique, mais le dosage des lignes entre les deux dénonciations est explicite. Du reste, dans le même numéro de *France Observateur,* en page 4 également, une autre pétition d'intellectuels de gauche condamnant l'intervention soviétique s'en tient, elle, au rappel du fait que les «soussignés» – notamment Georges Suffert, Jean-Marie Domenach, Gilles Martinet, Claude Bourdet, Edgar Morin, Jean Duvignaud, Roger Stéphane – «ont protesté récemment contre l'intervention militaire franco-anglaise en Égypte», puis ceux-ci en viennent au sujet.

Bien plus, à la même date, Albert Camus adopte une position encore plus directe. Il signe une pétition publiée par *Le Monde* du 6 novembre, qui reste sur le seul versant hongrois. Les intellectuels français signataires «soulignent que les dirigeants du Kremlin, en envoyant leurs tanks et leurs avions tirer sur les insurgés, ont refait de Moscou, comme au temps du tsarisme, la capitale de la réaction absolutiste mondiale, reprenant, face aux efforts d'émancipation des peuples, le rôle de superpolice sanglante qu'ont tenu la Sainte-Alliance et les Versaillais. Ils mettent ces massacreurs au ban de l'humanité et flétrissent les chefs communistes des pays libres qui, en restant dans leur sillage, se couvrent les mains du sang du peuple hongrois». Malgré la présence de Thierry Maulnier sur la liste des signataires, celle-ci avait tout de même un centre de gravité à gauche. L'allusion aux «Versaillais» l'enracine, du reste, dans toute une mémoire historique de gauche. La prise en compte par l'historien du contexte de l'époque et de la présence obsédante et intimidante du PCF ne doit donc pas pour autant conduire à conclure que seule la condamnation de l'Union soviétique tempérée par la dénonciation d'une violation supposée des libertés par les démocraties occidentales était possible. La palette des attitudes était, dès cette date, devenue plus large à gauche.

Déjà, en 1952, lors de la querelle Sartre-Camus après la publication de *L'Homme révolté*, le premier avait pris la posture de la condamnation parallèle des excès supposés des deux camps, écrivant dans *Les Temps modernes*, à propos du phénomène concentrationnaire soviétique : «Oui, Camus, je trouve comme vous ces camps inadmissibles : mais inadmissible tout autant l'usage que la "presse dite bourgeoise" en fait chaque jour. Je ne dis pas : le Malgache avant le Turkmène ; je dis qu'il ne faut pas utiliser les souffrances que l'on inflige aux Turkmènes pour justifier celles que nous faisons subir aux Malgaches. Je les ai vus se réjouir, les anticommunistes, de l'existence de ces bagnes[14]... »

Dans son article du 10 juillet 1956, Raymond Aron avait, pour sa part, réfuté ce type d'argument, au demeurant récurrent dans le débat intellectuel de l'époque. Sa condamnation d'une fausse «juste mesure» s'enracinait alors dans une décennie de combats où il avait été en permanence confronté à un tel raisonnement. Raisonnement sur lequel il avait tranché l'année précédente, écrivant dans *L'Opium des intellectuels* : «La ligne de partage passe entre les intellectuels qui ne nient pas l'existence des camps, et ceux qui dénoncent les camps. Et c'est le

---

14. *Situations* IV, Gallimard, 1964, p. 104.

passage de l'une à l'autre de ces positions qui marque la rupture. » De surcroît, sur l'opération de Suez, il ne dut pas se sentir concerné par les attaques sartriennes. Pour sa part, il avait développé, avant même l'échec des Franco-Britanniques, une analyse beaucoup plus nuancée que celle du *Figaro* et de son directeur Pierre Brisson. Dans ce journal, il avait publié, par exemple, le 2 novembre un article au titre en forme de réticence : « La force n'est qu'un moyen ». Assurément, il n'y avait pas là une condamnation sur le fond du principe de l'intervention, mais la teneur et le ton de l'article montraient bien la réticence, et ce, répétons-le, dans un journal acquis à l'opération militaire. Et cet article est à replacer, de surcroît, dans le contexte d'une époque où le syndrome de Munich conduisait certains intellectuels de gauche, au nom de la défense de la démocratie, à dénoncer en Nasser un nouvel Hitler contre les menées duquel seule la force s'impose [15].

Mais il faut revenir ici à Sartre. Car le caractère public de son intervention en fit par la suite, compte tenu aussi de sa notoriété, un acteur quasi emblématique de la crise qui toucha la mouvance des compagnons de route à l'automne de 1956. D'une part, la pétition « contre l'intervention soviétique », malgré sa formulation balancée et ses attaques contre les intellectuels libéraux, restait bien une condamnation explicite et à forte résonance. D'autre part, Jean-Paul Sartre renouvela cette condamnation dès le lendemain dans une prise de position publiée par *L'Express*, sous le titre « Après Budapest, Sartre parle [16] ». Il y annonçait notamment sa rupture avec le PCF. Car « quelque déplaisant qu'il [lui] soit de rompre avec le Parti communiste », une telle rupture apparaissait inévitable avec « les hommes qui [le] dirigent en ce moment », car « chacune de leurs phrases, chacun de leurs gestes, est l'aboutissement de trente ans de mensonge et de sclérose ». Le temps paraissait loin

---

15. Dans les colonnes du *Monde*, par exemple, Maurice Duverger est ainsi un partisan de la fermeté (cf. ses analyses publiées le 2 août et le 5 septembre).

16. *L'Express*, n° 281, 9 novembre 1956, pp. 13-16.

– en fait, février de la même année ! – où Jean-Paul Sartre se félicitait de « l'extraordinaire intelligence objective » du PCF et concluait : « Il est rare qu'il se trompe. »

Sartre condamnait aussi « entièrement et sans aucune réserve » l'intervention soviétique, un « crime » condamnable en lui-même « et rendu possible et peut-être nécessaire (au point de vue soviétique évidemment) par douze ans de terreur et d'imbécillité ». Conclusion historique de l'événement : « Ce que le peuple hongrois nous apprend avec son sang, c'est la faillite complète du socialisme en tant que marchandise importée d'URSS. » L'attaque était directe et le PCF monta au créneau immédiatement, d'autant que l'effet de souffle des événements hongrois ne touchait pas seulement, dans la nébuleuse communiste, les compagnons de route mais aussi quelques intellectuels « encartés »[17]. Dès le lundi suivant, 12 novembre, Marcel Servin publiait dans *L'Humanité* un article intitulé « Les termites et leurs alliés ». Il faut sévir contre « ceux qui prétendent ronger le Parti de l'intérieur », d'autant que leur travail de sape est dangereux. L'une des cibles est Sartre, qui a recours à « l'infamie ». Quatre jours plus tard, c'est au tour de Waldeck Rochet de surenchérir dans le même quotidien : « Aujourd'hui Sartre attaque et calomnie notre Parti », et « quelques éléments opportunistes, membres du parti, [lui] ont emboîté le pas ». Conclusion : « À toutes les grandes périodes de l'histoire du Parti il s'est trouvé, dans les moments difficiles, quelques éléments petits-bourgeois, paniquards par nature, pour céder à la pression de l'ennemi de classe. »

Une « réponse » à la « tragédie algérienne »

À partir du milieu des années 1950, progressivement, l'air du temps idéologique va changer. D'une certaine façon, en effet, le rapport Khrouchtchev « a levé l'immunité idéologique du

---

17. Cf. Jean-François Sirinelli, « Un automne 1956 », chapitre VIII d'*Intellectuels et passions françaises*, réf. cit.

communisme soviétique [18] ». Si l'on ajoute que, sans atteindre encore, avant 1962, aux rivages de la coexistence pacifique, les relations Est-Ouest enregistrent peu à peu une baisse de tension, il apparaît bien que rien désormais ne sera plus comme avant sur la scène sur laquelle se mouvaient jusque-là Sartre et Aron. Le répertoire lui-même va s'en trouver profondément modifié. Sartre, dans son dialogue complexe avec le communisme et les États qui en sont autant de modèles incarnés, va commencer à opérer des transferts à la fois géographiques et sémantiques. Quand à Raymond Aron, son personnage – celui, tout au moins, reflété par le milieu intellectuel – s'étoffe et se modifie. Même si ses ouvrages sur les relations internationales étaient lus et commentés – y compris à l'étranger, et notamment aux États-Unis –, il restait avant tout aux yeux du plus grand nombre l'éditorialiste de guerre froide, ferraillant avec la partie de la gauche intellectuelle directement ou indirectement touchée par le communisme. Beaucoup de ses autres livres eux-mêmes avaient été jusqu'à cette époque explicitement polémiques. Le professeur de Sorbonne, on l'a vu, va ciseler désormais une œuvre scientifique qui, si elle change largement de territoire, renoue avec l'activité aronienne d'avant-guerre. Bien plus, très lentement, Raymond Aron, fort de ce rayonnement intellectuel et de cette légitimité universitaire, va devenir un interlocuteur pour quelques-uns des membres de la génération de l'après-guerre revenus de l'engagement communiste. Le phénomène, en se renouvelant à la génération suivante, avec certains anciens « gauchistes », prendra alors une réalité statistiquement significative et donc dûment répertoriée dans le paysage idéologique. Pour autant, de façon moins visible, ce phénomène de rapprochement existera déjà pour la génération communiste de l'après-guerre. Pour certains d'entre eux, en tout cas, le « maître en Sorbonne » deviendra « le grand interlocuteur des émancipés du stalinisme [19] ».

---

18. Branko Lazitch, *Le Rapport Khrouchtchev et son histoire*, Le Seuil, 1976, p. 35.

19. François Furet, « La gauche française entre dans l'après-guerre », dans « Matériaux pour servir à l'histoire intellectuelle de la France, 1953-1987 », *Le Débat*, n° 50, mai-août 1988, p. 20.

Mais le changement de décor, en fait, ne se limite pas aux ébranlements venus de l'est de l'Europe. En ce milieu des années 1950, le mouvement d'amplitude mondiale de la décolonisation s'accélère. La France, pour sa part, entre en guerre d'Algérie. Et celle-ci, rapidement, va occuper tout le devant de la scène. Or cette guerre fut aussi, pour reprendre l'expression de Michel Crouzet, une « bataille de l'écrit[20] » pour les intellectuels : pétitions aux pouvoirs publics, manifestes à destination de l'opinion, plumes prestigieuses qui donnent, si l'on peut dire, de la voix – Sartre – ou dont le silence est bientôt tonitruant – Camus. Dans tous ces registres – ou à contre-emploi apparent, comme Aron –, les intellectuels semblent alors trôner en majesté[21], même si cette époque est aussi pour eux, on y reviendra, une sorte d'été indien. Pour Sartre et Aron, en tout cas, le moment est essentiel. Pour le premier, l'anticolonialisme a probablement été son engagement au bout du compte le plus marquant, et l'homme toucha, de surcroît, une nouvelle génération intellectuelle qui s'éveillait à la politique sous le signe de l'Algérie. Quant à Aron, il sembla jouer à contre-emploi en préconisant l'indépendance de l'Algérie. Bien plus, il était aussi à contre-courant de la plus grande partie de la gauche elle-même, puisqu'il prôna une telle solution dès les premières années du conflit, à un moment où la plus grande partie de l'opinion, à droite comme à gauche, penchait pour le maintien de l'Algérie française. Ces engagements des deux hommes constituent sans doute, pour l'un comme pour l'autre, les périodes les plus analysées de leurs itinéraires politiques respectifs. Bien plus, un examen comparé en a déjà été pratiqué[22]. On s'en tiendra donc ici à l'essentiel, à savoir le constat de conclusions convergentes sur le problème algérien, mais à partir de prémisses totalement

---

20. Michel Crouzet, « La bataille des intellectuels français », *La Nef,* cahier 12-13, octobre 1962-janvier 1963, pp. 47-65, citation p. 51.

21. Jean-Pierre Rioux et Jean-François Sirinelli (dir.), *La Guerre d'Algérie et les intellectuels français,* Bruxelles, Complexe, 1991.

22. Cf. la précieuse étude de Marie-Christine Granjon dans *La Guerre d'Algérie et les intellectuels français,* réf. cit. À signaler l'existence de deux

étrangères les unes aux autres et au terme de raisonnements relevant d'univers idéologiques demeurés antagonistes.

Il faudra attendre l'automne de 1955, un an après les événements de la Toussaint 1954, pour que les premiers voltigeurs de pointe de la « bataille de l'écrit » commencent véritablement à prendre position. Certes, les mises en garde n'avaient pas manqué depuis le 1er novembre 1954. « Est-ce la guerre en Afrique du Nord ? » demandait Jean-Marie Domenach dès le numéro d'*Esprit* de décembre 1954. Et en janvier 1955, la même semaine, Claude Bourdet dans un article de *France Observateur* intitulé « Votre Gestapo d'Algérie » affirmait : « Depuis le début de l'agitation fellagha en Algérie, la Gestapo algérienne s'est remise au travail avec ardeur », tandis que François Mauriac dénonçait des cas de torture dans un article de *L'Express* intitulé « La question[23] ». Mais la prise de conscience de la gravité du conflit ne se fera que progressivement et les intellectuels qui montent en ligne à l'automne 1955 restent encore des pionniers du cri d'alarme, au demeurant dissonant. Emblématique est, à cet égard, Albert Camus, qui publie dans *L'Express* du 8 octobre 1955 un article, « Sous le signe de la liberté », où il répond notamment à cette question : pourquoi, en tant qu' « intellectuel », va-t-il « écrire sur l'actualité » ? Ce n'est que dans un second temps qu'il choisira le silence. De son côté, Raymond Aron publie dans *Le Figaro*, entre le 12 et le 15 octobre, une série de quatre articles intitulée « La France joue sa dernière chance en Afrique ». « On ne réduira pas le nationalisme algérien en l'ignorant », soulignait-il. Quant à Sartre, il entrait lui aussi en lice à la même époque. Dans le numéro du *Monde* des 6-7 novembre, en effet, quelques lignes en page 4 annonçaient que « plusieurs personnalités se groupent au sein d'un comité d'action contre la poursuite de la guerre en Afrique du Nord ».

---

excellents mémoires de maîtrise : Kaliane Khau, *Jean-Paul Sartre et la guerre d'Algérie*, Lille III, 1991, Isabelle Wanaverbecq, *Raymond Aron et la guerre d'Algérie, ibid.*

23. Articles publiés respectivement les 13 et 15 janvier 1955.

Si les fondateurs se plaçaient résolument, d'après les souvenirs de l'un d'entre eux, « contre le principe même de la guerre coloniale et pour le principe même du droit des peuples[24] », la tonalité restait modérée. S'il était question de « peuple algérien », l'appel demandait avant tout la « cessation de la répression », l'absence de « discrimination raciale outre-mer et dans la métropole » et « l'ouverture de négociations ». Les signataires ne se prononçaient pas sur le type de solution politique à apporter à la guerre.

La liste de ces signataires était composite : entre autres, Roger Martin du Gard, François Mauriac, Frédéric Joliot-Curie, André Breton, Jean Cassou, Jean Guéhenno, Jean Rostand, Jean-Paul Sartre, Jean Wahl, Jean Cocteau, Jacques Madaule, l'abbé Pierre, René Julliard et Jean-Louis Barrault. Un homme comme François Mauriac ne songeait pas à cette date à « abandonner le Maroc et l'Algérie », écrivait-il dans *L'Express* du 24 septembre. D'autres membres, au contraire, avaient une vision plus radicale de la situation. Cette différence apparut notamment deux mois plus tard lors d'un meeting du comité, salle Wagram. Le vendredi 27 janvier 1956, André Mandouze apporte le « salut de la résistance algérienne[25] », tandis que Jean-Paul Sartre déclare : « Le colonialisme est en train de se détruire lui-même. Mais il empuantit encore l'atmosphère : il est notre honte, il se moque de nos lois ou les caricature ; il nous infeste de son racisme. [...] Notre rôle, c'est de l'aider à mourir. [...] La seule chose que nous puissions et devrions tenter – mais c'est aujourd'hui l'essentiel –, c'est de lutter aux côtés [du peuple algérien] pour délivrer *à la fois* les Algériens et les Français de la tyrannie coloniale[26]. »

Raymond Aron, à cette date, est à mille coudées de telles analyses. Il accepte, du reste, de signer dans *Le Monde* du 23 mai

---

24. Edgar Morin, *Autocritique,* Julliard, 1959, 3ᵉ éd., Le Seuil, 1975, p. 187.
25. *Le Monde*, 29-30 janvier 1956, p. 3.
26. Jean-Paul Sartre, *Situations* V, Gallimard, 1964, p. 42 (discours initialement publié dans *Les Temps modernes* de mars et avril 1956).

1956 un texte auquel le quotidien donne un titre explicite :
« Des professeurs à la Sorbonne expriment leur adhésion à
la politique gouvernementale. » Les signataires y précisaient
qu'ils s'engageaient « à faire tout ce qui est en leur pouvoir
pour que les jeunes Français chargés de ramener la paix en
Algérie trouvent dans le respect de leurs aînés le soutien moral
auquel ils ont droit ». Il faudrait assurément analyser en détail
les prises de position et les articles de Raymond Aron entre
l'automne 1955 et la fin du printemps 1957. À cette date, en
tout cas, il publie *La Tragédie algérienne*, livre dans lequel il se
prononce explicitement pour l'indépendance de l'Algérie. Ou,
plus précisément, il en démontre le caractère selon lui inéluc-
table. Le livre sortit au mois de juin, dans la collection « Tribune
libre » chez Plon. Cette collection venait d'être fondée par
Charles Orengo et se voulait en prise directe sur l'actualité.
Y seront publiés notamment, dès cette année 1957, *Les Princes
qui nous gouvernent* de Michel Debré et *Le Socialisme trahi* d'André
Philip. Cet ouvrage avait été, du reste, le premier de la collection, suivi par celui de Raymond Aron. Jacques Soustelle, qui
avait déjà publié l'année précédente chez Plon son *Aimée et
souffrante Algérie*, prend immédiatement la plume, et *Le Drame
algérien et la décadence française. Réponse à Raymond Aron* est
publié dès le mois d'août suivant. Charles Orengo, il est vrai,
parvenait à faire imprimer les livres de sa collection en une
dizaine de jours[27].

Au nom du principe de réalité, Raymond Aron parvenait à la
conclusion suivante dans deux textes qu'il signalait avoir rédigés
en avril 1956 et mai 1957 : « Mieux vaudrait encore la solution
héroïque de l'abandon et du rapatriement qu'une guerre
menée à contrecœur, sans résolution et sans chance de succès. »
L'analyse, d'une logique implacable, s'appuyait notamment
sur le fait suivant : « Le taux de croissance démographique est
trop différent des deux côtés de la Méditerranée pour que

27. Marie de Saint-Laurent, *La Librairie Plon de 1945 à 1968*, DEA, dir.,
Michel Winock, IEP de Paris, 1992.

ces peuples, de race et de religion autres, puissent être fractions d'une même communauté.» Et l'auteur de conseiller au gouvernement la constitution d'un capital de cinq cents milliards de francs pour le futur rapatriement des pieds-noirs[28]. Le diagnostic débouchant ainsi sur un pronostic choqua, on l'imagine. Et les arguments qui lui furent opposés eurent beau jeu de dénoncer, implicitement ou explicitement, la sécheresse de l'analyse. «On ne "rapatrie" pas en métropole, écrivit par exemple Jacques Soustelle, des gens qui sont nés en Algérie, dont les pères, les grands-pères et les arrière-grands-pères y sont nés et y reposent de leur dernier sommeil[29].» La réponse de Raymond Aron l'année suivante est, à sa manière, sans surprise: «L'action politique est réponse à une situation, non exposé de théories ou expression de sentiments[30].»

Sans surprise, cette réponse n'était pas sans courage en un moment où l'Algérie s'installait au cœur du débat national. Bien plus, trempée dans le feu de l'action – car, dans un tel contexte, la prise de position publique est action –, l'observation de Raymond Aron résumait, beaucoup plus que de longues considérations théoriques, sa conception de l'engagement. Il y a bien, de ce point de vue, continuité avec le jeune agrégé de philosophie qui décida, durant l'hiver 1930-1931, sur les bords du Rhin à Cologne, d'être un «spectateur engagé», entendons un analyste qui tente d'apporter une «réponse» et non d'exposer des «théories» ou d'exprimer des «sentiments». Attitude qui, du reste, l'exposa concrètement à des réactions très dures, son livre éclatant «comme un coup de revolver à

---

28. *Op. cit.*, pp. 36, 25 et 20.

29. Jacques Soustelle, *Le Drame algérien et la décadence française. Réponse à Raymond Aron*, Plon, 1957, p. 15. Jacques Soustelle avait placé aussi le débat sur un registre où son interlocuteur et lui-même, l'un et l'autre agrégés de philosophie, avaient à débattre. D'autant qu'il avait su pointer sur un aspect essentiel :« M. Aron se trouve en parfait accord avec ce qu'il dénonçait dans *L'Opium des intellectuels*. Le voici qui se prosterne à son tour devant le Moloch de la fatalité historique» (*ibid.*, p. 14).

30. Raymond Aron, *L'Algérie et la République*, Plon, 1958, p. 8.

la grand-messe [31] ». Les uns en firent alors, tel Jacques Soustelle, « le parangon même des vertus bourgeoises [32] ». D'autres, comme Louis Terrenoire dans *Carrefour* du 26 juin 1957, allèrent jusqu'à écrire : « On regrette, vu son passé, que M. Raymond Aron rappelle irrésistiblement l'homme "Pierre Laval" qui pensait que les jeux étaient faits en 1940. » Dans le numéro suivant du même hebdomadaire, Louis Terrenoire parle du raisonnement aronien comme d'« un simple alibi pour l'esprit de démission ». À gauche, Jean Daniel, dans *L'Express,* constatait que « le passage du conservatisme au défaitisme est décidément toujours le même » et déplorait que Raymond Aron préconise « le rapatriement immédiat des Français d'Algérie dont il lui paraît impossible qu'ils vivent dans un État algérien indépendant [33] ». Et, dans le même numéro, François Mauriac évoquait la « clarté glacée » de l'auteur de *La Tragédie algérienne* [34].

En cette année 1957, il est vrai, le débat est déjà vif sur le rôle des intellectuels appelant à l'indépendance ou, sur le plan éthique, dénonçant certaines exactions commises par l'armée française. Pour les uns, les « chers professeurs » sabotent délibérément l'effort de guerre français et sapent toute possibilité d'une victoire sur le terrain. Pour d'autres, les intellectuels sauvent l'honneur du pays, gangrené par des années de guerre coloniale en Indochine puis en Algérie et entaché par la violence de la répression et par l'usage de la torture. La réponse à une telle alternative étant affaire de conscience et non de science historique, on se contentera d'observer que les choix furent bien souvent, de façon explicite ou dans le secret des consciences, douloureux. On connaît la repartie de Camus, formulée en décembre 1957 à Stockholm au moment de la remise du prix Nobel de littérature : « Je crois à la justice, mais

---

31. Michel Winock, « La tragédie algérienne », *Commentaire*, n°s 28-29, février 1985, pp. 269-273, citation p. 270.
32. *Op. cit.*, p. 4.
33. Jean Daniel, « Des vacances algériennes », *L'Express*, 21 juin 1957.
34. François Mauriac, « Le nouveau règne », *ibid.*

je défendrai ma mère avant la justice. » Le propos fit scandale à gauche. Souvent déformé ou mal interprété, il ne se voulait que l'aveu, intellectuellement courageux, d'une incertitude et d'un désarroi.

La gauche intellectuelle ne fut, du reste, pas la seule à attaquer Camus. Raymond Aron lui aussi s'en prit à ses positions algériennes. Dans *L'Algérie et la République,* en 1958, il écrivit, en effet : « Quand on lit le recueil d'articles que M. Albert Camus vient de publier (*Actuelles* III), on craint le pire. En dépit de sa volonté de justice, de sa générosité, M. Albert Camus n'arrive pas à s'élever au-dessus de l'attitude du colonisateur de bonne volonté. À aucun moment, il ne semble comprendre l'essence de la revendication nationale et la légitimité de cette revendication [35]. » Ce n'était pas la première fois qu'Aron se montrait dur envers Camus. Déjà, en 1955, dans *L'Opium des intellectuels,* *L'Homme révolté* avait été présenté comme un livre dans lequel « les lignes maîtresses de l'argumentation se perdent dans une succession d'études mal rattachées les unes aux autres, le style de l'écriture et le ton de moraliste ne permettent guère la rigueur philosophique », ce qui fait qu'il n'apportait « rien qu'on ne pût trouver aisément ailleurs ». Au bout du compte, Camus « appartient, lui aussi, pour l'essentiel, à la gauche bienpensante ». Certes, Aron lui reconnaissait par ailleurs une « volonté de véracité », et un « refus des illusions et des fauxsemblants [36] », mais l'impression négative demeurait.

---

35. *Op. cit.,* p.107.
36. *Op. cit.,* pp. 65-66, 68, 64. Plus tard, Aron conviendra que ces pages sur Camus avaient un « ton quelque peu arrogant » et il regretta d'avoir été « désagréable » (*Mémoires,* réf. cit., p. 321, et *Le Spectateur engagé,* réf. cit., p. 179). Sur Camus-Aron on lira les pages très fines et mesurées d'Ariane Chebel d'Appollonia, thèse cit., pp. 497-504.

La guerre de Sartre

On a déjà évoqué plus haut l'observation de Roland Dumas à propos de Sartre en guerre d'Algérie : « La guerre d'Algérie, ce fut *sa* guerre... Il aura manqué tous les grands événements politiques de son temps, sauf celui-là, la guerre d'Algérie. Qui fut, en quelque sorte, la rencontre d'une grande cause avec une grande personnalité[37]. » Il est vrai que Jean-Paul Sartre, au moment des grandes batailles de clercs qui se livrèrent lors du conflit algérien, se retrouva souvent en première ligne. Il ne saurait être question ici de relater par le menu une telle bataille de l'avant[38]. Le fait est, en tout cas, que Sartre cristallisa rapidement l'hostilité des tenants de l'Algérie française. Dès décembre 1955, le jeune Jean-Marie Le Pen, candidat poujadiste aux élections législatives du 2 janvier suivant et futur député après cette date, déclarait à propos de l'Union française : « Chaque fois qu'on reçoit un coup de pied dans les fesses, il faut brosser le pantalon après. La France est gouvernée par des pédérastes : Sartre, Camus, Mauriac[39]. » Mais c'est surtout à la fin de l'été 1960 que Sartre, par son soutien aux « porteurs de valises » aussi bien que par son agrégation aux « 121 », devient un symbole et un repoussoir. « Fusillez Sartre », crient les manifestants lors d'une démonstration de protestation contre le Manifeste des 121 organisée par six mouvements d'anciens combattants à l'Arc de triomphe début octobre[40]. Et ses pairs de droite le clouent

---

37. Témoignage donné à Annie Cohen-Solal en octobre 1984, *Jean-Paul Sartre et la guerre d'Algérie*, réf. cit., p. 563.

38. Cf., sur ce sujet, la mise au point topique de Kaliane Khau, *op. cit.*

39. Stanley Hoffmann, *Le Mouvement Poujade*, Colin, 1956, p. 184 ; cf. également Joseph Lorien, Karl Kriton, Serge Dumont, *Le Système Le Pen*, Anvers, éditions EPO, 1985, p. 38.

40. *L'Année politique 1960*, PUF, 1961, p. 97. Parmi ces manifestants se trouvent notamment Jean-Marie Le Pen et des membres du conseil municipal de Paris.

au pilori de leurs pétitions et déclarations publiques. Gabriel Marcel parle de « trahison ouverte » dans une enquête de *Combat* publiée le 6 octobre, tandis qu'Henri Massis y décrit Sartre cherchant, « comme Saint-Genet, l'auréole du martyre, afin de donner un sens à son existence ».

Aux yeux de beaucoup de Français, Sartre est devenu à cette date une sorte de Quasimodo de l'église de Saint-Germain-des-Prés. Tout se passait, en fait, comme si ses positions en pointe faisaient converger sur son nom l'hostilité qui s'était progressivement développée entre les intellectuels et, par phases, les pouvoirs publics ainsi qu'une partie de l'opinion. Déjà, quand Henri-Irénée Marrou avait publié, dans *Le Monde* du 5 avril 1956, sa célèbre tribune « France, ma patrie... », où il évoquait de « véritables laboratoires de torture », le ministre de la Défense nationale et des Forces armées du gouvernement Guy Mollet, Maurice Bourgès-Maunoury, avait ironisé sur les « chers professeurs ». Le combat contre le maintien de la situation coloniale irrite en 1956 comme irritait, quelques années plus tôt, au temps de la guerre froide, le philocommunisme de certains de ces intellectuels. Léon Martinaud-Deplat, ministre de l'Intérieur, avait ainsi prononcé, en novembre 1953, lors du banquet de la fédération radicale de la Seine, une harangue contre « les milieux de Saint-Germain-des-Prés ou autres lieux, où souvent la déviation sexuelle s'accompagne d'une déviation intellectuelle [41] ». Il y a bien à cette époque, progressivement, inversion vers un pôle négatif du thème de Saint-Germain-des-Prés. Le 24 septembre 1960, *Paris-Presse-l'Intransigeant*, évoquant les « apologistes de la désertion » au moment du Manifeste des 121, en faisait un phénomène strictement germanopratin : « Ils sont tous d'une même famille, dont les membres ont définitivement limité leur vie parisienne à deux cafés, pour ne pas risquer, peut-être, de perdre l'esprit qui doit y souffler. Ce sont les cousins Saint-Germain. »

---

41. *Le Monde*, 3 novembre 1953.

Parfois, il est vrai, pouvoirs publics et clercs protestataires étaient renvoyés dos à dos. Ainsi, le jeune sénateur d'Indre-et-Loire Michel Debré écrivait dans une « libre opinion » du *Monde* du 21 avril 1956 intitulée « Afrique perdue, France communisée » : « Qui vit dans les milieux officiels, intellectuels, mondains, de la capitale ne peut mesurer l'humiliation qui ronge le cœur de milliers de Français parmi les plus humbles ! » Le plus souvent, au contraire, le ton entre « milieux officiels » et « milieux intellectuels » passa, on l'a vu, à l'ironie banqueteuse. Et parfois au mépris proclamé et au procès en responsabilité collective. Le 7 juillet 1957, par exemple, Robert Lacoste déclarait devant les anciens combattants d'Algérie : « Sont responsables de la résurgence du terrorisme, qui a fait à Alger, ces jours derniers, vingt morts et cent cinquante blessés, les exhibitionnistes du cœur et de l'intelligence qui montèrent la campagne contre les tortures. Je les voue à votre mépris [42]. »

Au demeurant, une hostilité entre des gouvernants et des intellectuels protestataires est chose courante et, somme toute, logique. Ce qui est moins banal est cette animosité à l'égard des clercs, elle-même reflet d'une incompréhension, qui s'empara d'une partie de l'opinion. De là à opposer le pays intellectuel et le pays réel, il n'y avait qu'un pas, que certains tribuns franchirent. Ainsi, dans le premier numéro de *Fraternité française*, Pierre Poujade écrivait en janvier 1955 : « Ce n'est pas à moi, qui à seize ans gagnais ma vie, de te dire à toi, intellectuel, ce qui est l'Esprit de la France. Cependant, je peux et je dois me tourner vers toi, car, sans nous, tu ne serais rien d'autre qu'une machine à penser, qu'un vulgaire tambour qui résonne, certes, mais qui, sous la peau, n'a que du vent. » On comprend mieux, ainsi replacée en perspective, l'ampleur des attaques contre un Sartre qui, à la fin de l'été 1960, est à la fois signataire du « Manifeste des 121 » proclamant le droit à l'insoumission et en quelque sorte témoin par contumace au procès des « porteurs de valises ». À l'audience du mardi 20 septembre, l'avocat Roland Dumas lit un

---

42. *Le Monde*, 9 juillet 1957.

télégramme et une lettre du philosophe, qui effectue à cette date une tournée de conférences au Brésil. Le télégramme exprime son « entière solidarité » avec les accusés. La lettre, datée du 16 septembre – et rédigée, en fait, à Paris par ses proches – proclame : « Si Jeanson m'avait demandé de porter des valises ou d'héberger des militants algériens et que j'aie pu le faire sans risques pour eux, je l'aurais fait sans hésitation [43]. »

Les attaques contre Sartre ne furent pas seulement verbales. Quelques mois plus tard, quand l'OAS commencera à pratiquer un terrorisme ciblé en métropole, le directeur des *Temps modernes* se retrouvera en première ligne. Le 13 mai 1961, le local de la revue sera plastiqué. Puis, par deux fois, le 19 juillet 1961 et le 7 janvier 1962, l'appartement de Jean-Paul Sartre subira le même sort. Raymond Aron avait, pour sa part, reçu des « lettres de menaces [44] » de l'OAS. L'une d'entre elles est, conservée dans ses archives. Le début en est martial : « Monsieur, force nous est de constater avec regret que face à la période de danger accru qui, de par la trahison de De Gaulle, attend notre Patrie, vous ne voulez pas comprendre ce que signifie cette époque dans l'histoire de la France et vous rangez au côté de ceux qui entraînent le pays au désastre [45]. » Et la fin est une menace sans ambiguïté : « Considérez cette lettre comme notre dernier avertissement. Nous avons les moyens – auxquels nous recourrons sans hésiter – de réduire au silence ceux

---

43. Annie Cohen-Solal, *Sartre*, réf. cit., pp. 542-543.

44. Il y fait allusion dans sa déclaration faite le 15 novembre 1961 à la Sorbonne, au moment d'un mouvement de grève contre les menées de l'OAS (document dactylographié extrait des archives personnelles de Raymond Aron et cité par Nicolas Baverez, *Raymond Aron*, réf. cit., pp. 366-367).

45. Raymond Aron n'approuva jamais, loin s'en faut, les engagements directs en faveur du FLN. Au mois d'octobre 1960, au moment où le débat est grand sur le « Manifeste des 121 » et sur le procès Jeanson, qui ont polarisé l'attention quelques semaines plus tôt, il publie dans *Preuves* un article intitulé « De la trahison », où il condamne explicitement les engagements d'Henri Jeanson, déplorant notamment que « les Français qui combattent dans les rangs du FLN apparaissent comme des traîtres » à une part « importante de l'opinion » (« De la trahison », *Preuves*, n° 116, octobre 1960, p. 12).

qui, soit consciemment, soit par leur sottise, ouvrent notre Patrie à l'hégémonie du communisme et de la finance internationale [46]. »

Jusque devant le danger encouru, les deux hommes adoptèrent donc des attitudes très dissemblables et qui, somme toute, étaient dans les deux cas dans le droit fil de leurs analyses et de leurs comportements depuis des années. Jusqu'au ton qui, au bout du compte, était en harmonie avec la teneur des propos tenus. Ainsi, Raymond Aron, au cœur des vagues d'attentats de l'OAS, et alors même qu'il en était l'une des cibles possibles, déclare à ses étudiants de sociologie de la Sorbonne : « Maintenant que je vous ai dit ce que je pensais de l'Algérie, de l'OAS, je vous demande de ne pas vous laisser emporter, ceux d'entre vous qui sont du même côté que moi, par des passions aveugles contre ceux de vos camarades qui sont de l'autre côté, c'est-à-dire qui ont des sympathies pour l'OAS. » Car, précisait Aron, s'il vivait « depuis des années avec une sorte de désespoir le déroulement de cette tragédie », il avait le sentiment que celle-ci risquait « d'entraîner les Français à se battre les uns contre les autres ». Et de conclure : « À partir du moment où les passions sont déchaînées, le plastic risque d'avoir plus d'influence que la parole. Mais à la Sorbonne, nous sommes par définition des hommes de parole et non pas des hommes de plastic. J'espère que vous êtes tous plutôt, en dépit de vos passions, des hommes de parole [47]. »

Les hommes de parole contre les hommes de plastic ! Sartre, à coup sûr, et pas seulement dans l'attitude à adopter face à l'activisme de l'OAS, est alors sur une tout autre longueur d'onde. Sa préface aux *Damnés de la terre* de Frantz Fanon est

---

46. Lettre signée « l'OAS », postée à Paris le 16 avril 1962 et adressée à « Monsieur Raymond Aron, Journaliste » à son adresse personnelle (cité par Isabelle Wanaverbecq, *Raymond Aron et la guerre d'Algérie*, réf. cit., p. 222-223). Cette lettre n'était pas la première : on l'a vu, plusieurs mois plus tôt, déjà, Raymond Aron évoquait d'autres lettres de menaces.

47. Déclaration, déjà signalée, faite à la Sorbonne le 15 novembre 1961.

bien connue. En 1961, l'auteur, médecin psychiatre de trente
six ans d'origine martiniquaise passé dans le camp du FLN à
partir de 1956, publie son livre chez Maspero. Frantz Fanon
– qui mourra de la leucémie quelques mois plus tard, en
décembre 1961 – y préconise non seulement la lutte contre
la colonisation par la « violence absolue » mais, de surcroît,
une rupture radicale avec l'Occident. À l'Europe « qui n'en finit
pas de parler de l'homme tout en le massacrant partout où
elle le rencontre », il faut cesser de « payer tribut en créant
des États, des institutions et des sociétés qui s'en inspirent ». En
tout état de cause, « présentée dans sa nudité, la décolonisation
laisse deviner, à travers tous ses pores, des boulets rouges,
des couteaux sanglants ». L'affrontement « décisif et meurtrier
des deux protagonistes » nécessite que l'« on jette dans la
balance tous les moyens, y compris, bien sûr, la violence ». De
fait, pour le colonisé, « la vie ne peut surgir que du cadavre en
décomposition du colon [48] ».

Le préfacier du livre, Jean-Paul Sartre, ne fut pas en reste. Il
rivalisa avec Fanon en formules choc... qui choquèrent. Celle
qui est le plus souvent citée laissa perplexes sur le moment
même nombre d'observateurs. Sartre écrivait, en effet : « Car,
en le premier temps de la révolte, il faut tuer : abattre un Européen, c'est faire d'une pierre deux coups, supprimer en même
temps un oppresseur et un opprimé : restent un homme mort et
un homme libre ; le survivant, pour la première fois, sent un sol
national sous la plante de ses pieds [49]. » On se gardera bien ici
d'extraire de leur contexte les phrases de ce texte souvent cité.
Force est pourtant de constater que ce n'est pas seulement le
ton qui se durcit mais aussi une pensée qui verse dans l'incantation et prône la responsabilité collective : « L'Europe, gavée de
richesses, accorda *de jure* l'humanité à tous ses habitants : un
homme, chez nous, ça veut dire un complice puisque nous

---

48. Frantz Fanon, *Les Damnés de la terre*, Maspero, 1961, *passim*.
49. Jean-Paul Sartre, préface à Frantz Fanon, *Les Damnés de la terre*, réf. cit.,
p.20.

avons *tous* profité de l'exploitation coloniale[50]. » La mauvaise conscience aidant, on touche, d'une certaine façon, à la haine de soi : « Rien de plus conséquent, chez nous [les Européens], qu'un humanisme raciste puisque l'Européen n'a pu se faire homme qu'en fabriquant des esclaves et des monstres[51]. » Dès lors, il s'agit pour le tiers monde « d'entrer dans l'histoire[52] ». Et l'on mesure la distance prise avec d'autres secteurs de la gauche en lisant, par exemple, le compte rendu de Jean-Marie Domenach dans *Esprit*[53].

Reste une question que l'on ne peut ici ni éluder ni trancher : ces intellectuels engagés pesèrent-ils, au bout du compte, sur le déroulement et le dénouement de la guerre ? Cette question est d'autant plus décisive que « la guerre d'Algérie fut d'abord une guerre politique où la partie non militaire fut plus déterminante que les opérations militaires[54] ». Mais, dans la bataille d'opinion qui accompagna donc la guerre proprement dite, qu'est-ce qui pesa le plus ? Les mots des intellectuels ou toutes les formes d'expression que relayaient l'image et le son, qui continuaient alors leur montée en puissance dans la société française ? Il n'est ni provocateur ni incongru de formuler l'hypothèse que les transistors durant le putsch des généraux ou la photographie du visage ensanglanté de la petite Delphine Renard, victime d'un attentat de l'OAS, ont probablement pesé bien plus lourd, dans la balance finale, que Sartre ou qu'Aron. Mais les choses, en histoire, ne sont jamais aussi simples, et une moindre influence sur des événements ne signifie pas une absence d'influence. Par-delà un tel truisme, il y a bien ce constat d'évidence que les acteurs de l'Histoire ne sont jamais uniques et que les

---

50. *Ibid.*, p. 23.
51. *Ibid.*
52. *Ibid.*, p. 13.
53. Mars 1962, pp. 454-463, et avril 1962, pp. 634-645.
54. Charles-Robert Ageron, « L'opinion française devant la guerre d'Algérie », *Revue française d'histoire d'outre-mer*, t. LXIII, 2ᵉ trimestre 1976, n° 231, pp. 256-285, rééd. dans *La Guerre d'Algérie et les Français*, sous la direction de Jean-Pierre Rioux, Fayard, 1990, pp. 25 sq.

intellectuels engagés, dans les sociétés démocratiques, en sont membres à part entière, dans cette alchimie complexe qu'est toujours la prise de décision politique. Pour autant, un tel rôle varie avec les moments et les situations. Il dépend aussi des canaux d'intervention et de diffusion qui sont ceux des clercs. Car si ces derniers raisonnent de façon endogène, c'est-à-dire au sein de leurs milieux propres, le bruit de leurs pensées et de leurs débats résonne en dehors de ces milieux avec une intensité qui est notamment fonction de tels canaux.

Or le seuil des années 1960 est une période tournante en ce domaine. Et, pour cette raison même, la guerre d'Algérie apparaît, on l'a dit, comme une sorte d'été indien – au demeurant douloureux – pour les intellectuels. Certes, ceux-ci sont, par essence, les principales plumes de la « guerre de l'écrit » qui se joue alors, mais, dans le même temps, d'autres formes de communication étaient déjà en train de supplanter leurs mots, fondées désormais sur l'image et le son. L'image, c'est le choc des photos de *Paris-Match*, au lectorat de huit millions de Français, ce sont les premières émissions à partir de 1959 de *Cinq Colonnes à la une*, c'est le visage de Delphine Renard, qui pesa plus, dans le jugement porté par l'opinion sur l'activisme des ultras, que les manifestes et pétitions des clercs. Le son, c'est celui des transistors des appelés du contingent qui, à l'écoute de Paris, sont restés fidèles en avril 1961 à la légalité républicaine au moment du putsch des généraux. Les intellectuels entraient alors dans une phase nouvelle de leur histoire mais ne le savaient pas encore. Bien plus, et il faudra y revenir, la perception par eux de l'évolution en cours serait longtemps différée.

Le tiers monde, nouvel Eldorado révolutionnaire

Parallèlement, les grands enjeux décisifs étaient en train d'évoluer, et le processus, on l'a vu, s'était enclenché dès le milieu des années 1950. À travers les combats en faveur de la décolonisation, c'était, plus largement, le thème de la lutte de libération nationale qui prenait le relais de l'espérance révolutionnaire fondée sur les prolétariats des nations industrialisées. Et l'évolution ne pouvait pas ne pas avoir de conséquences sur l'air du temps intellectuel. Selon la formule de François Furet, comme « le secret des sociétés ne se livre plus à Billancourt, il faut aller le chercher sous les *Tristes Tropiques* magiquement révélés par Lévi-Strauss [55] ». Le « structuralisme », dès lors, amorçait sa montée en puissance.

Dans un tel contexte, avoir été l'officiant de l'existentialisme et l'interlocuteur du marxisme exposait forcément à des remises en cause. De façon significative, Sartre choisit alors le terrain politique pour ses tentatives de contre-offensive. Au moment même où il était directement ou indirectement interpellé par des œuvres naissantes – Foucault, entre autres – ou confirmées – ainsi Lévi-Strauss –, il en revenait, en effet, dans sa ligne de défense, au politique et aux rapports avec l'Histoire. Ainsi, dans son débat avec Michel Foucault en 1966, quand sortit *Les Mots et les choses*[56], il déclara, dans *L'Arc*, en réponse à une question de Bernard Pingaud l'interrogeant sur la teneur de ce débat[57]: « Une tendance dominante au moins, car le phénomène n'est pas général : c'est le refus de l'Histoire. » Car, ajoute-t-il, Foucault refuse de « faire intervenir la praxis, donc l'Histoire ». Et la conclusion de la sentence est sans appel : « C'est le marxisme

---

55. François Furet, « La gauche française entre dans l'après-guerre », réf. cit., p. 21.

56. Cf. Didier Eribon, *Michel Foucault*, Flammarion, 1989, pp. 188-189.

57. « Dans l'attitude de la jeune génération à votre égard, voyez-vous une inspiration commune ? » (« Jean-Paul Sartre répond », *L'Arc*, n° 30, 1966).

qui est visé. Il s'agit de constituer une idéologie nouvelle, le dernier barrage que la bourgeoisie puisse encore dresser contre Marx. »

Nous sommes alors en 1966. Si le rayonnement intellectuel de Jean-Paul Sartre s'affaiblit dans les années 1960, son engagement politique reste dense. Sur les 488 manifestes que l'on recense dans *Le Monde* entre 1958 et 1969, au fil de la République gaullienne, il en signe 91. Et il précède largement les autres grands pétitionnaires :

Jean-Paul Sartre	91	Jean Dresch	43
Laurent Schwartz	77	Pierre Vidal-Naquet	39
Simone de Beauvoir	72	Claude Roy	38
Jean-Marie Domenach	69	Marguerite Duras	37
Vladimir Jankélévitch	63	Claude Bourdet	36
Alfred Kastler	61	Emmanuel d'Astier	35
Jacques Madaule	52	André Hauriou	35
Jean Cassou	51	Maurice Nadeau	34
François Mauriac	47	Pierre Cot	31
Louis Martin-Chauffier	47	Daniel Mayer	31 [58]
Louis Aragon	45		

En d'autres termes, le premier du palmarès signe trois fois plus que le vingtième, qui n'est autre pourtant que le président de la Ligue des droits de l'homme, Daniel Mayer.

À l'image d'une partie de la gauche intellectuelle, cet engagement sartrien se fait dans un contexte idéologique recomposé, à la suite d'un double glissement sémantique et géographique. Au binôme prolétariat-bourgeoisie s'est substitué peu à peu un antagonisme entre « l'impérialisme » et le tiers monde « prolétaire ». Celui-ci doit être le levain des révolutions à venir, et sur lui s'opère, de ce fait, un transfert affectif et idéologique. Si la Chine cristallise alors une partie des aspirations[59], Cuba apparaît

---

58. D'après Dominique-Pierre Larger, *Les Manifestes et déclarations de personnalités sous la Cinquième République (1958-1969)*, mémoire de DES de science politique, faculté de droit de Paris, 1971.

59. Déjà, au retour de son voyage en Chine en septembre 1955, Sartre avait évoqué « le calme de la toute-puissance » du gouvernement chinois (« La Chine que j'ai vue », *France Observateur*, 1er et 8 décembre 1955).

comme l'épicentre possible d'une tempête révolutionnaire sur l'Amérique latine tout entière.

Sartre, notamment, adhéra à cette ferveur procubaine, et son reportage – « Ouragan sur le sucre » – publié par *France-Soir* en juillet 1960 sera souvent cité par la suite pour ses analyses qui ont mal vieilli. On se contentera ici de reproduire la caution explicitement apportée à Fidel Castro : « Castro dit que le nouveau régime est un humanisme. Cela est vrai. Il faut pourtant reconnaître que, dans leurs premiers temps, beaucoup de révolutions ont mérité ce beau titre et qu'elles l'ont perdu sous le poids écrasant de leurs charges. Ce qui protège aujourd'hui – ce qui protégera longtemps, peut-être – la révolution de Cuba, c'est qu'elle est contrôlée par la rébellion [60]. » De son côté, Simone de Beauvoir décrétait à la même époque qu'était en train de naître à Cuba une société « authentique, libre, responsable, en un mot existentialiste ». Ce n'est que onze ans plus tard que Jean-Paul Sartre et Simone de Beauvoir signeront une pétition adressée « au commandant Fidel Castro », exprimant « la honte et la colère » d'intellectuels français condamnant l'autocritique extorquée au poète cubain Heberto Padilla [61].

Dans ce « redéploiement des loyautés [62] » d'une partie du milieu intellectuel français passant en ce début des années 1960 de la défense de l'Union soviétique – à l'image ébranlée depuis 1956 – à l'exaltation d'un tiers monde devenu dépositaire des espérances révolutionnaires, la guerre du Vietnam allait devenir rapidement un des domaines privilégiés de ce réinvestissement. Et Sartre et Aron n'allaient pas manquer d'en tirer des analyses dissemblables. Pour l'heure, il est vrai, les événements hexagonaux allaient leur donner une autre occasion de s'affronter.

---

60. *France-Soir*, 12 juillet 1960.
61. « Des intellectuels français et étrangers rompent avec le régime cubain », *Le Monde*, 22 mai 1971.
62. François Bourricaud, *Le Bricolage idéologique*, PUF, 1980, p. 196.

CHOC DIRECT EN 68

L'attitude des deux hommes en mai-juin 1968 a été analysée avec soin par leurs biographes[63]. S'il faut y revenir ici, c'est moins pour le rappel d'initiatives qui ne furent jamais, au bout du compte, de premier plan au cours de ces semaines que parce que l'un et l'autre tinrent un rôle et que ce rôle a laissé un souvenir contrasté, y compris dans leurs mouvances respectives. À tout prendre, aucun des deux ne sortit réellement grandi des événements, mais l'un et l'autre firent ce qu'ils considérèrent devoir faire. Le répertoire fut convenu mais les personnages restèrent fidèles à eux-mêmes. Et c'est probablement ces rôles tenus et ces personnages assumés qui firent que mai 1968 fut l'occasion d'un choc direct entre les deux hommes.

Sartre, au moment où se déclenche la crise de 1968, est déjà largement engagé dans la grande aventure de son *Flaubert*. Dès le départ, il prend publiquement et fermement position en faveur du mouvement étudiant. Il signe, par exemple, une déclaration intitulée « Il est capital que le mouvement des étudiants oppose et maintienne une puissance de refus[64] », aux côtés, entre autres, de Marguerite Duras, André Gorz, Henri Lefebvre, François Châtelet, Maurice Blanchot, Jacques Lacan et Maurice Nadeau[65]. Il s'entretient aussi, dans un dialogue publié par *Le Nouvel Observateur,* avec Daniel Cohn-Bendit[66]. À la lumière de ce dialogue comme des autres prises de position sartriennes qui suivirent au fil de mai et juin 1968, il apparaît bien que l'intervention du philosophe fut, somme toute, banale et,

---

63. Ainsi, Nicolas Baverez, *Raymond Aron,* réf. cit., pp. 392-403, et Annie Cohen-Solal, *Sartre,* réf. cit., pp. 584-591.

64. *Le Monde,* 10 mai 1968, p. 9.

65. *Ibid.*

66. « L'imagination au pouvoir. Entretien de Jean-Paul Sartre avec Daniel Cohn-Bendit », *Le Nouvel Observateur,* supplément spécial, 20 mai 1968 (repris dans Jacques Sauvageot, Alain Geismar, Daniel Cohn-Bendit, Jean-Pierre Duteil, *La Révolte étudiante : ses animateurs parlent,* Le Seuil, 1968, pp. 86-97).

souvent, quasi incantatoire. La banalité des propos qu'il tint alors est d'autant plus frappante qu'elle contraste singulièrement avec les analyses que firent à chaud un Edgar Morin, un Cornelius Castoriadis ou un Alain Touraine.

Elle éclate, par exemple, quand Sartre déclare à la radio : « Nous étions des hommes lâches, épuisés, fatigués, avachis par une obéissance totale et complètement victimes d'un système clos [67]. » Les penseurs qui, après mai 1968, vivifièrent la réflexion antitotalitaire puisèrent assurément à d'autres sources qu'à cette vision déconnectée de la réalité des sociétés occidentales : celles-ci, emportées avant même 1968 dans le tourbillon d'une mutation socio-culturelle sans précédent, n'étaient pas précisément alors dans une situation d'obéissance totale. Et le propos patine d'autant plus qu'il est mâtiné d'incantation. L'appel du général de Gaulle du 30 mai devient ainsi « un appel au meurtre lancé par le président de la République ». L'universitaire type est un « monsieur qui a fait une thèse et qui la récite tout le reste de sa vie ». Le monsieur en question, on le verra, est incarné, comme il se doit, par Raymond Aron. Assurément, ces propos sont à replacer dans le contexte de l'effervescence lyrique du Mai français, mais Jean-Paul Sartre jugea certains d'entre eux suffisamment topiques et révélateurs de sa pensée pour les intégrer par la suite, à froid, dans le tome VIII de *Situations* publié en 1972 [68]. Surtout, ces textes ne restèrent pas cantonnés, sur le moment, à une mouvance réduite, c'est *Le Nouvel Observateur* qui en publia quelques-uns au cœur de la crise.

L'incantation sartrienne y prit pour cible directe l'ancien « petit camarade », puisque le principal article s'intitulait « Les Bastilles de Raymond Aron [69] ». Cet article éponyme constituait une véritable danse du scalp, puisque Sartre y écrivait

---

67. Déclaration à Radio-Luxembourg le 12 mai, reprise dans les *Écrits de Sartre*, p. 463.

68. Ainsi, « Les Bastilles de Raymond Aron » y fut repris, pp. 175-192.

69. Propos recueillis par Serge Lafaurie, *Le Nouvel Observateur*, 19-25 juin 1968, pp. 26-29.

notamment : « Quand Aron vieillissant répète indéfiniment à ses étudiants les idées de sa thèse, écrite avant la guerre de 1939, sans que ceux qui l'écoutent puissent exercer sur lui le moindre contrôle critique, il exerce un pouvoir réel, mais qui n'est certainement pas fondé sur un savoir digne de ce nom. » Sartre, par la même occasion, dérape : « Cela suppose qu'on ne considère plus, comme Aron, que penser seul derrière son bureau – et penser la même chose depuis trente ans – représente l'exercice de l'intelligence. » Certes, là encore, il y aurait malhonnêteté à ne pas replacer la phrase dans le contexte fondamentalement contestataire de mai 1968. Sartre précise, du reste, sa pensée : « Cela suppose surtout que chaque enseignant accepte d'être jugé et contesté par ceux auxquels il enseigne, qu'il se dise : "Ils me voient tout nu." C'est gênant pour lui, mais il faut qu'il en passe par là s'il veut redevenir digne d'enseigner. » Depuis des années, « l'exercice de l'intelligence » sartrien ne se déployait-il pas également derrière un bureau, et notamment en cette fin des années 1960 où il médite son *Flaubert* ?

Raymond Aron, en tout cas, était probablement déshabillé pour longtemps aux yeux d'un Sartre qui concluait : « Il faut, maintenant que la France entière a vu de Gaulle tout nu, que les étudiants puissent regarder Raymond Aron tout nu. On ne lui rendra ses vêtements que s'il accepte la contestation. » La lecture des *Mémoires* de Raymond Aron montre que, par-delà vingt années de vifs débats qui, déjà, séparaient les deux hommes, cet article et, plus largement, les événements de mai constituèrent une sorte de piqûre de rappel réactivant, jusqu'à la mort, une réelle inimitié, même si celle-ci relevait moins de l'affectif que de l'idéologique. Piqûre dans tous les sens du terme, au demeurant, car l'attaque de Sartre trancha dans le vif et qu'Aron en fut profondément et durablement blessé.

Au moment où éclate la crise de mai, ce dernier a quitté depuis quelques mois la Sorbonne pour se consacrer à sa seule direction d'études à la VIᵉ section de l'École pratique des hautes études. Assurément, son analyse des événements de Mai, faite quasiment à chaud dans *La Révolution introuvable,* est aux

antipodes de celle de Sartre. Il y trouve la confirmation, inquié-
tante à ses yeux, de «la fragilité de l'ordre moderne[70]», tandis
que, dans «Les Bastilles de Raymond Aron», Sartre y voit au
contraire «un espoir pour un ordre différent[71]». Surtout, *La
Révolution introuvable* renvoie la secousse de Mai au statut de
non-événement. Certes, il est vrai que sur le plan politique Mai
1968 n'a pas débouché sur une révolution. Tout au contraire, le
régime, ébranlé par de précaires résultats aux élections législatives de mars 1967, se voyait désormais nanti, avec 294 députés
UDR élus les 23 et 30 juin, d'une majorité absolue et, de ce fait,
d'une véritable «Chambre introuvable». Les conséquences sont
donc à rechercher dans d'autres domaines, et leur interprétation a varié avec les observateurs. Épiphénomène pour certains,
Mai 68 a été, au contraire, pour d'autres une secousse tecto-
nique qui a révélé les failles de la société française. Dans un
article de la *Revue française de science politique,* deux ans après
les événements, Jean Touchard recensera ainsi près d'une
dizaine d'hypothèses, depuis le complot subversif jusqu'à la
crise de civilisation en passant, entre autres, par une crise de
l'Université, un accès de fièvre de la jeunesse, un conflit social
traditionnel ou au contraire de type nouveau, et un enchaîne-
ment de circonstances.

Alors qu'Alain Touraine, par exemple, diagnostique dans *Le
Communisme utopique* l'émergence de nouvelles formes de lutte
sociale sécrétées par l'avènement d'une société «post-indus-
trielle» ou que Stanley Hoffmann y décélera par la suite, dans
ses *Essais sur la France,* «la révolte contre le système français d'autorité», Raymond Aron, à chaud, considéra dans *La Révolution
introuvable* qu'il s'agissait d'un «psychodrame», en d'autres
termes d'une révolte mimée. L'analyse fut débattue, sur le
moment aussi bien que par la suite. C'était, on l'a déjà souligné,
réduire la crise à un non-événement. C'était surtout, d'autre

---

70. Raymond Aron, *La Révolution introuvable. Réflexions sur les événements de
mai,* Fayard, 1968, p. 15.
71. *Situations* VIII, p. 184.

part, lui objectera-t-on souvent, gommer le fait que, à défaut d'avoir été un événement fondateur, le printemps 1968 aura été pour le moins un révélateur et un catalyseur, mettant en lumière et accélérant, dans une société enrichie et apparemment cimentée par un consensus sur les valeurs de la civilisation industrielle et urbaine, une mutation en cours, jusque-là demeurée invisible. L'objection était de taille, surtout opposée au futur titulaire – deux ans plus tard – de la chaire de sociologie de la civilisation moderne au Collège de France.

Implicitement, il est vrai, le propos du livre d'Aron se voulait essentiellement placé sur un registre politique. Mais, sur ce registre précisément, l'analyse, parce qu'elle était faite à chaud, n'a peut-être pas pleinement rendu compte du caractère idéologiquement ambivalent du mouvement, à la fois marxiste-léniniste et libertaire. Car l'une des questions posées à l'historien par mai 1968, essentielle pour la compréhension de la décennie suivante, est bien celle-ci : dans les rapports complexes entretenus par les intellectuels français avec le marxisme, le printemps 1968 a-t-il constitué un tremplin où cette idéologie a rebondi après ses déceptions venues de l'est de l'Europe, notamment en 1956, ou bien un butoir sur lequel elle est venue mourir ? Apparemment, dans l'immédiat après-mai, le marxisme continue à imprégner le vocabulaire et semble donc avoir parfaitement utilisé le tremplin. Mais la décennie suivante montrera qu'il n'en était rien : dans l'évolution du comportement et des mentalités que connaît alors la société française, c'est la composante « libertaire » de Mai 1968 beaucoup plus que son autre versant qui a tracé un sillon.

Au sein de cette double dimension, Sartre s'est mû avec d'autant plus de facilité que chacune des deux composantes pouvait avoir le sentiment d'être sinon toujours en phase, en tout cas en relative proximité affective et idéologique avec le philosophe. Le point apparut clairement le 20 mai, quand celui-ci vint dans le grand amphithéâtre de la Sorbonne occupée [72]. L'affiche

---

72. Cf. les citations reproduites dans le compte rendu de la rencontre par Michel Legris dans *Le Monde* du 22 mai (« M. Jean-Paul Sartre à la Sorbonne

établie par le «Bureau d'agitation culturelle» annonçait également, entre autres, Kostas Axelos, Pierre Bourdieu et Marguerite Duras[73]. Alors que, durant cette même deuxième quinzaine de mai, Aragon sera interpellé sans aménité par Daniel Cohn-Bendit sur le boulevard Saint-Michel, Sartre fut écouté et applaudi, comme en atteste la transcription de la rencontre. Et, notamment, celle des dernières phrases de Sartre : «Je m'en vais vous quitter maintenant parce que je commence à être un peu fatigué. Si je continue à vous répondre, je dirai des bêtises. Alors, il vaut mieux que je m'en aille *(Brouhaha)*. Mais je voudrais insister, en m'en allant, sur la nouveauté du débat que vous avez institué et qui va se poursuivre entre écrivains et étudiants. Celui-ci... n'est que le premier, il y en aura tant que vous en voudrez. Au revoir *(Applaudissements)*[74]. »

Certes, il convient de ne pas exagérer l'importance de l'épisode, replacé dans le contexte de l'ample mouvement social qui se développe à ce moment. Au cours des jours suivants, aucun des grands quotidiens régionaux du Nord-Pas-de-Calais, par exemple, n'accordera la moindre ligne à cette présence dans la Sorbonne occupée[75]. Et pourtant l'ovation faite à Jean-Paul Sartre est révélatrice de deux autres choses au moins. D'une part, à nouveau, le philosophe touche au mythe. Lui qui figure depuis 1965 dans le volume consacré au xxe siècle du Lagarde et Michard[76] et qui, fût-ce à son corps défendant, est ainsi déjà embaumé de son vivant, est écouté avec tout le respect dû à un mythe. La remarque, pour banale qu'elle soit, est essentielle :

---

pour l'association du socialisme et de la liberté »). Cf. surtout l'enregistrement réalisé par Julien Besançon, à l'époque journaliste à Europe 1, et publié par *Le Nouvel Observateur* vingt ans après (« Sartre à la Sorbonne en Mai 68 »), n° 1229, 27 mai-2 juin 1988, pp. 124-125).

73. D'après Hervé Hamon et Patrick Rotman, *Génération*, t. I, *Les Années de rêve*, Le Seuil, 1987, p. 523.

74. Julien Besançon, *loc. cit.*, p. 125.

75. Cf. Sandrine Brienne, *Les Événements nationaux de la crise de mai-juin 1968, au regard de la presse nordiste*, maîtrise, Lille III, 2 vol., 1994, p. 151.

76. *Op. cit.*, Bordas, 1965, pp. 593-604.

une nouvelle génération est touchée, et se confirme ainsi ce statut unique dans l'histoire des intellectuels français au xxe siècle, celui de clerc intergénérationnel. Plusieurs générations successives de jeunes intellectuels furent ainsi touchés, non pas seulement par une œuvre – car, dans ce domaine, il n'y a pas spécificité, la réception d'une pensée s'éployant logiquement sur plusieurs décennies – mais aussi par un homme devenu une sorte de statue du Commandeur. Que Sartre l'ait voulu ou non importe assez peu, au bout du compte. Seules comptent ici une réalité et l'alchimie complexe qui en est la cause.

En même temps, cette sacralisation correspond à une phase de l'histoire des clercs, dont Sartre est bien l'« incarnateur ». Alors qu'en ces années 1960 la révolte des campus américains s'opère sur fond de son – le *protest song* – et d'images – la télévision et sa couverture de la guerre du Vietnam –, Mai 1968, tout au moins pour son versant étudiant, restait placé en France sous le signe de la Sorbonne et des clercs : la transgression revendiquée et la révolte assumée passaient ainsi symboliquement par le fait d'applaudir Sartre, d'ignorer Aron et de siffler Aragon, et ce dans le cadre de la Sorbonne ou sur ses abords. D'un côté de l'Atlantique, donc, l'effet B-52 et l'effet Bob Dylan, beaucoup plus, au bout du compte, que l'effet Columbia ou Berkeley ; sur le vieux continent, l'occupation de la Sorbonne, promue usine Poutilov à la veille d'octobre 1917, et l'ovation à Sartre, censé livrer le code pour investir Billancourt.

Cela étant, il faut observer que l'image et le son avaient alors pleinement rattrapé la société : c'est l'amplification radiophonique des « nuits de barricades » qui leur conférera leur épaisseur historique et c'est le discours à la radio du général de Gaulle le 30 mai qui contribuera à désamorcer la crise. L'explosion comme le dénouement existent en tant qu'événements en raison de leur faculté de résonance. D'une certaine façon, Sartre a beau être applaudi dans le grand amphithéâtre de la Sorbonne, il est dépassé par l'Histoire. Dans l'effervescence de l'après-guerre, sa notoriété vint de l'écrit et de son environnement logistique : une œuvre philosophique vulgarisée par la nouvelle, le roman et surtout le théâtre, et une revue devenue rapidement prestigieuse. Et en 1970, le Sartre faisant un discours devant les usines Renault appartient encore à la planète Gutenberg. Jusqu'au micro qu'il tient en cette occasion qui apparaît comme un simple appendice de l'écrit, celui de *La Cause du peuple*. Inversement, l'irrévérencieux « Sartre, sois bref ! » lancé en 1969 au philosophe lors d'un meeting à la Mutualité, en un lieu où il avait pu en d'autres occasions développer longuement ses analyses et les attendus de ses appuis ou de ses blâmes, venait de jeunes militants qui, pour certains d'entre eux, étaient déjà entrés dans la galaxie Andy Warhol et dans l'ère McLuhan. Ceux-ci avaient souvent fait leur apprentissage politique au moment de la guerre du Vietnam, premier conflit de cette nouvelle ère.

Sous le signe du Vietnam

Jean-Paul Sartre fut immédiatement en pointe dans le combat contre la guerre du Vietnam. Celle-ci se déclencha réellement dans les premiers mois de 1965, ou plus précisément elle changea d'échelle à ce moment-là : le 7 février, débutèrent les raids aériens américains contre le Vietnam du Nord et au printemps les *marines* commencèrent à débarquer à Da-Nang. Dès le 24 février, un premier grand manifeste est publié dans *Le Monde*, dénonçant « l'intervention militaire » américaine. Jean-Paul Sartre signe ce texte, tout comme celui qui, le 27 mai suivant, appelle à la constitution, « au moins à l'échelle de l'Europe occidentale », d'un mouvement de lutte contre la politique américaine au Vietnam. Sartre se retrouve, dans ce combat, aux côtés notamment de Laurent Schwartz, François Mauriac, Théodore Monod, Jean-Pierre Vernant, Morvan-Lebesque, Roger Garaudy, Alain Resnais, Édouard Pignon et Simone de Beauvoir. Quand ont lieu, au printemps suivant, les « Six Heures pour le

Vietnam» à la Mutualité le 26 mai 1966, celles-ci sont précédées d'un appel dénonçant «l'occupation américaine du Vietnam» et soutenant «le combat que mène le peuple sud-vietnamien pour son indépendance, sous la direction du Front national de libération». Sartre, à nouveau, signe, aux côtés notamment de Vladimir Jankélévitch, Ernest Labrousse, Madeleine Rebérioux, Paul Ricœur, Laurent Schwartz et Pierre Vidal-Naquet.

Entre-temps, le philosophe était devenu membre du tribunal Russell sur les crimes de guerre. Chargé de rédiger les attendus du verdict du tribunal – qui accusait les États-Unis de crimes de guerre au Vietnam –, il avait conclu à la volonté délibérée d'exterminer et rendu un verdict de «génocide[77]». Avec une vision démonologique sous-tendant ce verdict: «La victoire du Vietnam prouvera que l'homme est possible contre la "chose", c'est-à-dire le profit et ses serviteurs», et «les Vietnamiens se battent pour tous les hommes et les forces américaines contre tous[78]». Ces attendus entraînent, en tentant d'éviter le péché d'anachronisme, deux remarques. La première est, bien sûr, que de telles phrases pèseront lourd, une dizaine d'années plus tard, quand viendra le temps des illusions fracassées et des «années orphelines». Et les combats vespéraux de Sartre en faveur des *boat people* en 1979 seront, pour cette raison, diversement appréciés: combats dans la continuité d'une vie pour les uns, toujours au nom de la justice et contre l'oppression, combats sous le signe de la contradiction pour les autres, puisque l'existence des *boat people* contredisait rétrospectivement le fait que les Vietnamiens se soient battus «pour tous les hommes».

Plus profondément, l'usage du mot «génocide» sous la plume de l'intellectuel probablement le plus célèbre dans le monde à cette époque ne risquait-il pas d'éroder, à peine plus de deux décennies après la Libération, le sens des mots et de les priver ainsi d'une partie de leur poids? Il faudrait sans doute,

---

77. Cf. *Situations* VIII, réf. cit., notamment pp. 100-124.
78. *Ibid.*, pp. 93 et 124.

sur ce point, remonter quelques années plus tôt, au moment de la guerre d'Algérie, et y pointer déjà l'usage du même mot par quelques clercs de l'époque. Ainsi, dans son «Avertissement de l'éditeur» au *Droit à l'insoumission (le dossier des «121»)*, François Maspero écrivait: «Depuis six ans, la France menait avec persévérance, sinon avec succès, ses opérations systématiques de génocide en Algérie[79].» La même année, Sartre observait, dans sa préface aux *Damnés de la terre* de Frantz Fanon: «Ils ont bonne mine, les non-violents: ni victimes ni bourreaux! Allons! Si vous n'êtes pas victimes, quand le gouvernement que vous avez plébiscité, quand l'armée où vos jeunes frères ont servi, sans hésitation ni remords, ont entrepris un "génocide", vous êtes indubitablement des bourreaux[80].» Toujours est-il que, même si l'on peut repérer une préhistoire de l'usage du mot, Sartre et le tribunal Russell, en le brandissant solennellement, en cautionneront l'utilisation, qui deviendra récurrente. Soixante-dix intellectuels soulignent, par exemple, dans un appel publié dans *Le Monde* du 14 mai 1966, que «le peuple vietnamien est victime d'un véritable génocide». Ou encore, en 1972, après la reprise des bombardements américains sur le Nord, *Le Monde* du 28 juillet signalera que «six cent cinquante chercheurs et universitaires français» ont adressé une «lettre aux universitaires américains» qui pose notamment cette question: «Comment une guerre peut-elle être juste quand elle se traduit par le génocide de trois peuples?»

Sartre, au demeurant, entonnera à nouveau personnellement l'antienne. Le 20 janvier 1973, Richard Nixon, réélu président en novembre, commence son second mandat. Dans *Le Monde* du même jour – daté des 21-22 janvier – est publiée une déclaration signée par ceux qui présidèrent quelques années plus tôt le tribunal Russell, Jean-Paul Sartre, Vladimir Dedijer et Laurent Schwartz. «Devant l'impossibilité de réunir immédiatement le tribunal, déclarent-ils, c'est nous, soussignés, qui mettons en

---

79. *Op. cit.*, Maspero, 1961, p. 7.
80. *Op. cit.*, Maspero, 1961, p. 20.

accusation le président des États-Unis d'Amérique. » Et leur verdict est sans appel : « En conclusion, nous accusons Richard Nixon d'être un criminel de guerre qui devrait être jugé comme les dirigeants nazis l'ont été pour des faits de même nature à Nuremberg. » Certes, de tels propos doivent être replacés dans le contexte de l'émotion suscitée par des raids aériens massifs sur le Vietnam du Nord quelques semaines plus tôt, en décembre 1972. Il n'en demeure pas moins qu'ils sont prononcés par l'intellectuel possédant, à l'époque, le plus fort pouvoir de résonance.

Tout comme le thème du génocide, celui du « combat pour tous les hommes », dont la formulation fut largement relayée par l'écho que rencontraient les analyses du tribunal Russell, fut répercuté et amplifié à plusieurs reprises. Ainsi le « Front Solidarité Indochine », dans son communiqué fondateur publié par *Le Monde* du 23 avril 1971, déclarait notamment : « Aujourd'hui, le destin de tous les peuples du monde se joue en grande partie sur les champs de bataille indochinois. » Déjà, le 23 mars 1968, une « Journée des intellectuels pour le Vietnam », organisée à l'appel de quelques clercs dont Jean-Paul Sartre, avait souhaité que les intellectuels du monde entier « répondent victorieusement à ce défi lancé aux valeurs de la culture humaine ». On remarquera qu'avec ce thème de la défense de la culture réaffleure ici l'un des *leitmotive* du combat antifasciste des années 1930, notamment au moment de la guerre d'Espagne. L'observation n'est pas indifférente, car – nous y reviendrons – une génération eut le sentiment de retrouver, sous le signe du Vietnam, des engagements de teneur identique à ceux de l'Espagne trente ans plus tôt.

Pour cette raison même, il y aura, à partir de la fin des années 1970, quelque injustice à faire endosser par le seul Sartre les suites idéologiques d'un engagement qui toucha largement le milieu intellectuel français, à travers plusieurs strates générationnelles de surcroît. Et pourtant il est bien vrai, on le verra, qu'il fut ensuite la principale victime – à titre essentiellement posthume – du grand chassé-croisé qui s'amorça en cette fin de décennie. L'amplitude de ce retour de balancier et sa personnalisation aussi marquée ne prennent sens que replacées dans une double temporalité. Sur le court terme, Sartre, par ses prises de position, était en train de s'enfermer dans une contradiction que résume, par exemple, la déclaration qu'il fera quelques jours après la chute de Phnom Penh et de Saigon, qui marquait la fin de trente années de guerre dans la péninsule indochinoise. Il résuma, en effet, la situation dans *Le Monde* du 10 mai 1975 en ces termes : « Je souhaite que le communisme vietnamien prenne une forme nouvelle. Mais cela les regarde. On attend avec un certain espoir, car les Vietnamiens sont des combattants extraordinaires et ces mêmes combattants sont aussi des hommes charmants. Quand je les vois, j'ai peine à croire que ce sont de pareils guerriers. » Pavane quelque peu... désarmante pour une guerre qui s'achevait. Mais, surtout, quatre ans plus tard, Jean-Paul Sartre défendait le dossier des *boat people.* Certes, un tel rapprochement pourrait passer pour un raccourci polémique, mais il doit être pourtant fait car dans ce texte de mai 1975 est bien nichée une contradiction qui, rapidement, se transformera en remords taraudant les plus lucides : curieux texte, à bien y réfléchir, que celui d'un Sartre non communiste qui proclame son « espoir » au moment même où une région d'Asie bascule dans l'aire géopolitique du communisme. Qu'en eût-il été à la même date pour un pays d'Europe ? Et n'y aura-t-il pas, dès lors, contradiction chez certains clercs à signer des textes sur le Vietnam puis à défendre, quelques années à peine plus tard, Solidarnosc et la dissidence polonaise ?

Sartre, il est vrai, sera mort depuis quelques mois quand commenceront les événements polonais de l'été 1980. Mais la question, dans son cas comme dans d'autres, ne peut être éludée. Elle replace les engagements lors de la guerre du Vietnam dans une temporalité géopolitique plus large et peut se résumer, d'une certaine façon, dans cette observation en forme d'autocritique d'Olivier Todd en 1987 : « Pour paraphraser Edgar Morin, j'avais en tout cas milité afin d'installer à Saigon un régime que nous condamnions à Prague ou Budapest[81]. » Le chef d'accusation est clair : cécité et complicité. Si l'historien se méfie de ces deux termes, forcément suspects de subjectivité, il remarquera tout de même que souvent les textes que Sartre signa à cette époque tenaient plus, on l'a dit, de l'incantation que de l'analyse profonde. Certes, il faut faire la part de l'urgence : ces textes étaient, pour la plupart, de circonstances, dictés par les événements et sous-tendus par des réseaux de solidarité complexes. Mais ce sera, dès lors, pour admettre que le devoir d'entendement – et même le simple critère de vraisemblance – a laissé la place au seul devoir d'engagement. L'attitude, en soi, a sa cohérence, voire sa noblesse, mais, là encore, elle est par essence réductrice, d'autant qu'elle s'est lestée, sous la plume de Sartre, d'une densité quasi affective, en même temps qu'elle se teinte d'une forte coloration idéologique : David contre Goliath, mais en même temps tiers monde contre impérialisme. Avec, de surcroît, des accents quasi messianiques, sensibles chez Sartre depuis la préface aux *Damnés de la terre* : le tiers-monde, en étant vainqueur, sera en même temps rédempteur de tous les péchés du monde capitaliste.

On se gardera bien d'oublier de replacer de telles mobilisations dans leur contexte, politique et émotionnel. Politiquement, l'opposition à la guerre américaine du Vietnam put d'autant mieux s'enraciner en France que les deux grandes forces politiques du moment – gaulliste et communiste – condamnaient également cette intervention. À quoi s'ajoutait une émotion collective amplifiée par les médias. Non que les grands circuits d'information de l'époque aient consciemment déformé leur relation du conflit vietnamien. Ils ont, au contraire, fait leur métier en conscience, mais en ne montrant que ce qu'on leur donnait à voir, c'est-à-dire la guerre américaine. Or celle-ci, présentée ainsi de façon unilatérale, avait de quoi frapper les esprits, heurter les sensibilités et mobiliser les bonnes volontés. L'« effet B-52 » joua à plein : de 1967 à 1972,

---

81. Olivier Todd, *Cruel Avril. 1975, la chute de Saigon*, Laffont, 1987, p. 15.

sept millions de tonnes de bombes furent déversées sur la péninsule indochinoise, c'est-à-dire deux fois et demie les bombardements alliés de la Seconde Guerre mondiale ! Le B-52, jusque-là
perçu dans les représentations collectives comme l'instrument
du Strategic Air Command et le garant de la défense du
«monde libre», devint le symbole de l'écrasement présumé
d'un petit peuple par un grand[82].

Cet «effet B-52» est, bien sûr, à replacer dans le contexte de
la montée en puissance de la télévision dans la France des
années 1960. Et cette emprise nouvelle de l'image animée, qui
détrôna rapidement la photographie de presse, se fit à l'époque
de l'éveil d'une nouvelle génération, qui y baigna d'emblée. La
génération du *baby boom* fut, en effet, «la première à vivre, à travers un flot d'images et de sons, la présence physique et quotidienne de la totalité du monde[83]». Et, pour cette génération,
«l'effet B-52» vint se superposer à «l'effet Che». En cette
décennie de floraison des modèles tiers-mondistes de révolution, le «Che» incarnera une sorte de saint laïque, aux côtés du
maquisard vietcong en pyjama noir, l'un et l'autre devenant les
symboles des luttes de libération nationale contre «l'impérialisme» américain.

On comprend mieux, dans un tel contexte, qu'en ces années
1960 l'opposition Sartre-Aron ait encore monté d'un cran et ait
culminé, de ce fait, en 1968. Sur le double registre affectif et
politique, tout les oppose alors. Le premier, on l'a vu, a encore
radicalisé ses analyses à l'occasion de la guerre du Vietnam. Et

---

82. Il y aurait, du reste, une belle étude à faire, qui relèverait de la démo-
nologie, sur l'inversion des représentations collectives : comment les ailes
américaines, perçues comme les ailes de la liberté durant la Seconde Guerre
mondiale et encore à l'époque de la guerre froide, ont été ensuite, à l'occasion de la guerre du Vietnam, diabolisées bien au-delà de leur cercle de l'enfer habituel, c'est-à-dire la mouvance communiste. Et comment, parfois sous
les mêmes plumes, elles redevinrent souvent vingt ans plus tard les ailes de la
liberté, au moment de la guerre du Golfe.

83. Dany Cohn-Bendit, *Nous l'avons tant aimée, la révolution,* éditions Bernard Barrault, 1986, p. 10.

durci le ton. Ainsi, en 1965, lorsqu'il est invité par des universitaires américains à se rendre à Cornell, il justifie son refus par le fait qu'une attitude inverse serait interprétée par le tiers monde comme une visite à « l'ennemi[84] ». De fait, l'indignation ne peut qu'être unilatérale, dans la mesure où s'opposent, selon Sartre, « un pays surindustrialisé » et « un groupe de paysans pauvres, traqués, obligés de faire régner dans leurs rangs une discipline de fer[85] ». Fort d'une telle analyse, Sartre ne pouvait que marquer de la distance vis-à-vis des universitaires libéraux de Cornell ou d'ailleurs. D'autant qu'il y a toujours eu chez lui, on l'a vu, une attirance pour les mouvements ouvertement hostiles à la démocratie libérale. Ainsi, dans les années 1960 et au début de la décennie suivante, *Les Temps modernes* publieront des textes de révolutionnaires noirs, y compris ceux favorables à la lutte armée. L'information de Sartre sur ce point venait, il est vrai, de John Gerassi, fils d'un couple ami et militant de l'organisation clandestine Weatherman. On peut s'interroger sur le rôle ainsi joué par Sartre dans cette surdétermination de l'importance de ces groupuscules, au détriment de la nouvelle gauche américaine et des courants non violents[86]. Tout au long de la guerre du Vietnam, il y a bien chez Sartre un scepticisme sur l'action de tels courants.

Sur un tout autre registre s'était placé d'emblée Raymond Aron, refusant explicitement d'être « l'interprète de la conscience universelle[87] ». À nouveau, en effet, l'emporte chez lui le souci de l'analyse sur l'expression des sentiments. Importe moins, somme toute, le fait qu'il se soit alors senti « partagé[88] » que la nécessité de rendre compte, sans se placer au plan moral, d'un conflit qui dura presque une décennie, et qui s'intégrait au

---

84. *Situations* VIII, réf. cit., pp. 12-13.

85. *Ibid.*, p. 34.

86. Marie-Christine Granjon, « Sartre, Beauvoir, Aron : les passions ambiguës », réf.cit., p. 154.

87. Raymond Aron, *La République impériale. Les États-Unis dans le monde, 1945-1972*, Calmann-Lévy, 1973, p. 13.

88. *Mémoires*, réf. cit., p. 619.

cœur des relations internationales de l'époque. Ce qui, du reste, plaçait ses analyses, quoi qu'il en eût, dans une perspective engagée. Il en conviendra, d'ailleurs, implicitement, avant même la fin de cette guerre, dans *La République impériale*, et y reviendra explicitement dans ses *Mémoires* : « En 1965 ou en 1968, il existait une République du Sud-Vietnam qui me paraissait préférable au totalitarisme du Nord[89]. »

Mais, à tout prendre, une telle attitude était précisément en conformité avec le statut de « spectateur engagé » revendiqué depuis l'Allemagne du début des années 1930. Et l'analyse s'éployait à un triple niveau qui permettait de moduler la part du commentaire et celle de l'analyse, dans cette posture de Janus décelée depuis *Le Grand Schisme*. À propos d'une autre crise, celle de Cuba, quelques années avant le Vietnam, on a bien mis en lumière[90] le « processus intellectuel habituel » qu'était chez lui une réflexion menée à trois niveaux. D'abord à chaud – le plus souvent dans *Le Figaro* –, puis avec une première décantation dans ceux de ses ouvrages destinés, par un accès plus aisé, au public cultivé – ici *Le Grand Débat*, paru un an après la crise, fin 1963, et *La République impériale*, publiée dix ans plus tard en 1973. L'ensemble était sous-tendu par une œuvre théorique en amont et en aval de l'événement : dans ce domaine, bien sûr, *Paix et Guerre entre les nations* ou *Penser la guerre, Clausewitz*. Cet épisode de la crise de Cuba confirmait aussi que l'analyse aronienne sur l'Histoire en train de se faire, loin de partir d'une grille préétablie une fois pour toutes, se nourrissait au contraire en permanence de cette Histoire et était, en fait, en constante évolution. Ainsi, après la crise de Cuba, certains aspects des conceptions de Raymond Aron en matière géostratégique ont indéniablement évolué, et ce sur des points essentiels[91]. Il faudrait, de ce fait, analyser par le menu les très

---

89. *Ibid.*, p. 621.
90. Georges-Henri Soutou, « Raymond Aron et la crise de Cuba », *in* Maurice Vaïsse (dir.), *L'Europe et la crise de Cuba*, Armand Colin, 1993, pp. 187-210.
91. *Ibid.*, p. 210.

nombreux articles du *Figaro* qu'Aron consacra à la guerre du Vietnam. Comme la plupart des observateurs[92], c'est à la fin de l'hiver 1965 qu'il avait commencé à lui prêter une attention plus soutenue, lui consacrant, par exemple, un article – «Bombardiers contre partisans» – dans *Le Figaro* des 20-21 mars 1965. Et, très vite, il en avait souligné la dimension de «tragédie de l'absurde[93]». Dès lors, c'est une attention soutenue qu'il prêtera au conflit : de la fin de l'hiver 1965 à avril 1968, c'est une quinzaine d'articles qu'il lui consacrera, puis une trentaine[94] après cette date. Car si, entre-temps, le désengagement américain avait été annoncé, la guerre se poursuivait, et, dans un article du *Figaro* du 17 janvier 1975 encore, il méditait sur le Vietnam et «les guerres qui n'en finissent pas».

Au début de cette guerre, même si Aron venait d'être élu, en 1963, à l'Académie des sciences morales et politiques, au moment même où Sartre, quelques mois plus tard, refusait le Nobel, c'est bien le premier qui se retrouvait – sciemment – en position sinon d'isolé, au moins de marginal, par rapport aux grandes émotions collectives du moment. Sartre, au contraire, était en phase avec ces émotions, et le tribunal Russell leur donnait une forme et un sens. À bien y regarder, la position, pour profondément sincère qu'elle ait été, n'avait rien d'inconfortable. D'autant que politiquement, on l'a vu, elle ne détonnait pas par raport à celle des deux courants dominants de l'époque, communiste et gaulliste. Et la situation était d'autant plus confortable que «l'effet Vietnam» permettait objectivement à Sartre de devenir une référence – au moins partielle – pour la nouvelle génération politique qui s'éveillait à l'extrême gauche dans ce deuxième versant des années 1960.

---

92. Pour le seul mois d'avril 1965, *Le Monde* consacra dix-huit «unes» à la guerre du Vietnam (Olivier Owczarek, *La Presse française et la guerre du Vietnam au travers de trois journaux, «L'Humanité», «Le Monde», «Le Figaro», 1961-1975*, maîtrise, Lille III, 1990, p. 60).

93. *Le Figaro*, 29 août 1966.

94. Raymond Aron, *Bibliographie*, t. II, *Analyses d'actualité*, Julliard, 1989.

Aron, de son côté, accumule au même moment les handi-caps : il paraît – tout au moins à ceux qui ne le lisent pas attenti-vement – donner sa bénédiction aux pilotes de bombardiers ; politiquement, il semble à contre-courant des sentiments domi-nants, sans pour autant que cette position marginale lui confère l'estime des avant-gardes ; tout au contraire, celles-ci le consi-dèrent à l'époque comme le gardien d'un ordre dépassé. En d'autres termes, l'homme et son image sont alors doublement brouillés par le cumul de « l'effet B-52 » et de « l'effet Che », cumul qui fait au contraire de Sartre un rebelle, au moment où, on l'a vu, il connaît de son vivant toutes les apparences de l'embaumement.

Tout compte fait, les positions comparées des deux hommes à propos du Vietnam sont donc rien moins qu'anecdotiques, et leur analyse est essentielle pour notre propos. Car le débat intel-lectuel français fut largement placé, plusieurs années durant, sous le signe du Vietnam. De surcroît, une nouvelle génération s'éveilla alors à la politique dans le cadre de ce combat « anti-impérialiste ». Et l'ampleur du choc en retour dans la deuxième partie des années 1970 se mesure à l'aune de cette place cen-trale tenue par la guerre du Vietnam et de l'intensité d'engage-ment qui en découla. D'autant qu'une certaine érosion des mots et une banalisation des termes – génocide, résistance, libéra-tion – se produisirent, qui contraignent à formuler cette ques-tion : comme c'est, somme toute, au nom de l'entendement que l'intellectuel voit son action dans la Cité entendue et amplifiée, le corps social n'attend-il pas en retour des clercs un usage sinon pertinent – notion subjective –, en tout cas réfléchi, des mots, appelés à rendre compte de situations toujours complexes ? Le divorce entre les mots et les choses, quand la suite de l'Histoire le rend flagrant, n'a-t-il pas contribué à la fin des années 1970 à attiser la crise des intellectuels ?

La question est essentielle aussi parce que rarement, en cette fin des années 1970, le désaveu de l'Histoire n'a suivi aussi rapidement les grands engagements générationnels. De ce fait, alors que les combats en faveur de l'Espagne républicaine

demeurèrent après 1939 une référence dans le souvenir collectif de la gauche intellectuelle, ceux sur le Vietnam tombèrent
rapidement dans un trou de mémoire, voués au silence des
cimetières. Or leur exhumation est nécessaire pour comprendre
ce qui advint après 1975 : une crise incontestable de la cléricature française. Dès lors, Sartre, qui, dans l'urgence de l'engagement mais aussi du fait du conformisme d'une vision
manichéenne héritée des grands combats bipolaires des décennies d'après-guerre, avait fait preuve d'une certaine automati-
cité de l'analyse et de sa formulation publique, se trouva fort
démuni quand vint le temps des remises en cause. Bien plus, la
maladie aidant, il continua sur son erre dans la deuxième partie
des années 1970, par exemple à propos du terrorisme d'extrême
gauche en Allemagne de l'Ouest. Aron, inversement, allait devenir le principal bénéficiaire de ces « années orphelines ».

ÉPILOGUE

VII

Impressions, soleil couchant

On se gardera de donner à deux photographies qui ont fait le tour du monde plus de signification qu'elles n'en ont. Le 20 juin 1979, Sartre et Aron sont sur la même tribune, à l'hôtel Lutétia, pour plaider la cause des *boat people*, à l'initiative de l'organisation «Un bateau pour le Vietnam». Six jours plus tard, les deux hommes se retrouvent sur le perron de l'Élysée, après une rencontre – au sein d'une délégation plus large, qui comprenait notamment André Glucksmann et Claudie Broyelle – sur le même sujet avec le président de la République Valéry Giscard d'Estaing. On a beaucoup glosé à l'époque sur ces photographies, allant jusqu'au cliché : deux ennemis de trente ans faisaient soudainement la paix en portant sur les fonts baptismaux le thème désormais central des droits de l'homme. Et cette sorte de rencontre du camp du Drap d'or aurait aussi scellé les retrouvailles de pans jusque-là opposés du milieu intellectuel : il paraissait possible, en ce début d'été 1979, d'avoir raison à la fois avec Sartre et Aron.

L'Histoire change de cap

On mesure, bien sûr, le côté réducteur de la première asser-tion et l'aspect incantatoire de la seconde affirmation. Beau-coup plus qu'à une convergence, c'est à un chassé-croisé que l'on était en train d'assister. En effet, si, au fil des décennies qui ont suivi la Libération, Sartre est apparu comme l'incarnation du *maître penseur* de trente années d'effervescence idéologique, Aron va progressivement devenir à cette époque le *maître panseur* promu guérisseur des plaies intellectuelles héritées de ces Trente Glorieuses vibrionnantes. Longtemps cantonné au bureau des narcotiques, réduit au rôle de simple témoin des méfaits supposés de « l'opium des intellectuels », il devient alors *de facto* tout à la fois le rebouteux, le chirurgien et l'infirmier des fractures, blessures ou égratignures d'une partie du monde intellectuel. Avant même la descente aux enfers de Sartre et le retour de cendres de Camus, il y a là, à la charnière des années 1970 et 1980, l'amorce d'une inversion qu'il convient d'exami-ner. Le phénomène, en fait, ne prend toute sa signification his-torique que replacé dans le contexte d'une fin de décennie en forme de crépuscule.

Crépuscule de Sartre et Aron, d'abord, qui sont alors au soir de leur vie. Au moment où ils se retrouvent, en juin 1979, Sartre, enfermé dans sa cécité, n'a plus que dix mois à vivre, Aron, qui se remet de l'attaque qui l'a frappé deux ans plus tôt, sait qu'il ne gère plus désormais le temps qui passe mais le temps qui reste. Jusqu'à leur apparence physique qui rend compte de cette fragilité. Dans ses Mémoires, Valéry Giscard d'Estaing, évoquant son entrevue avec les deux hommes, décrit « l'un déplumé, avec des traits fatigués que la peau tire vers le bas, l'autre circulaire, lunaire, qui me regarde comme au travers d'un hublot ». Curieusement, le président de la République semble penser que les deux hommes, à l'époque, « se détestent[1] ». Rien, dans les

---

1. Valéry Giscard d'Estaing, *Le Pouvoir et la vie*, t. II, *L'Affrontement*, Compa-gnie 12 éditeur, 1991, p. 237.

nombreux témoignages qui fusèrent alors, ne permet d'étayer une telle hypothèse. En revanche, il semble établi que les intéressés n'ont pas accordé à cette rencontre de 1979 l'importance que lui conférèrent les observateurs. Aron a parlé quatre ans après, dans ses *Mémoires,* de «spectaculaires et fictives retrouvailles», précisant que, «de toute évidence, la poignée de main ne mettait pas fin à trente années de séparation, pas plus à ses yeux qu'aux miens[2]». Simone de Beauvoir, de son côté, est catégorique dans *La Cérémonie des adieux*: «Sartre n'accorda aucune importance à cette rencontre avec Aron sur laquelle des journalistes ont longuement épilogué[3].»

Il est vrai, en revanche, que la plupart des grands débats dont ils ont été tous les deux des acteurs principaux durant les décennies précédentes sont en train de perdre une partie de leur sens. C'est même, plus largement, tout un environnement idéologique qui bascule alors. Plus encore que les deux hommes, c'est, en effet, la fin de décennie elle-même qui est nimbée de teintes crépusculaires. De même que l'économie française a été durablement ébranlée en 1973 et 1979 par deux chocs pétroliers, de même la France intellectuelle a connu à peu près à la même époque deux chocs idéologiques: «l'effet Soljenitsyne» en 1974 et les désillusions chinoise et indochinoise à la fin de la même décennie. L'Histoire changeait de cap, en ces années décisives, et une page de l'histoire des intellectuels était en train de se tourner. Il faudrait un livre entier pour en retracer les grandes lignes. On se contentera ici de mesurer leurs implications sur le chassé-croisé entre Sartre et Aron.

En décembre 1973, avait été publié en France le tome Ier de l'édition russe de *L'Archipel du goulag*. Puis avait suivi très rapidement sa traduction française, dont l'écho public – plusieurs centaines de milliers d'exemplaires vendus en 1974 – enclencha – ou accéléra – le point reste historiquement débattu – le «pivotement

2. *Op. cit.,* pp. 711-712.
3. *Op. cit.,* p. 146.

intellectuel[4]» des clercs. Dans cette même seconde partie de décennie, les événements survenus dans la péninsule indochinoise – *boat people* au Vietnam, tragédie cambodgienne – ils ont fait basculer cette gauche intellectuelle dans ses «années orphelines[5]». Celle-ci, en effet, allait se trouver dépossédée aussi bien de ses modèles que, bientôt, de ses maîtres penseurs, disparus physiquement ou intellectuellement à la charnière des deux décennies (Sartre, Lacan, Barthes, Althusser) ou plus avant dans les années 1980 (Foucault).

En quelques années à peine, la voûte du ciel idéologique allait profondément se modifier. Recul du marxisme, corrosion des modèles révolutionnaires de rechange qui avaient pris le relais de l'Union soviétique, ce sont autant de paradigmes perdus, si l'on donne au terme paradigme le sens de ces mots types qui, en grammaire, sont pris comme exemples pour une conjugaison. Ces paradigmes du milieu intellectuel français, brutalement, et bien avant l'implosion des régimes communistes à la fin de la décennie suivante, ne se prêtèrent plus à la déclinaison révolutionnaire. Paradigmes perdus donc, ou, si l'on emploie le terme dans le sens où l'utilise la philosophie des sciences, changement de paradigme, c'est-à-dire remise en cause des postulats de base.

LE VOLCAN ÉTEINT

C'est dans un tel contexte qu'il faut donc replacer l'inversion d'images qui, peu à peu, s'amorce entre les deux hommes. En ce deuxième versant des années 1970, même si la toile de fond du décor est en train de se modifier, Sartre reste ou paraît

---

4. L'expression est de Pierre Grémion, *Paris-Prague. La gauche face au renouveau et à la répression tchécoslovaques (1968-1978)*, Julliard, 1985, p. 327.

5. J'emprunte la formule au titre de l'ouvrage, devenu un livre-jalon, publié par Jean-Claude Guillebaud aux éditions du Seuil en 1978.

rester sur le devant de la scène. En 1977, par exemple, il déploie encore une activité pétitionnaire intense. Simone de Beauvoir notera quatre ans plus tard, dans *La Cérémonie des adieux*: « Cette année-là, comme les autres années, il a signé beaucoup de textes, qui ont tous paru dans *Le Monde*: le 9 janvier, un appel en faveur de *Politique-Hebdo* qui était en difficulté; le 23 janvier, un appel contre la répression au Maroc; le 22 mars, une lettre au président du tribunal de Laval pour soutenir Yvan Pineau, inculpé pour avoir renvoyé son livret militaire; le 26 mars, une protestation contre l'arrestation d'un chanteur au Nigeria; le 27 mars, un appel pour les libertés en Argentine; le 29 juin, une pétition adressée à la conférence de Belgrade contre la répression en Italie; le 1er juillet, une protestation contre l'aggravation de la situation politique au Brésil[6]. » Certes, les souvenirs ou les notes de Simone de Beauvoir sont approximatifs: ainsi, les textes des 9 janvier, 22 et 26 mars n'ont pas été publiés dans *Le Monde*. Mais un dépouillement de ce quotidien montre que le premier semestre de 1977 fut, en fait, plus rude. Jean-Paul Sartre y signa, en effet, d'autres textes encore: le 2 février, un appel en faveur d'un Soviétique militant des droits de l'homme interné dans un hôpital psychiatrique, les 3-4 avril, un appel au général Videla à propos de la disparition d'un universitaire argentin, les 8-9 mai, un manifeste «Contre une Europe capitaliste germano-américaine», le 27 mai, une dénonciation du «revirement» des partis de gauche sur l'armement nucléaire, le 1er juin, une lettre collective adressée à l'ambassade de Pologne à Paris et protestant contre des arrestations à Varsovie, les 12-13 juin, un appel stigmatisant la «duperie» de l'élection du Parlement européen au suffrage universel, le 17 juin, une pétition en faveur d'étudiants thaïlandais emprisonnés.

Cela dit, cette activité ne doit pas faire illusion. Sartre semble encore dominer des pans entiers de l'intelligentsia, mais en donnant ici au verbe dominer le simple sens de surplomber:

---

6. *Op. cit.*, p. 111.

le philosophe, à cette date, est une sorte de volcan éteint, à l'horizon du paysage intellectuel. Bien plus, ce môle sartrien va connaître rapidement une très forte érosion. Assurément, il faut faire la part du meurtre rituel dans cette altération de l'image de Sartre : une telle pratique permet classiquement à une nouvelle génération intellectuelle d'affirmer son identité et son autonomie en condamnant les errements supposés des aînés, ou, plus largement, autorise la cléricature tout entière à exorciser un vaste pan d'histoire proche. Dans les deux cas, l'opération est d'autant plus efficace que la victime propitiatoire est plus importante. En même temps, il est vrai, on saisit bien les limites d'une telle analyse : s'en tenir à ces considérations relèverait davantage d'une ethnologie de café du commerce que d'une approche rigoureuse de la société intellectuelle. Car l'érosion des positions sartriennes s'était, en fait, largement amorcée avant la mort de Sartre et est, de ce fait, à replacer au cœur des « années orphelines ». Sartre, on l'a déjà souligné, incarne alors le soutien apporté, plusieurs décennies durant, aux régimes qui se réclamaient des diverses formes de socialisme scientifique. Or commence alors, pour des raisons déjà évoquées, ce qu'Edgar Morin a appelé « une période de basses eaux mythologiques ». Et le reflux frappe, bien sûr, en priorité ceux qui furent les figures de proue des décennies de hautes eaux.

« ÉLECTIONS, PIÈGE À CONS ! »

D'autant que Sartre a montré, par-delà le redéploiement régulier de ses modèles de référence, une hostilité constante à la démocratie parlementaire. On l'a vu pour la période de la guerre froide, mais il n'avait pas désarmé par la suite. Analysant la situation faite aux pays d'Europe centrale, il y a certes appelé de ses vœux une amélioration, mais dans une perspective d'accomplissement du marxisme-léninisme. Et nous touchons probablement là à l'essentiel, pour ce qui est des raisons du retour de balancier. Les débats Sartre-Camus ou Sartre-Aron ont toujours dépassé, faut-il le rappeler, le triangle sacré germano-pratin et eurent un écho, pour le meilleur ou pour le pire, dans la vie des peuples d'Europe de l'Est. À cet égard, on fausserait assurément la perspective en pensant que « la place mythologique que Sartre avait acquise hors des frontières de France durant les années 60[7] » a été toujours, au bout du compte, positive. Ainsi voyons-nous Sartre venir à Prague en 1966 : reçu à l'université Charles, se retrouvant devant un amphithéâtre bondé souhaitant entendre parler, même à mots couverts, des chemins de la liberté, et tandis que d'autres Tchèques s'amassaient sur la place devant l'université, le philosophe fit l'éloge du... réalisme socialiste. Ilios Yannakakis, à l'époque universitaire à Prague, a raconté la suite : « Le public interloqué, comme souffleté par les Mots d'un autre temps, d'une époque si tragique, abandonna Sartre sur le quai de son aveuglement. » Deux ans plus tard, au moment du Printemps de Prague, « les étudiants avaient L'Étranger, la Chute, la Peste sur leurs "tables de chevet"[8]. Et force est de constater qu'il en va de même pour l'ensemble de l'Europe de l'Est, « dont l'accueil réservé à Camus et Sartre s'est résumé de façon saisissante dans le fait que Soljenitsyne cite le premier dans son discours du prix Nobel et refuse de rencontrer le second lors de son pèlerinage en URSS[9] ».

Du reste, au moment de l'écrasement du « Printemps de Prague » en août 1968, la condamnation que Sartre prononce se fonde sur le fait que l'on est alors en train d'écraser le « plus haut témoignage en faveur de la civilisation socialiste », et, quelques mois plus tard, il précisera que ce qui faisait le prix de cette expérience tchèque avortée était son caractère « strictement marxiste » et le fait qu'elle différait « d'autres mouvements

---

7. Annie Cohen-Solal, *Sartre*, réf. cit., p. 534.

8. Ilios Yannakakis, « Camus et la Tchécoslovaquie », dans *Camus et la politique*, sous la direction de Jeanyves Guérin, L'Harmattan, pp. 58 et 59.

9. Maurice Weyembergh, *ibid.*, p. 94.

libéraux ou d'individualisme bourgeois[10]». Or, dix ans plus
tard, quand les modèles successivement mis en avant par Sartre
se retrouvent moralement et politiquement disloqués sur les
Champs catalauniques des grandes idéologies globalisantes –
sans pour autant, en cette fin des années 1970, que ce discrédit
laisse présager l'implosion qui aura lieu une décennie plus tard
–, c'est tout logiquement la démocratie parlementaire qui s'en
trouve rehaussée. Mais Sartre avait persévéré entre-temps, au fil
des années 1970, dans ses attaques contre ce régime politique.

On connaît l'article célèbre de janvier 1973 sur les « Élections,
piège à cons ». Avec, notamment, cette phrase digne de passer à
la postérité : « L'isoloir, planté dans une salle d'école ou de mairie, est le symbole de toutes les trahisons que l'individu peut
commettre envers les groupes dont il fait partie. [...] Il n'en faut
pas plus pour transformer tous les électeurs qui entrent dans la
salle en traîtres en puissance les uns pour les autres[11]. » Certes,
la phrase est à replacer dans son contexte d'effervescence « gauchiste ». De surcroît, elle ne doit pas être isolée du reste d'un
texte qui explicite les attendus d'une telle condamnation. Cela
étant, force est de rappeler qu'elle fut publiée deux mois avant
les élections législatives de mars 1973, premières élections de
dimension nationale après la signature du programme commun
de gouvernement et donc échéance importante pour les forces
politiques de gauche. Vues de l'extrême gauche, ces forces, il est
vrai, n'étaient guère différentes de celles qui étaient alors au
pouvoir. Il demeure qu'au moment où la gauche politique,
après les tempêtes de la première décennie de la Ve République,
se trouvait dans une sorte de bassin de radoub pour pratiquer
une modernisation nécessaire, Sartre introduisait une voie
d'eau. D'autres intellectuels venus de l'extrême gauche ou de la
gauche tenteront, du reste, de la colmater. Jean-Paul Sartre

---

10. *Paesa Sera*, 24 août 1968, *Le Monde*, 3 décembre 1968 (cité par Annie
Cohen-Solal, *Sartre*, réf. cit., p. 689).
11. Jean-Paul Sartre, « Élections, piège à cons », *Les Temps modernes*, n° 318,
janvier 1973, p. 1100 (repris dans *Situations* X, Gallimard, 1976, pp. 73-87).

ayant appelé à l'abstention au début de février, Marguerite Duras, Maurice Clavel, Michel Leiris et Pierre Vidal-Naquet, entre autres, en prendront explicitement le contrepied quelques jours avant le premier tour des élections législatives, en signant une déclaration soulignant que « tous les moyens sont bons pour chasser la mafia qui écume depuis trop longtemps le pays » et rappelant que, parmi ces moyens, se trouve le bulletin de vote, « aussi piégé qu'il soit [12] ». Cette dernière précaution oratoire ainsi que la virulence du ton employé à l'égard de la majorité de l'époque montrent bien qu'il était encore délicat à cette date de paraître contredire Sartre.

Mais bien plus que son contexte électoral, c'est, avec le recul, le contexte historique de l'article de Sartre qui frappe. En cette année 1973, la démocratie occidentale apparaît comme une sorte de péninsule à l'ouest de l'Europe, flanquée de dictatures sur ses versants ibérique et grec et de démocraties populaires à l'Est. Fragilisée, menacée, cette démocratie apparaît de surcroît dépassée à des observateurs comme Sartre. Au moment où les peuples de ces dictatures méditerranéennes aussi bien que des démocraties populaires en font probablement, pour nombre de leurs membres, une aspiration et où beaucoup de dissidents, dans les difficiles conditions de l'ergastule, rêvent d'en faire le futur de leurs sociétés, Sartre diabolise cette démocratie parlementaire et en parle quasiment au passé. Le choc en retour, quelques années plus tard, était, dans ces conditions, inévitable.

L'approche proprement biographique ne permet donc pas d'analyser l'érosion rapide des positions sartriennes. C'est la climatologie du milieu intellectuel qui est ici prédominante comme facteur d'explication. Sartre est bien victime d'un changement de front idéologique, et sa position en pointe au fil des décennies précédentes le rendait particulièrement vulnérable à de telles inversions. L'émotion au moment de ses obsèques, et le nombre de ceux qui y participèrent, ne doivent pas faire illusion : à la même époque, son rayonnement personnel, en

---

12. *Le Monde*, 3 février et 2 mars 1973.

dehors de sa sphère d'intimes et de proches, était déjà largement atteint. Un intellectuel-reflet d'une époque meurt toujours deux fois, la mort physique précédant ou suivant, selon
les cas, la disparition de l'époque concernée. Dans le cas de
Sartre, il y eut, à l'échelle macrohistorique, à peu près concomitance des deux phénomènes. De même que, le 28 mai 1958,
l'imposante manifestation « républicaine » entendait défendre
un régime déjà mort, de même, le 19 avril 1980, le cortège
qui suivait Sartre jusqu'au cimetière Montparnasse fermait
aussi le ban – sans le savoir, comme toujours en pareil cas –
d'une période de l'histoire des intellectuels. Bien plus, pour
Sartre, la seconde mort se dilatera sur plusieurs années, tant le
choc en retour qui s'amorçait alors le frappera, lui, de plein
fouet.

D'autant qu'au seuil des années 1980, malgré le chassé-croisé
idéologique déjà accompli, le balancier de l'Histoire était loin
d'être repassé dans le camp des démocraties occidentales, bien
au contraire. Raymond Aron écrit alors un article alarmiste, au
titre explicite : « L'hégémonisme soviétique : an I ». Le danger
est grave à ses yeux : à l'Union soviétique, « idéocratie militari-
sée », « les Occidentaux n'opposent ni une stratégie commune
ni une volonté ferme[13] ». Raymond Aron apparaît donc, à la
même époque, comme celui qui incarna la démocratie parlementaire quand elle était proclamée régime condamné ou,
pour le moins, historiquement dépassé, mais aussi comme la
vigie du même régime qui, quoique idéologiquement rehaussé,
n'en demeurait pas moins fragile. Bien plus, la conjoncture de
politique intérieure allait également contribuer à consolider les
positions aroniennes. La victoire de la gauche politique en mai-
juin 1981 survenait, en effet, à une date charnière dans l'histoire
des clercs : en leur sein, c'était la gauche intellectuelle qui se
trouvait alors dans une phase de trouble et de repli. La configu-
ration était donc inversée par rapport à 1936 : à la différence de
l'époque du Front populaire, il y avait cette fois découplage

---

13. *Commentaire,* n° 11, automne 1980.

entre la culture politique électoralement victorieuse et l'air du temps idéologique. Du coup, le combat se livra à front renversé : la droite politique était défaite, mais la droite intellectuelle était en phase offensive.

L'AUTOMNE DU PATRIARCHE LIBÉRAL

Le rayonnement aronien est antérieur à la victoire de la gauche en 1981. Quand, en avril 1981, le magazine *Lire* place Raymond Aron en deuxième position des intellectuels alors vivants, il se fonde sur une enquête menée quelques mois plus tôt : la photographie qu'il donne date donc plutôt du tournant de la décennie. Il reste que l'alternance politique de mai 1981, loin d'inverser l'évolution amorcée, contribua au contraire à l'amplifier. Certes, nombre de clercs de droite vont se retrouver momentanément sous le choc d'une défaite qui les prit le plus souvent par surprise. Les analyses navrées et pessimistes que formule sur le moment même Raymond Aron en sont assurément un signe. Mais, précisément, le cas Aron montre bien que la *Reconquista* idéologique alors menée par les intellectuels libéraux ne se trouva pas durablement perturbée par la défaite politique de leur camp. En cette année 1981, ses entretiens avec Dominique Wolton et Jean-Louis Missika ont un grand écho dans leur version télévisée et rencontrent un fort succès sous leur forme éditée. Cet accueil fait au *Spectateur engagé* enclenche même, pour son auteur, une véritable gloire vespérale, qui culminera avec la publication en septembre 1983 des *Mémoires* et leur large succès posthume, après la mort brutale de leur auteur le 17 octobre.

De fait, c'est moins la politique du bunker que pratiqua alors la droite intellectuelle que celle de la reprise de l'offensive. De même que l'on parla à droite en 1936, après la victoire électorale du Front populaire, d'une « bataille de la Marne des patrons», c'est une sorte de «bataille d'Angleterre des clercs» qu'eut le sentiment de livrer alors une partie de l'intelligentsia de droite. L'infanterie des forces politiques de droite ayant été défaite en rase campagne, c'est désormais la maîtrise du ciel – entendons le débat d'idées – qui était en jeu. On comprend mieux, dans un tel contexte, le rayonnement de Raymond Aron. Son passage sur le devant de la scène se situe, en effet, à la confluence de deux temporalités. Sur le temps long des tendances idéologiques lourdes, la crise de la gauche intellectuelle à partir de la deuxième partie des années 1970 et le changement de centre de gravité qui en découla ne pouvaient que consolider encore davantage la position d'Aron et amorcer la réévaluation des engagements de Sartre, considéré comme la figure de proue d'une ère qui se terminait: le chassé-croisé entre les deux hommes – ou plus précisément entre les deux personnages qu'ils ont incarnés et les répertoires qu'ils ont à la fois joués et contribué à écrire – est bien le reflet de la fin des Trente Glorieuses des intellectuels. Une phase de l'histoire de ces intellectuels se termine et les «années Sartre» sont en train de se refermer avant même la mort du clerc éponyme. À cet égard, l'analyse qui fleurit quelque temps à cette époque, selon laquelle il «valait mieux avoir eu tort avec Sartre que raison avec Aron», prenait déjà acte de l'évolution: il y avait comme de l'exorcisme dans cet aphorisme.

Mais le passage de Raymond Aron au premier plan allait aussi se nourrir du temps court de la conjoncture politique. Et nous retrouvons l'après-1981. La contre-offensive de la droite intellectuelle allait alors se nourrir de plusieurs arguments. La présence de quatre ministres communistes au gouvernement, au moment où le combat «antitotalitaire» s'était installé au cœur de la réflexion des clercs de tous bords, lui permettait de fourbir ses armes. Surtout, les difficultés économiques rapidement rencontrées par les socialistes, au moment même où la gestion reaganienne se nourrissait de la pensée libérale et la réactivait tout à la fois, vont conférer au libéralisme économique un incontestable attrait. Sur ces deux registres de la réflexion antitotalitaire et de la réflexion sur le libéralisme, Raymond Aron recueillait donc les fruits de plusieurs décennies de combat idéologique. Cela étant, cette suprématie affirmée risquait de n'être qu'une victoire à la Pyrrhus. À la même époque, en effet, la droite libérale fut confrontée à deux problèmes : la surenchère de ses ultras et la concurrence d'une extrême droite idéologique. La mort fit qu'Aron ne fut qu'effleuré par ces deux défis alors lancés à tout penseur libéral de souche.

Dans le cas des ultras du libéralisme, leur réelle émergence, activée par la prégnance des modèles reaganien et thatchérien, est même postérieure à la mort de Raymond Aron, puisqu'elle se situe entre 1986 et 1988. Car le paradoxe – apparent – pour la pensée libérale française est bien que le choc pour celle-ci fut moins constitué par la période de repli dans l'opposition, entre 1981 et 1986, que par l'épreuve, lors du gouvernement Chirac de 1986-1988, de la confrontation entre la théorie, chauffée à blanc par le taraudant besoin de reconquête idéologique, et la pratique du pouvoir. Cette épreuve est toujours délicate pour un système « idéologique », car elle le confronte avec les faits, qui, on le sait, ne se plient pas forcément à leur théorisation. Ce choc avec la réalité est souvent mortifère pour les systèmes doctrinaux devenus trop rigides. La pensée libérale n'échappa pas à ces effets pervers, mais Raymond Aron n'était plus là à cette date et s'interroger sur la façon dont il aurait pu peser, dans un sens ou dans l'autre, sur les événements relève du *chronoclasme,* ce procédé de science-fiction qui, en enlevant – ou rajoutant – un élément du passé, s'interroge sur un éventuel infléchissement du cours de l'Histoire.

Plus importante est, au bout du compte, la question de l'extrême droite intellectuelle, car Raymond Aron était toujours vivant au moment de sa flambée. L'ébranlement idéologique de la fin de la décennie précédente avait, en effet, permis non seulement la montée en puissance d'une droite libérale ressourcée mais aussi la percée de la « nouvelle droite », extrême droite intellectuelle jusque-là tenue en lisière. Celle-ci, après une existence quasi souterraine d'une dizaine d'années, avait réussi à partir de 1979 à s'implanter dans le débat idéologique et à trouver plusieurs vecteurs de large diffusion : ainsi, certaines pages du *Figaro Magazine*. Comment, dès lors, la droite libérale a-t-elle réagi à l'apparition de cet aérolithe dans le paysage politique ? Certes, les deux droites intellectuelles avaient en commun leur hostilité au nouveau pouvoir politique. Mais une telle hostilité était loin, pour autant, de constituer un ciment. Un incident est, à cet égard, significatif.

Le GRECE – Groupement de recherche et d'études sur la civilisation européenne, matrice de cette « nouvelle droite » – avait tenu le 29 novembre 1981 son colloque annuel. Pour ses animateurs, la victoire de la gauche confirmait leurs théories sur la conquête nécessaire du terrain idéologique comme préalable aux victoires politiques. Du coup, la semaine suivante, Alain de Benoist, principale tête pensante de la « nouvelle droite », avait envisagé d'être présent à un colloque d'intellectuels de droite consacré à la recherche d'une « alternative au socialisme » et affichant l'objectif de « fournir aux Français qui ne se résignent pas au socialisme les munitions intellectuelles ou morales qui leur font cruellement défaut ». Cette présence annoncée d'Alain de Benoist entraîna immédiatement la défection de Raymond Aron. D'autres intellectuels libéraux – ainsi Florin Aftalion, Michel Prigent, François Bourricaud et Pierre Chaunu – firent également savoir qu'ils ne viendraient pas. Ce constatant, Alain de Benoist, tout en condamnant le « terrorisme intellectuel », se retira, et plusieurs des susnommés participèrent finalement à la réunion.

Cela étant, la question de l'extrême droite resta entière au cours des années suivantes, pour des clercs libéraux alors au zénith de leur influence. Car si l'extrême droite intellectuelle se retrouva rapidement marginalisée, l'extrême droite politique entamait en 1983 une montée en puissance. L'élection municipale partielle de Dreux au mois de septembre 1983 fut un peu le révélateur du processus qui s'enclenchait. Or l'un des tout derniers articles de Raymond Aron dans *L'Express,* un mois exactement avant sa mort, fut consacré à cette élection. Cet article, intitulé « George Dandin », et publié le 16 septembre, a surpris. Quelques jours plus tôt, au second tour de l'élection municipale, la liste commune de l'opposition, incluant des représentants du Front national, l'avait emporté avec 55,44 % des voix. Raymond Aron, dans son article, attaquait ceux qui avaient condamné cette alliance entre la droite parlementaire et des membres du parti de Jean-Marie Le Pen. Une telle initiative aronienne, assurément, est déconcertante. Comme elle ne fut pas prise, semble-t-il, à la légère, force est de s'interroger sur son sens.

La gauche avait, durant toute la campagne électorale de Dreux, mis en avant le thème de l'antiracisme et réactivé celui de l'« antifascisme [14] ». Probablement, dans un tel contexte, l'intervention de l'éditorialiste de *L'Express* peut-elle s'interpréter de deux façons complémentaires, qui rendent compte à nouveau, si besoin était, d'une pensée et d'un caractère. La pensée est celle d'un libéral attaché à la défense des libertés et auquel le retour de balancier des années précédentes avait rendu, lui semblait-il, la propriété de cette défense, après que se furent fracassées les grandes idéologies globalisantes de gauche. La crispation que reflète l'article s'explique, ainsi remise en perspective, par la conscience irritée que la droite libérale risquait ainsi d'être dessaisie du thème de la défense des libertés, devenu au moins sa copropriété, et qu'il s'agissait donc de remonter au créneau et de combattre derechef la gauche intellectuelle, pour dissiper ce qu'Aron considérait comme une tentative de détournement d'idées.

À quoi l'on pourrait objecter que l'attitude exactement inverse, consistant à éviter une alliance objective avec le Front national, prémunissait davantage la droite libérale contre cette menace de dessaisissement. C'est là que doit être pris en compte l'autre facteur d'explication de cette crispation, que l'on appellera, au choix, la constance, l'obstination ou l'entêtement. Déjà, on l'a vu, en 1934 Raymond Aron n'avait pas adhéré au Comité

---

14. Cf. Jean-François Sirinelli, *Intellectuels et passions françaises*, réf.cit., pp. 310-317.

de vigilance des intellectuels antifascistes parce qu'il considérait que le danger fasciste endogène était plus un slogan qu'une réalité. De même, un demi-siècle plus tard, la sécheresse du ton de « George Dandin » s'explique probablement par son irritation devant ce qu'il considère comme un simple phénomène d'amplification à la fois politicien et médiatique. Ce que, à la même date – plus précisément le vendredi 9 septembre, au micro d'Europe 1 –, Yves Montand exprimait dans un autre style : « Mais enfin, n'exagérons pas non plus. C'est pas parce qu'il y a une dizaine de petits connards comme ça, surexcités, qui font un peu de bruit, un peu de poussière, que tout de suite : attention, attention, vous êtes submergés, attention c'est Hitler en marche, etc., pour cacher nos propres faiblesses. » On pourra, on l'a dit, appeler ce trait de caractère entêtement ou, au contraire, souci de constance et de cohérence. Toujours est-il qu'il explique l'avant-dernière prise de position publique de Raymond Aron et contribue à éclairer une initiative qui put sembler incongrue. Tout comme il aide à mieux faire comprendre sa dernière prise de position, le jour même de sa mort, qui, là encore, déconcerta.

Le 17 octobre 1983, en effet, devant le Palais de justice de Paris, Raymond Aron est foudroyé par une crise cardiaque en sortant d'une audience. Or l'ancien résistant de Londres venait de témoigner en faveur de Bertrand de Jouvenel, dans le procès qui opposait ce dernier à l'historien israélien Zeev Sternhell. Compte tenu de l'attitude complexe et par là même contestée de Bertrand de Jouvenel durant l'Occupation, Raymond Aron paraissait une fois de plus à contre-emploi. Mais plus que la question de l'Occupation, ce qui était en jeu ce jour-là était le problème de l'ampleur et de la nature du fascisme en France dans l'entre-deux-guerres. Or, on l'a vu, Raymond Aron avait considéré dès les années 1930 que le danger d'un fascisme endogène était surestimé. Cinquante ans après, il n'avait pas changé d'avis et entendait bien le faire savoir, fût-ce au risque d'un brouillage d'image ou au prix de possibles malentendus.

Conclusion

Pas de clercs dans le siècle ?

En novembre 1946, prononçant une conférence à la Sorbonne, Jean-Paul Sartre déclarait : « Ce qu'il faut éviter simplement pour nous, écrivains, c'est que notre responsabilité se transforme en culpabilité si, dans cinquante ans, on pouvait dire : ils ont vu venir la plus grande catastrophe mondiale et ils se sont tus [1]. » Un demi-siècle a passé. Ni Sartre ni Aron ne se sont tus au fil des décennies qui ont suivi la Seconde Guerre mondiale. Ni l'un ni l'autre n'ont jamais éludé, durant cette période, une fonction d'engagement, même s'ils n'ont pas toujours donné à ce mot le même sens. Et aucun des deux n'aurait songé à contester que l'engagement... engageait la responsabilité du clerc, devant ses concitoyens comme devant l'Histoire. Il n'est donc pas besoin ici de placer l'analyse finale sur le registre de la culpabilité, car, on l'a dit, l'historien n'instruit pas un dossier à charge ou à décharge.

S'il endossait les habits du magistrat, une telle confusion des rôles serait d'autant plus préjudiciable que le premier enseignement des chapitres qui précèdent est bien que Jean-Paul Sartre

---

1. *Les Conférences de l'Unesco*, Fontaine, 1947, pp. 57-73.

a personnifié, plusieurs décennies durant, une certaine forme d'intervention des intellectuels dans la vie de la Cité puis qu'il est mort à l'orée d'une décennie, les années 1980, qui vit la remise en cause de ce type d'intervention. Le milieu intellectuel, pendant plusieurs années, devint sinon une terre en friche, tout au moins un champ en jachère : il reprenait des forces, après avoir trop « donné ». Et Sartre, qui fut, des décennies durant, l'un des laboureurs les plus en vue de ce milieu, ne pouvait que se retrouver, fût-ce à titre posthume, au cœur de la remise en cause. Recordman absolu des pétitions, il s'était identifié *de facto* à cette période d'intervention massive des clercs. Mais la réévaluation dont il fut victime ne touchait pas seulement au symbole Sartre. C'est aussi le crédit personnel de l'homme qui se trouva progressivement érodé au fil des années 1980.

Car les vents de l'Histoire sont, par essence, des vents tournants. Or la plupart des prophéties faites par Sartre ont été démenties par l'évolution historique : le rattrapage de l'Occident par l'Union soviétique, annoncé pour... 1964, le rôle de brandon révolutionnaire attribué au tiers monde, la mission confiée aux extrêmes gauches européennes d'être le levain des évolutions politiques de nos démocraties. Il faut, assurément, replacer chacun des engagements de Sartre dans le contexte d'une époque. Et ne pas lui faire endosser seul les interventions de maints autres clercs : brûler Sartre pour exorciser un passé désormais honni par ceux qui en furent les protagonistes principaux relèverait du procès en sorcellerie, qui n'a rien à voir avec la recherche historique. Pour autant, les scrupules des chercheurs et leur souci de ne pas hurler avec les loups ne doivent pas placer Sartre au-dessus du jugement de... l'Histoire. Il n'existe pas, dans ce domaine, une assemblée des intellectuels pour décréter l'auto-amnistie. Et ce, pour une raison bien simple. Par-delà les débats théoriques sur la responsabilité de l'intellectuel engagé, il est une confrontation que celui-ci, quelle que soit son identité, ne pourra jamais éviter : celle avec l'Histoire qu'il voulut, de par son engagement, embrasser. À cet égard, les paroles et les écrits de Sartre contre la démocratie libérale, au temps où fleurissaient les régimes totalitaires à l'Est, auront probablement du mal à bien vieillir.

S'il n'y a pas de « fin de l'Histoire[2] », le XXᵉ siècle est incontestablement rentré, depuis quelques années, dans une nouvelle phase, où cette démocratie libérale apparaît à nouveau comme un futur. Sans pour autant que ce futur soit tracé. À l'horizon mental des sociétés, il n'y a plus une sorte d'au-delà de la démocratie libérale, dont les gauches devaient favoriser l'accomplissement et que les droites devaient combattre. Ce qui ne signifie pas que cette démocratie soit devenue par elle-même ligne d'horizon. Plus prosaïquement, l'avenir n'apparaît plus tracé et le mouvement de l'Histoire ne peut plus être invoqué comme principe premier de la physique politique.

Or il y a bien eu, de la part de Jean-Paul Sartre, une sorte de surdétermination de ce mouvement supposé de l'Histoire. À un moment donné de sa vie, celle-ci l'avait rattrapé, dès lors il ferait corps avec elle. Et comme elle avait un sens et des lois, il convenait d'en faciliter et d'en hâter le cours. D'une certaine façon, et la remarque en a souvent été faite, l'Histoire est devenue l'une des idoles du second demi-siècle, et Sartre en est devenu l'un des officiants. Ce qui, est-il besoin d'y revenir, le plaçait aux antipodes d'un Aron. Les deux hommes ont eu, du reste, bien des occasions d'en débattre à distance, c'est-à-dire par l'imprimé. Mais par-delà les écrits savants et les denses traités dans lesquels ils ont pu ainsi s'affronter, rien n'est probablement plus significatif, sur ce plan, que des textes de circonstance, rédigés dans le feu du combat idéologique. On s'en tiendra ici à un seul d'entre eux, où tout est dit en peu de mots. L'article est publié dans *Liberté de l'esprit* au cœur de la guerre froide et il est intitulé… « Superstition de l'histoire[3] ». « Nous vivons une époque de catastrophes, y écrivait Raymond Aron, la crise est à ce point multiple, profonde, inextricable

2. Francis Fukuyama, « La fin de l'Histoire ? », *Commentaire*, nᵒ 47, automne 1989.

3. Raymond Aron, « Superstition de l'histoire », *Liberté de l'esprit*, 38, 1953, p. 35.

que la connaissance authentique de l'histoire en cours ne saurait aboutir qu'à une leçon de modestie. Il faut beaucoup d'ignorance et beaucoup de présomption pour prétendre à fixer le sens de la totalité ou à déterminer la fin de l'aventure.»

Ce rapport divergent avec l'Histoire permet aussi, au demeurant, de tenter de répondre à une autre question, plus franco-française : peut-on inscrire aisément Sartre et Aron sur la carte politique française, de part et d'autre de la grande faille droites-gauches? On connaît la phrase de Ramuz : «La nature est de droite, l'homme de gauche.» Elle est souvent citée à l'appui d'une vision binaire présentant d'un côté une sorte de résignation à l'ordre des choses, de l'autre un pari sur la capacité humaine à modifier cet ordre et sur l'impératif moral que constitue une telle tentative. On mesure ce que peut avoir d'approximatif et de platement polémique une telle analyse prise au premier degré. Elle postule, en effet, un pessimisme intrinsèque de la droite et un optimisme congénital de la gauche. Véritable pont aux ânes de l'histoire du couple droite-gauche[4], l'observation de l'existence d'un caractère de droite et d'un caractère de gauche ne permet pas, en tout cas, de progresser de façon convaincante. Raymond Aron lui-même remarquait, par exemple, qu'il existe aussi une gauche pessimiste, ainsi celle incarnée par le philosophe Alain[5].

Cela étant, on aurait tort d'éliminer totalement une piste qui, explorée davantage en profondeur, permet d'y voir plus clair, dans le domaine des horizons idéologiques aussi bien que dans celui des sensibilités. Dans le premier domaine, il existe assurément à droite toute une palette d'analyses et de pensées constituées qui sont fondées sur le refus de l'évolution. Dans son analyse de la «rhétorique réactionnaire», Albert O. Hirschman[6] a mis ainsi en avant les thèses de l'«effet pervers» – toute

---

4. Je reprends ici certains des éléments d'une grille d'analyse que j'ai déjà proposée dans la conclusion générale de l'*Histoire des droites en France*, Gallimard, 1992, t. III, pp. 867 sqq.

5. *Mémoires*, réf. cit., p. 320.

6. *Deux siècles de rhétorique réactionnaire*, trad. fr., Fayard, 1991.

tentative d'amélioration est un facteur aggravant de la situation que l'on veut améliorer –, de l'«inanité» – de telles tentatives sont, de toute façon, vaines – et de la «mise en péril» – la lourdeur présumée du coût des réformes est trop importante et risque de mettre en péril ce qui a déjà été acquis. Force est de constater que Raymond Aron ne se laisse pas aisément enfermer dans l'une ou l'autre des trois rubriques censées rendre compte de l'argumentaire des grands systèmes de pensée conservateurs ou réactionnaires. D'une part, sa réflexion a souvent appelé à la vigilance contre des effets pervers, mais, pour lui, tenter d'agir sur l'évolution de l'Histoire n'a pas pour autant des conséquences forcément perverses : on l'a vu, par exemple, au moment de ses prises de position sur la guerre d'Algérie. D'autre part, le sentiment de la difficulté de telles tentatives ne débouche pas pour autant chez lui sur le constat de la vanité de l'action, bien au contraire. Enfin, la mise en avant de la complexité et de la fragilité des sociétés ne le conduit pas à une crainte obsessionnelle que l'action n'entraîne automatiquement l'effondrement d'équilibres précaires.

Cela étant, la crainte et le refus du changement ne nourrissent pas seulement les systèmes de pensée et les constructions idéologiques. Car, dans de tels systèmes et constructions, c'est non seulement le rapport au monde et à son éventuelle transformation qui est en jeu, mais c'est aussi, par là même, une vision de l'Histoire qui se lit en filigrane. Et une telle vision touche aussi, plus largement, aux cultures et aux sensibilités politiques, dont ces constructions idéologiques ne sont qu'une composante. Mise en avant du passé et de la défense des acquis qu'il incarne dans un cas, prise en compte de l'avenir et des virtualités dont il est gros dans l'autre cas, le rapport à l'Histoire et aussi à l'action éventuelle face à son déroulement souhaité ou craint est non seulement différent à droite et à gauche, mais c'est lui, de surcroît, qui nourrit sensibilités et cultures politiques. Dans une telle perspective d'analyse, Sartre semble de plain-pied à gauche. Ses chevaux de bataille sont tournés vers l'avenir et visent tous à l'accomplissement d'un sens de l'Histoire. Bien plus, il brasse en une seule vision historique des entités collectives qui furent, en fait, successives dans la vision des gauches : le peuple, en lutte contre les tyrannies, le prolétariat, levain des révolutions sociales à venir, puis le tiers monde, bientôt dépositaire de luttes politiques et socio-économiques supposées dilatées à l'échelon mondial. À sa manière, Sartre épouse donc les courbes du « sinistrisme » de la vie politique française, mais en les mettant chaque fois au carré : le peuple, certes, à la suite des grands combats du XIXe siècle, s'accomplit dans la République, mais celle-ci, parce qu'elle a refusé de devenir « la sociale », est vite entachée de l'accusation de dérive bourgeoise. Entre-temps, le prolétariat a remplacé le peuple dans la galerie des figures tutélaires des combats de gauche, mais le socialisme, bien qu'il ait été, par le rôle historique d'aiguillon de la social-démocratie et par ses passages au pouvoir, l'artisan d'authentiques et profondes conquêtes sociales, sera à son tour taxé de trahison. Et en 1956, l'intensification de la guerre d'Algérie par un gouvernement socialiste brouillera le reste de l'action menée, par exemple, la mise en place d'une troisième semaine de congés payés. Bien plus, ce choc d'identité permettra la promotion du tiers monde, dont les luttes d'émancipation apparaissent alors comme le moteur de l'Histoire et le levain des révolutions à venir.

Si Sartre, dans cette approche par les cultures et sensibilités politiques, s'intègre parfaitement dans le spectre des sensibilités de gauche, qu'il traverse du reste à vitesse accélérée et qu'il métabolise à sa manière, Aron doit-il être rejeté vers la droite ? Là encore, comme pour les horizons idéologiques, la réponse est complexe. Dans le rapport des droites au passé, il y a d'abord le cas de figure des systèmes de pensée étymologiquement réactionnaires, mus par une sorte d'aspiration à l'éternel retour, vers un passé aboli et un monde perdu. Autre cas de figure, celui où de la réaction on passe à la conservation : il s'agit moins alors de l'aspiration au retour au temps passé que du souhait de rétention du temps qui passe : il faut retenir l'Histoire, ou pour le moins freiner les évolutions jugées néfastes ou dangereuses.

À première vue, Aron entrerait donc dans une telle catégorie, par sa volonté de prendre garde aux courants trop violents et aux tourbillons de l'Histoire. Mais, à y regarder de plus près, le registre n'est pas exactement le même. On connaît le mot de Guizot : « La société, pour croire en elle-même, a besoin de n'être pas née d'hier. » Les droites, en effet, s'enracinent historiquement et avant-hier doit leur servir de terreau. Or Aron ne se place jamais dans une telle optique de continuité. À droite, une telle continuité prime, par la terre et les morts, à l'inverse des gauches, qui fondent souvent leur vision historique sur les ruptures et les fractures. C'est plutôt par rapport à ces ruptures et fractures qu'Aron se situe, fût-ce pour s'y opposer, que dans la lignée des sensibilités de droite. Au bout du compte, là est probablement l'une des clés du Raymond Aron intellectuel engagé : il se pose en s'opposant, et se définit plus en termes de réfutation des grands systèmes dominants de gauche – en raison de leur dimension globalisante et de leurs aspirations messianiques – qu'en adhésion aux cultures politiques de droite.

Dès lors, le conflit était inévitable avec un Sartre devenu tout à la fois pourvoyeur et symbole de certains de ces systèmes de pensée. On connaît ce joli mot de Julien Gracq sur Rome, ville douée selon lui pour « le réemploi de la ruine [7] ». Jean-Paul Sartre, au fil des décennies de l'après-guerre, s'est employé à fournir des arguments raisonnés aux engagements successifs d'une partie de l'extrême gauche, engagements qui chaque fois abandonnaient des lieux considérés comme idéologiquement en ruine : rejet de la social-démocratie après la Seconde Guerre mondiale, condamnation du modèle soviétique à partir de 1956, déception progressive vis-à-vis des voies tiers-mondistes, gauchisme ouest-européen se perdant progressivement dans les sables. Et chaque nouvel édifice idéologique, tout en s'inscrivant en rupture par rapport au précédent, conservait une armature imprégnée de marxisme-léninisme. De ces réhabilitations successives, Sartre fut donc, d'une certaine façon, le Viollet-le-Duc.

---

7. Julien Gracq, *Autour des sept collines*, Paris, José Corti, 1988, p. 57.

Il n'est nul besoin, dès lors, pour rendre compte de l'antagonisme Sartre-Aron, de recourir à des binômes réducteurs, tels que la raison et la passion, le sang-froid et la colère, la glace et le feu, le monde rêvé et le monde assumé. Non que certains de ces clichés ne recèlent pas, parfois, une part de vérité. Il n'est pas nécessaire non plus d'opposer l'imprécateur et l'analyste mesuré ni de faire de Sartre une sorte de kleptomane qui se serait saisi tour à tour de toutes les idéologies de progrès qu'Aron aurait successivement réfutées. Là encore, tout n'est par forcément faux. Mais, plus profondément, il y a bien ce rapport différent à l'Histoire, qui renvoie lui-même à un rapport radicalement différent au réel. En politique, c'est-à-dire dans l'appréhension personnelle du réel et dans sa réinsertion dans le débat de la Cité, Aron recherche le *vrai*. Mais celui-ci, par essence, est toujours complexe à atteindre. D'où une pensée balancée, qui peut paraître sceptique, mais qui entend se colleter avec la complexité du réel. Dans le même domaine politique, Sartre, dans un premier temps, ne recherche rien. Puis une surdétermination en ce domaine le conduira à la recherche du *bien*. D'où une pensée passionnée, qui peut paraître messianique, et qui entend plier le réel par la magie du verbe et l'action qui en découle.

Il faudrait faire la part, dans ces attitudes opposées, du substrat philosophique, en d'autres termes des systèmes de pensée des deux hommes. Mais tout, apparemment, n'en découle pas. Il faudrait même, mais nous serions là dans le domaine de l'hypothèse, voir si une attitude devant la vie et devant l'Histoire ne préexiste pas, dans les deux cas considérés, à l'élaboration de chacun des systèmes de pensée. Les spécialistes de l'œuvre de Sartre et d'Aron en débattront probablement encore longtemps. Plus prosaïquement, on a pu constater dans ce livre que Raymond Aron éprouva rapidement la tentation de l'Histoire, qu'il pensa bientôt en philosophe mais dans laquelle il s'immergea aussi en citoyen. Jean-Paul Sartre fut au contraire, jusqu'à la fin des années 1930, une sorte d'intellectuel amphibie, imperméable à l'Histoire en train de s'accomplir. Ce déficit initial le conduisit-il, par la suite, à une sorte de compensation en forme d'intégrisme ? Là encore, le point est débattu. Il reste que de la non-tentation de l'Histoire on est bien passé, dans un second temps, à une révérence envers elle et à une mise à son service : non seulement l'Histoire existe, mais elle a un sens, et le rôle de l'intellectuel est d'aider un processus historique qui, de toute façon, s'accomplira. Il y a bien chez Sartre, à cet égard, une sorte de syndrome du pont de la rivière Kwaï.

Quelle que soit l'hypothèse retenue, entre une pensée qui pouvait paraître sceptique et une autre qui pouvait sembler messianique il y avait bien peu de chance de se retrouver, dans les bourrasques historiques des décennies d'après-guerre. Les deux hommes avaient choisi – même si ce choix s'opéra à des dates différentes – d'embrasser l'histoire de leur siècle. Cette histoire fut tourmentée, leur relation ne pouvait que l'être également. Certes, leur duel ne fut pas, loin s'en faut, le seul duel intellectuel au cours de ce demi-siècle, mais il reflète bien, au bout du compte, les grandes tempêtes qui ont secoué le milieu intellectuel français. Bien plus, le différentiel de rayonnement des deux hommes, qui varia avec les époques, est bien le reflet des grandes phases de domination idéologique successives au sein de ce milieu intellectuel.

Ce duel, qui au bout du compte eut sa noblesse, est aussi à replacer dans une période précise de l'histoire des clercs, celle, on l'a dit, des « Trente Glorieuses » des intellectuels après la Libération. Puis vint le temps des « années orphelines ». Mais celles-ci n'étaient pas seulement une sorte de phase B, temps de repli après une phase de rayonnement. Elles venaient, du fait de la force de l'ébranlement idéologique qui frappa alors le milieu intellectuel, fermer un *trend* quasi séculaire qui avait commencé avec l'affaire Dreyfus et au fil duquel l'intellectuel avait trôné en majesté. L'enterrement de Sartre en avril 1980, d'une certaine façon, a symbolisé la fin d'une époque. D'autant que, au cours des années 1980, une crise d'identité des clercs est venue prendre le relais de cette crise idéologique dont l'onde de choc avait été si forte. Les intellectuels français ont été confrontés, d'une part, à un « malaise dans la culture », diagnostiqué notamment en 1987 par Alain Finkielkraut dans *La Défaite de la pensée*. La dilution, selon lui, de la notion même de culture débouchait sur une sorte de relativisme culturel qui a mis progressivement en selle de nouveaux leaders d'opinion. D'autre part, les intellectuels auraient également souffert au fil de la même décennie de l'installation dans le débat idéologique d'une sorte de consensus mou. C'est, en tout cas, l'analyse que développa notamment Bernard-Henri Lévy dans son *Éloge des intellectuels,* publié lui aussi en 1987. Pour imager son propos, l'auteur faisait le constat qu'à « Sartréaron », reflet des affrontements des décennies précédentes, avait succédé « Sartron », qui gommait les aspérités et mettait en avant les convergences. Privés de leur coloration idéologique, les intellectuels paraissaient désormais incapables, par leurs débats, de dégager comme par le passé les enjeux des grandes controverses nationales et se fondaient donc dans le paysage.

On pourrait assurément discuter le diagnostic. Mais le fait est que le temps semblait passé des grandes joutes entre clercs. Non que le milieu intellectuel soit alors devenu un simple caméléon, prenant spontanément les couleurs de son temps. Mais il contribuait moins, désormais, à imprimer ses teintes à la société qui l'entourait. Sans qu'il y ait besoin d'entonner l'antienne de la nostalgie ou d'invoquer un cercle des intellectuels disparus, une période s'est refermée. Elle n'appelle ni piété ni, inversement, maccarthysme à rebours. Mais ce fut assurément une période dense dans l'histoire des passions françaises. Raymond Aron en faisait indirectement le constat quand il observait en 1957, dans *Espoir et peur du siècle* : « Les querelles entre Français sont inexpiables parce qu'elles opposent des familles d'esprit, parce qu'elles se nourrissent de griefs réciproques, parce que les ferveurs idéologiques sont rebelles aux compromis[8]. » Sans doute songeait-il aussi, en écrivant ces lignes, au débat qui, depuis une décennie déjà, l'opposait durement à l'ancien « petit camarade ».

---

8. Raymond Aron, « De la droite. Le conservatisme dans les sociétés industrielles », dans *Espoir et peur du siècle. Essais non partisans*, Calmann-Lévy, 1957, p. 117.

Index des noms de personnes

A

ADAM, Georges : 246.
ADDED, Serge : 186.
AGERON, Charles-Robert : 333.
AGUILAR, Yves : 295.
AGULHON, Maurice : 267.
AILLET, Georges : 28.
AJCHENBAUM, Yves-Marc : 212.
ALAIN (Émile Chartier, dit) : 26, 29, 30, 59, 64-75, 87, 90, 93, 95, 105, 106, 110-114, 121-123, 125, 137, 139, 141-144, 222, 227, 378.
ALEXANDRE, Arsène : 190.
ALEXANDRE, Jeanne : 69.
ALEXANDRE, Michel : 69.
ALPHEN, Henriette : 29.
ALQUIÉ, Ferdinand : 227.
ALTHUSSER, Louis : 68, 151.
ALTMAN, Georges : 274.
AMROUCHE, Jean : 240.
ANTOINE, Gérald : 239.
ANGLÈS, Auguste : 216.
ARAGON, Louis : 244, 245, 247, 336, 343.
ARENDT, Hannah : 160.
ARISTOTE : 112.
ARON, Emmanuelle : 161.
ARON, Suzanne : 161, 237.
ARON-SCHNAPPER, Dominique : 161, 237.
ASSOULINE, Pierre : 179, 187.
ASTIER DE LA VIGERIE, Bertrande d' : 196.

ASTIER DE LA VIGERIE, Emmanuel d' : 196, 336.
ASTORG, Bertrand d' : 264.
ASTRUC, Alexandre : 80, 119.
AUBRY, Pierre : 131.
AUCLAIR, Michel : 225.
AUDIBERTI, Jacques : 14.
AUFFRAY, Bernard : 103.
AURY, Dominique : 222, 270.
AVRAN, Jean : 272.
AXELOS, Kostas : 343.
AZÉMA, Jean-Pierre : 172.

B

BADY, René : 82.
BAILLOU, Jean : 52, 86, 143, 191, 192.
BAIR, Deirdre : 179, 188, 237.
BALZAC, Honoré de : 134.
BARBÉ, Alain : 140.
BARBUSSE, Henri : 59.
BARIÉTY, Jacques : 103.
BARILIER, Étienne : 19.
BARRAULT, Jean-Louis : 322.
BARRÈS, Maurice : 36, 40, 216.
BASCH, Victor : 70.
BATISTA, Fulgencio : 282.
BAUMONT, Maurice : 50-52.
BAVEREZ, Nicolas : 14, 19, 138, 205, 240, 242, 312, 330, 338.
BEAUFRET, Jean : 227.

Table des matières

ÉPILOGUE

Conclusion

Comme l'indique la note 12 de la page 18, les sources et les références bibliographiques sont indiquées dans les notes au fil de l'ouvrage.

*Composition en caractère Baskerville de corps 12
et mise en pages réalisées par l'atelier J.-L. PAUL*

*Impression réalisée sur CAMERON par
BRODARD ET TAUPIN
La Flèche*

*pour le compte des Éditions Fayard
en septembre 1995*

Imprimé en France
Dépôt légal : octobre 1995
N° d'édition : 855 – N° d'impression : 6114M-5
ISBN : 2-213-59200-4
35-11-9200-01/3